Anselm Grün

Mit dem Leben in Berührung kommen

Anselm Grün

Mit dem Leben in Berührung kommen

Die eigene Spiritualität entdecken

Kreuz

Inhalt

Die eigene Freude wiederfinden

Einleitung

Freude kann man nicht machen. Das Buch wird in Ihnen nicht automatisch Freude hervorrufen. Aber in jedem von uns ist neben den Gefühlen von Traurigkeit und Ärger, von Angst und Depression auch ein Raum der Freude. Oft sind wir von der auf dem Grunde unseres Herzens liegenden Freude abgeschnitten. Und dann meinen wir, es gäbe keinen Grund zur Freude. Und manchmal wehren wir uns auch gegen die Freude, die in uns ist. Wir möchten lieber jammern, weil uns das mehr Zuwendung bringt als innere Zufriedenheit und ein frohes Herz. Es gibt viele Facetten der Freude in uns, die stille innere Freude, die selbst durch Enttäuschung und Leid nicht verdunkelt wird, die explosive und ekstatische Freude, in der wir am liebsten in die Luft springen möchten, die Freude an uns selbst, die Freude am Leben, die Freude an der Schöpfung und schließlich die Freude an Gott. Vielleicht kennen Sie in sich nur die verhaltene Freude. Sie sind nicht der Typ, der eine Gesellschaft unterhalten kann. Dann trauen Sie Ihrer Art von Freude, ohne sich zu einer Freude zu zwingen, die für Sie nur aufgesetzt wäre.

In der Kirche habe ich oft Predigten gehört, die mich aufforderten, ich solle mich doch freuen. Da wurde immer wieder der heilige Paulus zitiert: »Freut euch im Herrn zu jeder Zeit! Noch einmal sage ich: Freut euch!« (Phil 4,4). Solche Aufforderungen zur Freude haben bei mir immer zwiespältige Gefühle ausgelöst. Zum einen ist da sicher die Sehnsucht, mich wirklich freuen zu können. Zum anderen kommt da das Gefühl hoch: Es ist zu einfach, zur Freude aufzufordern. Ich kann mich nicht freuen, nur weil ein anderer das jetzt will. Ich kann mich nicht auf Befehl freuen. Freude kann man nicht einfach machen. Und all die Begründungen, der Christ habe allen Grund zu Freude, er müsse sich doch eigentlich immer freuen, weil er erlöst sei, helfen mir nicht zu wirklicher Freude. Sie machen mich eher aggressiv. Ich kann mich nicht immer und überall freuen. Ich will auch traurig sein dürfen, wenn es für mich gerade stimmt. Bei vielen, die ständig von der Freude reden, spüre ich hinter der Freudenfassade eine tiefe Traurigkeit, ja manchmal Leere und Verzweiflung. Daher überzeugen sie mich nicht. Im Gegenteil, ich habe den Eindruck, sie müssen sich die Freude einreden und sich gegenseitig zur Freude auffordern, weil sie sie in sich nicht wirklich haben.

Wenn ich daher in diesem Buch über die Lebensspur der Freude schreibe, dann möchte ich nicht in diese billige Aufforderung zur Freude einstimmen. Ich möchte vielmehr in Erinnerung an all die Menschen, die ich begleite und die mir sehr viel von ihren Verletzungen und Schmerzen erzählt haben, die Spur beschreiben, die sie schließlich wieder zum Leben geführt hat. Und diese Lebensspur hat immer auch mit Freude zu tun. Jeder hat in sich einen Raum der Freude, auch wenn er oft verschüttet ist, auch wenn er nicht immer in Berührung damit ist. Jeder hat sich schon einmal richtig freuen können. Jeder weiß aus Erfahrung, wie sich Freude anfühlt und wie gut sie ihm tut. Sich an diese Erfahrungen von Freude zu erinnern, ruft sie wieder in uns hervor und kann ihre heilsame Kraft von neuem wirksam werden lassen.

Ein Weg der Therapie ist, die Wunden anzuschauen und aufzuarbeiten, sich noch einmal in sie hineinzuspüren, damit sie sich wandeln können, und sich auszusöhnen mit seiner Lebensgeschichte, die voller Verletzungen ist. Das ist ein wichtiger Weg. Aber wir dürfen dabei nicht stehen bleiben. Wir dürfen nicht immer nur fragen, was uns krank gemacht hat, sondern sollten genauso auch untersuchen, was uns denn gesund macht,[1] was uns zum Leben führt. Ich erlebe in letzter Zeit viele Menschen, die ständig nur in ihrer Vergangenheit graben, die sich den Kopf zerbrechen, was sie noch alles an kindlichen Verletzungen aufarbeiten müssen und welche Formen der Therapie noch helfen könnten. Wir sollen die Augen nicht vor der Wahrheit unseres Lebens verschließen. Und manchmal stößt uns das Leben mit Nachdruck auf die eigenen Wunden. Dann müssen wir uns ihnen zuwenden. Aber bei manchen ist die Suche nach den eigenen Verletzungen auch zu einer Sucht geworden, die sie davor bewahrt, sich den Problemen zu stellen, die ihnen das Leben heute stellt. Indem sie ständig in den Wunden ihrer Vergangenheit bohren, verhindern sie Heilung, bringen sie sich um die Lebendigkeit, nach der sie sich sehnen.

Das Thema Freude lädt mich dazu ein, nach Spuren in meiner Lebensgeschichte zu suchen, die von Freude und Lebendigkeit geprägt waren. Anstatt immer nur nach krankmachenden Erfahrungen in der Kindheit Ausschau zu halten, sollten wir uns auch an die vielen Erlebnisse erinnern, in denen wir voller Freude und Fröhlichkeit waren, in denen wir so richtig die Lust am Leben gespürt haben. Solche Spuren bringen uns in Berührung mit der eigenen Lebendigkeit, sie können unsere Wunden, die genauso zu unserer Geschichte gehören, oft besser heilen als das ständige Kreisen um die Kränkungen, die wir erfahren haben. Die Spur der Lebendigkeit ist für mich zugleich auch die Spur, auf der ich Gott in meinem Leben entdecke. Für mich besteht die geistliche Begleitung darin, in den Menschen die Spur ihrer Lebendigkeit zu entdecken. Denn auf dieser Spur begegnen sie dem wirklichen Gott, dem heilenden und befreienden Gott, dem Gott, der sie zu ihrer Lebendigkeit, zu ihrer Lebensfreude, zu ihrer einmaligen Gestalt führt.

Mit der Freude in Berührung zu kommen ist für Leib und Seele heilsam. Daher möchte das Buch Sie einladen, dass Sie die Freude auf dem Grund Ihres Herzens neu entdecken. Wenn Sie über die Erfahrungen der Freude bei anderen Menschen lesen, kommen Sie vielleicht wieder stärker mit der Quelle der Freude in Berührung, die in Ihnen ist. Und vielleicht beginnt diese Quelle dann wieder von neuem zu sprudeln. Ich möchte Sie ermutigen, Ihr eigenes Leben bewusst einmal unter dem Aspekt der Freude anzuschauen. Sie werden auch in Ihrer Lebensgeschichte Spuren der Freude und der Lebendigkeit finden. Von diesen Spuren aus können Sie den Weg entdecken, den Sie heute weitergehen sollten, damit Ihr Leben heil wird und ganz, damit Sie Ihre Einmaligkeit leben, die Sie von Gott her haben, und damit Sie Ihre ureigenste Spiritualität finden, die Sie zu Gott und zu Ihrem wahren Selbst führt.

Annäherung an die Freude

Als ich mich mit dem Thema Freude zu beschäftigen begann, las ich zuerst bei den Philosophen und Psychologen, was sie bereits an wichtigen Einsichten formuliert haben. Und ich sah in theologischen Lexika und in Bibelwerken nach, was denn die Bibel und die Theologie zum Thema Freude denken. Ich möchte den Leser nicht mit allen Richtigkeiten über die Freude langweilen, die ich da gefunden habe. Denn je mehr ich versuchte, das Wesen der Freude von der Philosophie oder Psychologie her zu beschreiben oder die biblischen Verse von der Freude zu zitieren, desto weniger Lust hatte ich am Schreiben, sodass ich das Buch erst einmal liegen lassen musste. Es wollte einfach nicht fließen. Und ich wollte nicht lustlos an das Thema Freude herangehen. Da könnte ich zwar sicher Richtiges über die Freude schreiben, aber vermutlich würde da keine Freude auf den Leser überspringen. Ich spürte, dass ich einen anderen Zugang brauchte. Dennoch sind mir einige Gedanken der Philosophen für mein eigenes Nachdenken wichtig geworden. Da ist vor allem die Einsicht, dass Freude Ausdruck des Seins ist, Ausdruck von intensivem Leben und Kreativität. Wir können die Freude nicht direkt erstreben. Wir können nur versuchen, intensiv und schöpferisch zu leben. Dann wird sich auch die Freude als Ausdruck von Lebendigkeit und Kreativität einstellen.

Freude und Lust

Was mir beim Studium der griechischen Philosophie auffiel, war einmal die Trennung von Freude und Lust, an der wir Christen wohl heute noch leiden. Wenn Theologen von Freude sprechen, dann meinen sie die Freude über die Erlösung und über die Liebe Gottes. Die Lust als sinnliche Freude an den genüsslichen Dingen des Lebens, am Essen und Trinken und an der Sexualität, wurde eher abgewertet. Wir haben die Trennung der Stoa zwischen Geist und Trieb so sehr verinnerlicht, dass auch unser Reden über die Freude so unsinnlich und letztlich »sinn«-los geworden ist, dass davon keine Freude ausgeht. Dennoch hat auch die Stoa einige bedenkenswerte Gedanken über die Freude entwickelt. Da wird die Freude eine *eupatheia* genannt, ein guter Seelenzustand, eine gute Leidenschaft. Freude ist also nicht leidenschaftslos, sondern leidenschaftlich. Aber sie ist keine zerstörerische Leidenschaft, sondern eine aufbauende und heilende, eine Leidenschaft, die voller Leben ist, die vor Energie und Lust am Leben sprüht. *Epiktet*, ein wichtiger Vertreter der Stoa, der einen großen Einfluss auf die Kirchenväter ausgeübt hat, versteht die Freude als Ausdruck des gesunden Menschen, des Menschen, der voller Selbstvertrauen und zugleich im Einklang mit Gott ist. Für ihn ist das Ziel des Reifungsweges, dass der Mensch »die ungefährdete Freude in allen Widrigkeiten des Daseins bewahren kann«[2]. Es geht ihm also darum, wie wir auch mitten in unserer Angst und Traurigkeit, in Unglück und Not, bei Misserfolg und Enttäuschungen froh sein können. Es geht um die beständige Freude, die tiefer ist als Euphorie und Begeisterung.

Freude als Ausdruck erfüllten Lebens

Ein anderes Konzept für das Verständnis der Freude hat *Aristoteles* entwickelt. Bei ihm hat mich fasziniert, dass er die Freude als Ausdruck eines erfüllten Lebens versteht. Die intensivste Freude empfindet der, der seine Fähigkeiten verwirklicht und dessen Aktivität durch keine inneren oder äußeren Blockaden behindert wird. Sie strömt vor allem aus der richtigen Betätigung der Vernunft und aus schöpferischem Handeln. Freude ist für Aristoteles zugleich eine Energie, die den Menschen antreibt, die in ihm Leben weckt. Die Energie der Freude kann auch heilend wirken auf uns, wenn Verletzungen und Kränkungen unser Leben beeinträchtigt haben. Hierin liegt für mich ein wichtiger Ansatz, den ich gerne weiter bedenken möchte. Freude bringt in uns etwas in Bewegung. Sie ist eine heilende und anregende Kraft. Sie erzeugt Lebendigkeit, und sie treibt zu einem Handeln an, das auch für andere Menschen heilsam ist. Wenn einer sich verbissen für die Armen einsetzt, wird aus seinem Handeln nichts Gutes entstehen können, selbst wenn er noch so viel Kraft in seinen Einsatz steckt. Wer jedoch aus einer inneren Freude an die Arbeit geht, der wird mehr leisten und hilfreicher den Menschen dienen. Von seinem Handeln wird Lebensfreude ausgehen, und er wird Kreativität in den Menschen wecken, denen er hilft.

Die Gedanken der Philosophen wurden von der Theologie aufgegriffen. Unter den vielen theologischen Definitionen der Freude hat mir am besten die von *Alfons Auer,* dem Altmeister der Moraltheologie, gefallen. Für ihn ist die Freude »Ausdruck echter Lebenssteigerung«: »Immer ist also Voraussetzung der Freude die Entfaltung und Erfüllung des Menschseins; Freude selbst ist deren psychologischer Widerschein im Affektiven.«[3] Von diesem Begriff der Freude her komme ich frei von dem Druck, immer mit einem fröhlichen Lächeln herumlaufen zu müssen. Es geht nicht darum, die Freude als Gefühl in sich hervorzurufen, sondern in erster Linie darum, das Leben zu steigern, Lebendigkeit zuzulassen, kreativ und mit sich selbst im Einklang zu sein, die eigenen Fähigkeiten und Möglichkeiten zu entfalten und Lust an der eigenen Lebendigkeit zu haben.

Freude und Kreativität

Die Psychologie hat sich natürlich ebenfalls mit dem Phänomen der Freude befasst. *Erich Fromm* unterscheidet zwei Arten von Freude: die eine, die aus der Behebung eines Mangelzustandes oder einer schmerzhaften Spannung entsteht, etwa wenn wir nach einer langen Wanderung durstig nach Hause kommen und uns auf ein kaltes Bier freuen. Die zweite Art der Freude ist die, die aus dem Überfluss strömt. Diese Art von Freude ist Ausdruck der Kreativität und Produktivität des Menschen. Ich habe Lust am Spielen, ich freue mich meines Lebens, meiner Lebendigkeit. Ich freue mich über das, was ich gestalten und formen kann, was durch mich entsteht.[4] Genauso wie die Freude ist auch die Liebe für Fromm ein Phänomen des Überflusses. Die Freude hat letztlich immer mit Liebe zu tun, und zwar mit einer produktiven Liebe, die auf gegenseitiger Achtung und Integrität aufbaut und nicht auf gegenseitiger Abhängigkeit. Für Fromm ist die Freude eine Tugend. Denn sie setzt eine Leistung voraus, die innere Anstrengung der produktiven Aktivität. Tugend ist für Fromm Tüchtigkeit. Freude wird uns nicht einfach in den Schoß gelegt. Sie ist Ausdruck eines Lebens, das wir mit aller Leidenschaft leben, in dem wir alle unsere Fähigkeiten, die Gott uns geschenkt hat, auch entfalten. Mit diesen psychologischen Betrachtungen möchte Erich Fromm die Gedanken der Philosophen ergänzen und in unseren heutigen Erfahrungshorizont hinein übersetzen.

Freudenbiographie

Verena Kast hat von der Psychologie her ähnliche Gedanken zum Thema der Freude beigesteuert. Sie spricht von der Freude als »gehobener Emotion«[5]. Das Wort Emotion kommt von *movere*, bewegen. Emotionen setzen uns in Bewegung, sie bewegen uns zum Handeln oder aber auch zur Verweigerung des Tuns, das von uns gefordert ist. Die gehobenen Emotionen der Freude, der Inspiration und der Hoffnung machen uns weit, während uns die Angst einengt. Sie »beschwingen uns, regen uns an, sie geben uns eine gewisse Leichtigkeit, aber sie schaffen auch Verbundenheit unter den Menschen«[6]. Die Freude hat also eine therapeutische Funktion. Sie macht den Menschen innerlich gesund, sie schenkt ihm Lebendigkeit und Lust am Leben und führt ihn aus der Vereinzelung heraus, in die ihn die Angst gedrängt hat, und führt ihn zur Solidarität mit den Menschen um ihn herum. *Kast* weiß von vielen Therapien her, dass die Erfahrung der Freude »den entscheidenden Umschlag im Leben eines Menschen bewirken«[7] kann. Freude kann man nicht befehlen. Sie stellt sich oft dann ein, wenn wir sie gar nicht erwarten, und zwar dann, »wenn wir völlig aufgehen können in einer Aktivität«[8]. Das ist für *Verena Kast* die entscheidende Bedingung für die Erfahrung von Freude, »dass wir in einem Tun, einer Aktivität, einem Anblick aufgehen können«. Denn Freude hat mit Kreativität zu tun.

Wenn ich etwas Neues herausfinde, löst das große Freude aus. Und Freude hat eine enge Beziehung zur Liebe. Wenn ich einem anderen etwas geben kann, freut das nicht nur ihn, sondern auch mich selbst. »Besondere Freude entsteht in Beziehungen, wenn in den Beziehungen und durch die Beziehungen etwas wächst.«[9] Das gemeinsame Kind, das gemeinsame Werk, die Idee, die im Gespräch entsteht, sie sind Verursacher großer Freude. *Verena Kast* sieht das Phänomen der Freude also ähnlich wie *Aristoteles* und *Erich Fromm*. Freude kann nicht direkt angezielt werden, sie ist immer Ausdruck von Aktivität, von Liebe, von Offenheit, von Sich-vergessen-Können in einer Aufgabe oder in der Liebe.

Es gibt tausend kleine Freuden, die jeder täglich erleben kann, die Freude am schönen Wetter, die Freude an der Schönheit der Berge, die Freude an jeder Begegnung. Während wir uns freuen, analysieren wir unsere Freude nicht. Das wäre schädlich. Aber wir sollten uns unserer täglichen kleinen Freuden bewusst werden, sie bewusst wahrnehmen. Dann wird die positive Grundstimmung in uns verstärkt. Und das wirkt gesundheitsfördernd. Wer solche Erfahrungen der kleinen Freuden vernachlässigt oder überspringt, der fühlt sich – so zeigen es psychologische Untersuchungen – »müde, schläfrig, weniger gesund und angespannt ... Man beurteilt sich selber unter solchen Bedingungen schlechter und fühlt sich vor allem weniger kreativ und vernünftig.«[10] *Verena Kast* lädt daher ein, die eigene »Freudenbiographie« zu schreiben. Sie meint, wir sollten uns immer wieder daran erinnern, wo und wie und worüber wir uns in unserem Leben schon gefreut haben. Die Freudenbiographie lässt uns unsere Geschichte mit folgenden Fragen anschauen: »Wie habe ich Freude erlebt in meinem Leben? Wie habe ich sie abgewehrt? Wie wurde sie mir verwehrt? Und: Was ist aus der Freude im Laufe des Lebens geworden? Ist sie mehr geworden?«[11] Wenn wir unser Leben unter diesem Blickwinkel anschauen, dann werden wir auf wichtige Spuren der Lebendigkeit stoßen, dann werden wir in Berührung kommen mit den heilenden Kräften, die in uns selbst liegen, dann machen wir eine Art Selbsttherapie, die wirksamer sein kann als Jahre qualvoller Fremdtherapie. Dabei sollten wir nicht nur über die Situationen nachdenken, in denen wir Freude erlebt haben, sondern uns auch an die Körperbewegungen erinnern, mit denen wir als Kind unsere Freude ausgedrückt und die wir besonders geliebt haben.

Wenn wir uns die Mühe machen, unsere Freudenbiographie zu schreiben, bringt uns das in Kontakt mit uns selbst. Wir spüren die Freude der Vergangenheit von neuem. In Augenblicken der Freude waren wir einverstanden mit uns und unserem Leben. Von solchen Augenblicken geht die Einladung aus, auch heute Ja zu sagen zu unserem Leben, uns eins zu fühlen mit uns, so wie wir geworden sind. Wenn wir uns durch die Erinnerung an frühere Freudenerfahrungen wieder von neuem freuen können, wächst in uns die Lust am Leben, und wir haben mehr Kraft in uns, uns den krankmachenden Strukturen in uns entgegenzusetzen. Von der Emotion der Freude geht eine heilende Kraft aus. Die Frage ist, warum wir uns lieber unseren Wunden zuwenden als unseren Freuden. Offensichtlich haben viele als Kinder die Erfahrung gemacht, dass sie von den Eltern mehr beachtet werden, wenn es ihnen schlecht geht. So kreisen wir um unsere Verletzungen, damit wir heute Zuwendung bekommen. Aber mit dieser Strategie programmieren wir eine ständige Enttäuschung vor. Denn wir werden nie genug an Zuwendung erhalten. Daher ist es heilsamer und sinnvoller, uns liebevoll uns selbst zuzuwenden. Eine solche Art positiver Selbstzuwendung ist die Erinnerung an vergangene Freuden und der Versuch, uns hier und heute an uns und unserem Leben zu freuen. Ständig auf die Zuwendung anderer aus zu sein ist Ausdruck einer Mangelerfahrung. Sich zu freuen an den kleinen Dingen des Alltags ist dagegen ein Zeichen, dass in uns Überfluss an Leben ist. Und wir können durch die Bereitschaft, uns immer wieder zu freuen, das Leben in uns auch zum Strömen bringen.

Die Spur der Lebendigkeit

Im Recollectiohaus begleite ich gemeinsam mit drei Mitbrüdern die Priester und Ordensleute, die für drei Monate zu uns kommen, weil sie für sich etwas tun wollen. Oft sind sie ausgebrannt von ihrer Arbeit. Manchmal fühlen sie sich spirituell völlig leer. Sie spüren weder sich noch Gott noch das Leben. Oder sie sind in eine Berufskrise geraten und wissen nicht mehr, wie es weitergeht. Wir haben uns als geistliche Begleiter gefragt, wie wir unsere Begleitung verstehen, etwa im Unterschied zur therapeutischen Begleitung. Übereinstimmend berichteten alle vier, dass es uns darum geht, in den Gästen die Spur ihrer Lebendigkeit zu entdecken. Dort, wo einer sich lebendig fühlt, wo seine Energie zu strömen beginnt, dort begegnet er auch Gott, dort kann er auch seine ureigenste spirituelle Spur entdecken.

Wenn wir Freude mit *Aristoteles*, *Erich Fromm* und *Verena Kast* als Ausdruck von Lebendigkeit, von produktiver Aktivität, von seinsgemäßem Leben verstehen, dann ist die Spur der Lebendigkeit auch die Spur der Freude. Ich erlebe oft, wie die Gäste erzählen, dass sie sich beim Wandern lebendig fühlen, dass sie da Lust haben am Leben. Da schreiten sie weit aus und fühlen sich frei. Andere werden lebendig, wenn sie musizieren oder klassischer Musik lauschen. In anderen wird Leben wach, wenn sie dichten. Wenn die Gäste davon erzählen, wo sie sich lebendig und authentisch fühlen, dann hellt sich oft ihr Gesicht auf. Wer zusammengesackt vor mir saß und depressiv von seinen Wunden erzählte, der richtet sich auf einmal auf und spricht mit einer ganz neuen Stimme. Da wird in der Stimme, in der Körperhaltung, im Gesichtsausdruck Leben erfahrbar. Mit ihrer Spur der Lebendigkeit entdecken die Gäste oft genug auch ihre ganz persönliche Spiritualität, die ihnen nicht vom geistlichen Lehrer übergestülpt wird, sondern die ihnen aus dem Herzen strömt. Und diese ganz persönliche Spiritualität ist immer auch ein Weg, auf dem sie heiler werden und ganz.

Die Freudenspur des Kindes

In den letzten Jahren habe ich nicht nur nach den Orten gefragt, an denen sich die Menschen *heute* lebendig fühlen. Gerade wenn mir jemand von seiner beschädigten Kindheit erzählt, von kränkenden Erlebnissen, von aussichtslosen Situationen, frage ich öfter danach, wo er sich denn als Kind am wohlsten gefühlt habe, welche Wege er als Kind entdeckt habe, um der überfordernden und krankmachenden Situation seines Elternhauses zu entrinnen, welche Strategien er entwickelt hat, um auf die Spannungen daheim zu reagieren, wo er sich als Kind lebendig erlebt und was er am liebsten getan hat. Ich könnte mit *Verena Kast* auch fragen, wo er sich als Kind gefreut hat, wo er mit der ursprünglichen Daseinsfreude in Berührung war. Ich bin überzeugt, dass ein Kind von sich aus genau den Weg findet, auf dem es auch in schwierigen Verhältnissen leben kann. Instinktiv weiß das Kind genau, was ihm gut tut und was es zum Leben braucht. Ich könnte auch mit *John Bradshaw*[12] vom göttlichen Kind sprechen, das jeder in sich trägt und das uns unsere wahren Gefühle und Bedürfnisse zeigt, das uns den Weg zeigt, auf dem unser wahres Selbst leben kann. Es ist ein Weg der Selbstheilung und es ist ein Weg, auf dem jeder seine ureigenste Spiritualität entdecken kann, die ihm heute weiterhilft, die in ihm die Kräfte weckt, die er heute braucht, um von den Wunden der Vergangenheit Abschied zu nehmen und das Leben von neuem zu lernen. Wenn der Erwachsene mit diesem selbst entdeckten Weg der Lebensfreude in Berührung kommt, dann tut es ihm jetzt gut, dann sprudelt auf einmal eine Quelle von Freude in ihm auf, die echter und tiefer ist als alles, was ich ihm an guten Ratschlägen geben könnte. Ich erlebe dann oft, wie das Gespräch einen ganz anderen Verlauf nimmt. Da ist nicht mehr das Klagen über das aussichtslose Bemühen um ein geistliches Leben, das immer wieder scheitert, weil die Wunden der Vergangenheit so stark aufbrechen und alle Versuche gesunder Lebenskultur wieder zerstören. Da keimt auf einmal Hoffnung auf, dass das

Leben doch gelingen kann, die Ahnung, dass in einem selbst ja ein kerngesunder Lebenskeim liegt, der nur auf die Entfaltung wartet.

Die Spur meiner ureigensten Spiritualität

Für mich als geistlichen Begleiter ist diese Spur der Selbsttherapie immer auch eine Spur der ureigensten Spiritualität. Viele klagen in der Lebensmitte darüber, dass ihr geistliches Leben zusammengebrochen sei. Sie haben den Eindruck, ihre Spiritualität sei ihnen von den Eltern, von der Kirche, vom Orden übergestülpt worden. Jetzt sind sie ratlos, meinen, Gott sei bloß eine Einbildung. Sie haben in ihrem geistlichen Leben ganz viel Energie auf die Einhaltung von stillen Zeiten, von Gebet und Meditation verwendet. Und jetzt spüren sie, dass das alles eine Illusion war. Die spirituelle Spur war für sie wesentlich. Ohne sie hätten sie nicht überlebt. Aber jetzt stimmt sie nicht mehr. Sie können nicht mehr beten. Die Meditation ist leer. Gott ist ihnen abhanden gekommen, zwischen den Fingern zerronnen. Das stürzt sie in eine tiefe Krise. Manche versuchen dann, krampfhaft an ihrer Ordnung festzuhalten. Aber immer wieder scheitern sie daran. Es gelingt ihnen einfach nicht, ihre Meditation durchzuhalten. Sie fühlen sich so leer dabei, dass sie keinen Sinn mehr darin sehen, weiterzumachen. Der innere Widerstand wird so groß, dass sie es mehr und mehr aufgeben, überhaupt noch zu beten oder zu meditieren. Und sie wissen keinen Weg, aus dieser Verzweiflung herauszukommen. Auch da hilft es oft, die urpersönlichste Spur zu entdecken, auf der man als Kind Gottes Nähe erfahren hat, auf der man als Kind sich am wohlsten gefühlt hat. Denn dort, wo ich mich als Kind ganz im Einklang mit mir und der Welt gefunden habe, dort war ich auch eins mit Gott. Genau das ist auch die spirituelle Spur, die nicht aufgesetzt ist, sondern die Spur, auf der ich Gott begegnet bin und ihn gefunden habe. Wenn ich diese Spur wieder neu entdecke, kann auch mein geistliches Leben wieder aufblühen.

Es sind oft archetypische Erfahrungen, die mir Erwachsene erzählen, wenn ich sie danach frage, wo sie sich als Kinder am wohlsten gefühlt und wie sie als Kind auf die Verletzungen und auf unerträgliche Situationen reagiert haben, und sie klingen erstaunlich ähnlich. Da ist eine Frau, die sich sehr erschöpft fühlt. Sie meint, die viele Arbeit sei schuld an ihrer Erschöpfung. Aber auch ein langer Urlaub hat ihr nicht geholfen. So ahne ich, dass die Erschöpfung mit einer inneren Struktur zu tun haben muss. Als Kind hat sie immer den Eindruck gehabt, sie müsse aufpassen, sonst würde sie geschimpft, sonst gäbe es Streit zwischen ihrem Onkel und den Eltern. Sie wuchs auf mit einem ständigen Gefühl der Überforderung: »Wie kann ich es dem Onkel recht machen? Schaffe ich auch alles, was von mir verlangt wird? Hoffentlich gibt es heute keinen Streit. Was kann ich nur machen, dass es einigermaßen friedlich zugeht?« Dieses Gefühl, dass andere ständig etwas von ihr wollen, hat sie letztlich ihr ganzes Leben lang überfordert. Sie lebte in einer ständigen Anspannung und konnte sich nicht fallen lassen, sich nicht entspannen. Jeder Konflikt hat diese Grundspannung aus ihrer Kindheit wieder neu aufleben lassen und ihr ihre ganze Energie geraubt. So fragte ich sie, wo sie sich denn als Kind am wohlsten gefühlt habe. Sie meinte, sie habe sich als Kind oft Höhlen in das Heu oder Stroh gegraben und habe sich darin zurückgezogen. Da hat sie sich richtig wohl gefühlt. Da war sie geschützt. Da konnte sie kein Konflikt erreichen. Da konnte niemand mit ihr schimpfen. Da hat sie sich lebendig gefühlt, da war Lebensfreude. Da war sie ganz bei sich, mit sich im Einklang.

Die Höhle ist ja ein Symbol für den Mutterschoß. Es war eine gesunde Regression, die das Kind da für sich als Lebensspur entdeckt hat. Und sie hat noch einen anderen Weg gefunden. Sie ist gerne auf eine große Linde geklettert, die vor ihrem Haus stand. Dort konnte man sie nicht sehen. Dort konnte sie alles von oben betrachten. Da hat sie sich richtig frei gefühlt. Und zugleich hat sie sich größer gefühlt als die Menschen, die da auf der Erde herumliefen und nach ihr suchten. Die Höhle und der

Baum sind zum einen mütterliche Symbole, zum anderen haben sie auch eine religiöse Bedeutung. Sich in die Höhle zurückziehen kann auch heißen: Gott als Schutzraum erfahren, bei Gott daheim sein, in Gott Heimat und Geborgenheit erleben. Gott schützt diese Frau vor der bedrohenden Nähe der Menschen, die ständig etwas von ihr wollen, die übertriebene Erwartungen an sie haben, denen sie alles recht machen möchte, vor denen sie Angst hat, dass sie sich zerstreiten und ihr die Schuld für ihre Konflikte zuschieben. Das Bild der Höhle zeigt, welches Gottesbild ihr heute helfen kann, sich fallen zu lassen und sich zu entspannen. Nicht der Gott, dem sie alles recht machen muss, vor dem sie alle Gebote erfüllen muss, dessen Willen sie immer neu entdecken muss, sondern der Gott, bei dem sie geborgen ist, bei dem sie sein darf, wie sie ist, geschützt und frei, geborgen und daheim, dieser »Höhlengott« wird sie heute heilen und ihr den Raum schenken, in dem sie regenerieren kann. Natürlich ist das mütterliche Bild der Höhle auch ein einseitiges Gottesbild. Es braucht den Gegenpol des Exodusgottes, der mich herausführt aus Abhängigkeiten, der mich in die Verantwortung stellt. Aber für ihre jetzige Situation braucht sie dieses mütterliche Gottesbild, damit sie aufhört, sich zu überfordern, damit sie sich in Gottes liebende Arme fallen lassen kann.

Ich erlebe in der geistlichen Begleitung viele Menschen, die ähnlich wie diese Frau vom Leistungsdenken bestimmt sind. Sie machen auch aus ihrem geistlichen Leben eine Leistung. Sie strengen sich an, damit sie sich selbst und Gott etwas vorweisen können. Sie möchten täglich eine Meditationszeit, einen Rosenkranz, eine Bibellesung, eine Gewissenserforschung einhalten. Dann sind sie mit sich zufrieden. Aber sie sind nicht wirklich froh dabei. Im Gegenteil, oft hetzen sie ihrem eigenen geistlichen Programm nach und können es doch nicht erfüllen. Gebet hat wesentlich auch mit Regression zu tun. Gebet ist eine legitime Regression. Ich ziehe mich zurück vom Leistungsbetrieb. Ich ziehe mich zurück aus den Konflikten, um in Gott ausruhen zu können. Erst wenn ich in der Höhle des Gebetes wieder zur Ruhe gekommen bin, kann ich mich neu auf den Berg stellen, wo mir der Wind um die Nase weht und Gott mir zeigt, wo er mich heute braucht (vgl. 1 Kön 19, 9ff).

Der Baum, auf den die Frau als Kind so gern geklettert ist, ist ein Bild der Freiheit, die Gott gewährt. Wenn ich in Gott bin, dann bin ich frei von der Macht der Menschen. Dann bin ich nicht mehr ihren Erwartungen ausgeliefert. Ich habe Distanz zu ihnen. Sie kommen mir nicht mehr so riesig und gefährlich vor. Sie werden klein, sie relativieren sich. Gotteserfahrung ist wesentlich Erfahrung der Freiheit. Und die Frau braucht gerade die Erfahrung, dass Gott sie von der Macht der Menschen befreit, dass er sie auf einen hohen Felsen stellt, wie der Psalmist sagt. Durch die Erinnerung an diese kindlichen Erfahrungen konnte die Frau manche Bibelworte ganz neu verstehen. Jetzt entdeckte sie auch in der Bibel den Gott, der sie befreit. Das war für sie heilsam. Das gab ihr die Möglichkeit, sich endlich von der destruktiven Macht der Kindheitserlebnisse zu befreien.

Als die Frau über diese beiden kindlichen Wege nachdachte, wurde sie lebendig. Da verwandelte sich ihr Jammern über ihre Müdigkeit in innere Freude. Ihr Gesicht strahlte diese Freude wider. Ich spürte ihr an, dass da in ihr eine Quelle der Lebensfreude aufgebrochen war. Jetzt hatte sie nicht mehr die Angst, dass sie einen mühsamen Weg der Therapie und geistlichen Begleitung gehen müsse, um endlich alles aufzuarbeiten, was da in der Kindheit an Beschwerlichem war. Jetzt hatte sie einen Weg entdeckt, auf dem sie Lebendigkeit erfuhr und mit der Lebendigkeit auch Freude am Dasein, Freude an ihrem Leben, Freude an sich selbst, dass sie selbst die Spur entdeckt hat, auf der sie sich heil und ganz fühlen kann, auf der sie mit sich selbst in Einklang kommt.

Die Freude aus sich heraussingen

Das Bild des Baumes, auf den man als Kind gerne geklettert ist, und das Bild der Höhle, in die man sich zurückgezogen hat, habe ich öfter gehört, wenn ich nach den Spuren der eigenen Lebendigkeit gefragt habe. Offensichtlich sind dies zwei ganz wichtige Grundmuster, die uns gut tun. Eine andere Frau erzählte mir, dass sie immer dann, wenn der Vater zu viel getrunken hat und dann mit der Mutter gestritten oder die Kinder angeschrien hat, schmollend weggelaufen ist. Dann hat sie sich auf den Schaukelstuhl gesetzt, den der Großvater als Schreiner geschaffen hatte. Er hatte die Gestalt eines großen Schwans. Dort thronte sie und fühlte sich größer als alle anderen. Dort wuchs ihr Selbstwertgefühl. Sie spürte Stärke und Kraft in sich. Und dann begann sie einfach zu singen. Das Anschreien oder manchmal auch das Schlagen des Vaters hat sie als verletzend erfahren. Sie hat das mit ihrem Schmollen ausgedrückt, und gleichzeitig hat sie sich durch das Schmollen vom Vater distanziert. Sie hat sich vom destruktiven Einfluss des Vaters befreit. Aber sie ist nicht beim Schmollen stehen geblieben. Denn dann hätte sie dem Vater zu viel Macht gegeben. Auf dem Schaukelstuhl kam sie mit ihrer eigenen Würde und ihrem Selbstwertgefühl in Berührung. Auf ihrem Schwanenthron spürte sie, dass sie einen unantastbaren Wert hat. Vielleicht war auch gerade das Bild des Schwanes wichtig. Der Schwan ist ja ein stolzes Tier. In der Antike ist der Schwan wegen seiner Schönheit und Reinheit das Tier der Venus, der Göttin der Schönheit und Liebe. In Indien reitet Brahma, der Schöpfergott, auf einem Schwan. Durch den Schwan kam das Kind in Berührung mit seiner Liebe und Freude, seiner Stärke und Schönheit, mit seiner göttlichen Würde, die ihm kein Mensch rauben konnte, auch der Vater nicht mit seinen verletzenden Worten oder mit seinen Schlägen.

Auf dem Schwan sitzend begann das Mädchen zu singen. Das Singen führte es an die positiven Gefühle heran, die in ihm waren, an die Quelle der Freude, die unterhalb der Verletzung und der Schmerzen immer noch sprudelte. Und indem sie mit dieser Quelle der Lebensfreude und Lebendigkeit Kontakt aufnahm, verflog der Schmerz über die Kränkung immer mehr. Sie fühlte sich gut, im Einklang mit sich und der Welt, im Einklang mit Gott. Das war ein wichtiger Schritt der Selbstheilung. Es war aber auch genau ihre spirituelle Spur. Als sie mir von diesem Erlebnis erzählte, steckte sie in einer spirituellen Krise und wusste nicht mehr ein noch aus. Sie hatte den Eindruck, dass Gott für sie entschwunden sei. Alles, was sie bisher an spiritueller Praxis vollzogen hatte, war ihr abhanden gekommen und hatte sich verflüchtigt. Es war alles so unwirklich. Jetzt kam sie mit ihrer ganz persönlichen Spiritualität in Berührung. Sie erzählte, dass sie gerne Musik auflegte, um für sich selbst zu tanzen. Das sei so ein innerer Impuls. Aber von ihrer Erziehung her hatte das natürlich nichts mit geistlichem Leben zu tun. Jetzt erhellte sich ihr Gesicht. Sie spürte, dass dieses Tanzen und Singen genau an die geistliche Spur anknüpfen konnte, die sie selbst als Kind entdeckt hat. Sie brauchte nicht vergeblich weiterzuführen, was sie im Kloster an spiritueller Praxis auf sich genommen hatte. Indem sie dem inneren Impuls zum Singen und Tanzen folgte, war sie ein spiritueller Mensch.

Sie erzählte mir noch von einem anderen Ort, an dem sie sich ganz wohl gefühlt hat, an dem sie mit sich im Einklang war, an dem die Freude Ausdruck ihrer inneren Lebendigkeit war. Am liebsten spielte sie mit ihren Freundinnen in der kleinen Dorfkirche. Vor allem vor dem Marienaltar spielten sie gerne mit ihren Puppen. Sie zogen sie an und aus und legten sie in den Kinderwagen. Manchmal stiegen sie auch über die Bänke und schaukelten dort. Die Mesnerin hatte offensichtlich Verständnis dafür. Sie ließ sie gewähren. Als Kind dachte sie natürlich nicht darüber nach, warum sie gerade in der Kirche und vor dem Marienaltar so gerne gespielt hat. Das Kind findet solche Orte unbewusst. Es weiß, was ihm gut tut, was seine Seele heilt. Maria verweist auf den mütterlichen und zärtlichen Gott. Ihre Mutter war eher kühl und distanziert. Da hat sie nie richtig Wärme erfahren. Sie hat immer Angst gehabt, dass der Vater sich über die Kinder aufregen und wieder Streit anfangen könnte. In der Kirche fühlten sich die Kinder sicher. Da konnten sie aufgehen in ihrem Spiel. Da störte sie niemand. Da war ein Schutzraum. Und es war ein geheimnisvoller Raum, voller Lebendigkeit und numinoser Ausstrahlung. Und es war offensichtlich ein mütterlicher Raum, voller Wärme und Weite, ohne Angst vor dem tobenden Vater. In ihrer religiösen Erziehung hatte sie gelernt, Gott als Vater zu sehen und eine persönliche Beziehung zu Christus aufzubauen. Das war jedoch letztlich ein vergeblicher Versuch, gegen ihre eigene Spur ein Gottesbild zu bilden. Die Erinnerung an das Spielen vor Maria gab ihr den Mut, Gott in seiner Mütterlichkeit und Weiblichkeit wahrzunehmen und zu lieben. Nicht der Gott, der von ihr etwas verlangte, sondern der Gott, vor dem sie spielen durfte, würde sie zur Lebendigkeit und zur Freude führen.

Die lebenserneuernde Kraft der Freude

Ein Mann hatte als Kind in seiner desolaten Familie kein Vertrauen gelernt. Die Zerrissenheit seiner Eltern und die ständigen Kämpfe der Ehepartner gegeneinander haben am Fundament seines Lebens genagt. Er hatte den Eindruck, dass sein Leben auf einem sehr brüchigen Fundament aufgebaut war. Aber auf meine Frage hin erinnerte er sich, wie er als Kind am liebsten zum Rhein gegangen ist. Dort konnte er stundenlang sitzen, auf das Wasser schauen und sich den eigenen Gedanken und Träumen überlassen. Wenn jemand so eine Erfahrung berichtet, frage ich nach, was das denn eigentlich gewesen sei und wie er sich gefühlt habe. Er hat als Kind unbewusst das Wasser gesucht. Aber jetzt ist es wichtig, sich das unbewusste Tun bewusst zu machen und es genauer anzuschauen. Nur dann wird es fruchtbar für heute. Das Wasser, das strömt und strömt, beruhigt. Es relativiert alles, was wir erlebt haben. Es zeigt uns, dass alles vergeht, dass alles wegfließt. Genauso floss das Schimpfen des Vaters oder das Schreien der Mutter weg. Es hatte keine Macht mehr über ihn. Am Fluss sitzend war der Bub mit sich selbst in Berührung. Er war nicht mehr von den Eltern abhängig, nicht mehr im Bannkreis ihrer Aggressivität und Unzufriedenheit. Er war bei sich, konnte sich den eigenen Gedanken überlassen.

Das fließende Wasser ist ein Symbol des Lebens und der Lebenserneuerung. Offensichtlich brauchte das Kind die Erfahrung des Lebens, um sich gegen die lebenszersetzenden und zerstörenden Kräfte der Eltern zu schützen und sich zu regenerieren. Wasser ist auch ein numinoses Symbol. Es fließt immer weiter und der Strom bleibt doch derselbe. Vergehen und Ewigkeit fallen hier in eins miteinander. Der Mann hatte nach seinem Scheitern viele Wege der Heilung gesucht, auch Psychotherapie, und er ahnte auch, dass Gott für ihn wichtig sei. Aber er tat sich schwer, an einen persönlichen Gott zu glauben. Das Bild der Person erinnerte ihn zu sehr an die negative Erfahrung von Personen, die er gemacht hatte, bei seinen Eltern und in seiner Firma. Ich riet ihm, die Spur des Wassers, das immer fließt, als Bild seiner Spiritualität zu nehmen. Er muss ja Gott nicht zuerst als Person sehen. Gott ist Leben, strömendes Leben, fließende Liebe. Da kam ihm Siddhartha in den Sinn. Er war fasziniert von dem Roman von Hermann Hesse. Siddhartha hatte ja am Fluss die Einheit mit allem erfahren. So wurde das Kindheitserlebnis – zu Ende gedacht – zum Schlüssel für seine Spiritualität und für seinen Weg, mit sich und seinem Leben besser zurechtzukommen. Bevor er sich damit quälte, Gott als Person zu denken, sollte er in der Beobachtung des fließenden Wassers Gott als die Quelle allen Seins entdecken, als die Quelle, die auch in ihm sprudelt und das Leben in ihm zur Blüte bringt. Wenn er dann von dieser Erfahrung her Gottes Wirklichkeit erahnt, kann er auch die Bibel zur Hand nehmen und versuchen, in einige Verse hineinzuhorchen. Vielleicht erkennt er dann, was es heißt, dass Gott als die Quelle des Seins sich auch in Worten ausdrückt, die wir verstehen können, in Worten der Liebe, die von einem Du kommen und uns als Du ansprechen.

Den inneren Raum finden

Eine Frau, die mir erlaubte, ihre Gedanken zu ihrer Lebensspur der Freude zu veröffentlichen, schrieb mir: »Wenn mein Vater einen Wutanfall bekam, flüchtete ich als Kind oft an einen Ort, an dem ich unerreichbar war. Zunächst war es unser großer Garten, in dem ich mich in einer Tannenschonung versteckte. Als ich etwas älter war, baute ich mir Hütten aus Decken oder aus Gestrüpp, eine Hütte auf dem Dachboden oder im Keller und versteckte mich dort. Am liebsten flüchtete ich in unsere Pfarrkirche auf die Orgelempore. Hier hätte mich niemand gesucht. Die Kirche war für mich ein Schutz- und Geborgenheitsraum. So ist es mir auch verständlich, dass ich heute als Erwachsene am liebsten meditiere, indem ich in eine Decke eingehüllt den »Inneren Raum« in mir aufsuche, den Raum, in dem ich für niemanden erreichbar bin, wo kein Mensch mich finden kann, wo ich unverletzbar bin und in dem nur Christus Zutritt hat. In dieser Weise der Meditation fühle ich mich am meisten zu Hause, und ich erfahre dadurch eine neue Freude und Sicherheit.

Schon sehr früh hatte ich auch die innere Vorstellung, dass ich mich in Situationen, in denen ich Angst hatte und mich ungesichert fühlte, unter den Mantel von Maria flüchten könne. Da ich wenig Zärtlichkeit von meiner Mutter erfuhr, war Maria für mich eine Person, von der ich das erhoffte, was meine Mutter mir nicht geben konnte. Ich liebte das Lied: ›Maria breit den Mantel aus‹. So entwickelte ich die Vorstellung, dass ich unter den Mantel von Maria flüchten konnte und dort Schutz und Geborgenheit erfuhr.

Ein anderes, mich beruhigendes Ritual war folgendes: Wir fuhren am Wochenende meistens in unser nahe gelegenes Wochenendhäuschen. Dort stand in dem Wäldchen, das das Haus umgab, so lange ich denken konnte, eine kleine weiße Pietà aus Gips. Sobald ich am Häuschen ankam, lief ich zunächst zur Pietà, um sie von herabgefallenen Blättern und von Schmutz zu reinigen. Dann suchte ich Blumen, um die Pietà neu zu schmücken. An diesem Ort und bei diesem Tun erlebte ich immer viel Frieden. Es war ein Ritual, das ich eine lange Zeit hindurch lebte. Ich erinnere mich gut an den schmerzvollen Tag, an dem ich mein geheimes Pietàversteck im Wald aufsuchte und entdecken musste, dass die Pietà zerbrochen am Boden lag. Als Erwachsene lebe ich dieses Ritual im Grunde genommen weiter. Bisher war es mir jedoch nicht bewusst, dass es meine fortgesetzte ›Kindheitsspur‹ ist. Noch heute suche ich am liebsten die Pietà in unserer Kirche auf, wenn ich innerlich in Bedrängnis bin. Ich flüchte zu Maria mit einer tiefen Gewissheit, dass sie mir helfen wird. Schon der Anblick der Pietà schafft in mir einen Raum von Geborgenheit und die Gewissheit, dass dort jemand ist, der all das, was in mir an Zerrissenheit, Sehnsucht, Dunkel und Suche ist, mit mir teilt.«

Für manche Leser mögen diese Erinnerungen nur Regression sein, Flucht in die heile Kindheit. Aber Gebet und Meditation sind für mich durchaus eine legitime Regression, allerdings nur dann, wenn sie verbunden ist mit einem kraftvollen Engagement für die Menschen. Die Frau, die diese Erfahrungen niederschrieb, steht mitten im Leben. Sie flieht nicht vor den Auseinandersetzungen, sondern sie findet mitten in ihrem Kampf nach außen in ihrer Kindheitsspur einen Raum von Geborgenheit und eine Quelle von Lebenserneuerung und innerer Freude. Maria ist für sie keine Ersatzmutter, weil ihre richtige Mutter so kühl und unnahbar war. Aber indem sie in Maria das mütterliche Antlitz Gottes entdeckt, bleibt sie nicht stehen im Jammern über die mangelnde Zärtlichkeit, die sie bei ihrer Mutter erlebt hat, sondern verwandelt die Mangelerfahrung in eine Erfahrung von Fülle. Dazu hilft ihr ihre Spiritualität, die sie im Erforschen ihrer Freudenspur in der Kindheit nun bewusster praktiziert. Sie weiß nun, dass sie nicht irgendwelchen Anregungen von außen folgt, sondern den Ahnungen des eigenen Herzens, den Impulsen ihres göttlichen Kindes, das ihr ihren Weg durchs Leben sicher weist.

Immer, wenn ich bei Kursen die Aufgabe stellte, in der stillen Arbeit darüber nachzudenken, wo man sich als Kind wohl gefühlt hat und welche Wege man gefunden hat, um auf spannungsvolle Situationen zu reagieren und sich davon zu distanzieren, sprang bei den Teilnehmern etwas an. Da entdeckten sie auf einmal ganz neue Wege für sich, die sie weitergeführt haben als ein jahrelanges Kreisen um die alten Wunden.

Eine andere Frau erzählte mir, dass sie sich als Kind immer zurückgezogen habe, wenn es in der Familie Spannungen gab. Auf meine Frage, wie das denn ausgesehen hätte, kam ihr die Erinnerung, dass sie sich oft stundenlang auf die Schaukel gesetzt habe und hin- und hergeschwungen sei und dabei gesungen habe. Sie hat sich nicht in ein Schneckenhaus zurückgezogen, sondern sie hat sich durch das gleichmäßige Schaukeln innerlich beruhigt. Da konnte sie alles um sich herum vergessen. Da war sie mit ihrer eigenen Bewegung in Berührung. Sie hat aktiv auf die bedrückende Enge in der Familie reagiert. Das Schaukeln erinnert an den Mutterschoß oder an den Kinderwagen. Es beruhigt. Aber es ist auch ein aktives Tun. Ich gehe selber gut mit mir um. Ich lasse mich nicht von den anderen bestimmen. Und sie singt auf der Schaukel. Als Kind war sie unfähig, das, was sie spürte, in Worte zu fassen. Sie war sprachlos, wenn man sie schimpfte oder wenn es Konflikte gab. Im Singen fand sie Worte für das, was sie bewegte. Im Singen drückte sie ihre Gefühle aus. Da konnte das Innere nach außen treten. Als die Frau mir diese Erinnerung erzählte, war sie verzweifelt, dass sich in ihr nichts bewege. Trotz Therapie und vieler Versuche, mit sich weiterzukommen, hatte sie den Eindruck, neben dem Leben zu stehen. Sie konnte sich an nichts freuen. Wenn sie mit dem Fahrrad fuhr, litt sie nur an ihrer Einsamkeit, anstatt voll Freude die Wälder und Wiesen wahrzunehmen. Als Kind hatte sie eine Spur entdeckt, lebendig zu sein, sich am Leben zu freuen. Da hatte sie keinen Therapeuten gebraucht, der ihr zeigte, wie sie leben sollte. Da hatte sie den Therapeuten in sich. Mit diesem inneren Therapeuten, mit diesem göttlichen Kind, mit dem wahren Selbst müsste sie jetzt wieder in Berührung kommen. Dann geht es langsam weiter, dann wird sich etwas in ihr bewegen.

Die eigene Spiritualität entdecken

Wenn Menschen mit der Spur ihrer Lebendigkeit in Berührung kommen, dann hat das oft eine heilsamere Wirkung, als wenn sie immer nur in den Wunden der Vergangenheit herumwühlen. Dort, wo jemand sich lebendig fühlt, dort ist er auch voller Freude. Freude ist Ausdruck der Lebendigkeit. Es muss nicht immer eine überschäumende Freude sein. Es kann auch das stille Gefühl von Stimmigkeit sein oder ein Sich-wohl-Fühlen. Oder es kann eine kraftvolle Lust am Leben sein. Jeder hat in seiner Lebensgeschichte nicht nur Verletzungen und Defizite zu beklagen. Jeder hat irgendwann einmal Lebendigkeit erfahren. Mit dieser Lebendigkeit wieder in Kontakt zu kommen ist ein eminent therapeutischer Weg und zugleich ein spiritueller Weg. Denn nur auf diesem Weg kann jemand seine eigene religiöse Spur finden.

Für mich ist es in der Begleitung erstaunlich, immer wieder zu beobachten, wie Kinder von sich aus einen Weg zur Lebendigkeit und Freude finden. Sie haben in sich offensichtlich einen gesunden und kreativen Kern und ein Gespür dafür, was ihnen gut tut. Ihr göttliches Kind bleibt bei aller Kränkung unverletzt und weist ihnen den Weg, auf dem ihr ureigenstes Leben gelingen kann. Instinktsicher entwickeln sie auch in noch so verfahrenen Situationen eine Strategie, um sich von der destruktiven Macht alkoholkranker Väter oder depressiver Mütter zu befreien. Sie finden den Ort, an dem sie sich frei fühlen, an dem sie geborgen sind, an dem sie ganz sie selbst sind, einverstanden mit ihrem Dasein. Dort kann niemand sie verletzen, dort kann ihnen niemand Vorschriften machen. Spielerisch entwickeln Kinder ihre Weise der Selbsttherapie. Und spielerisch finden sie ihre eigene Spiritualität. Die Beschäftigung mit der Freude hat mich dafür hellhörig gemacht, solche spirituellen und selbstheilenden Spuren im Leben eines Menschen mehr zu beachten und von da aus Wege zu finden, die ihn heute weiterführen.

Ich erlebe in der geistlichen Begleitung oft, dass Menschen sich selbst beschuldigen, dass sie keine Disziplin hätten, dass sie sich jedes Mal vornehmen, morgens zu meditieren. Aber es gelingt ihnen einfach nicht. Sie haben viele Kurse besucht und spirituelle Bücher gelesen. Sie glauben, nun müssten sie das praktizieren, was sie gelesen und geübt haben. Aber sie nehmen oft zu wenig Rücksicht auf die Struktur ihrer eigenen Seele. Wenn jemand zu viel Energie darauf verwenden muss, sein geistliches Programm zu erfüllen, ist das für mich immer ein

Kriterium, dass er sich einen spirituellen Weg übergestülpt hat, der für ihn nicht stimmt. Er hat sich in ein spirituelles System hineingezwängt, ohne auf sich und die eigenen Gefühle und Ahnungen zu achten. Der Widerstand, der ihn daran hindert, seine geistlichen Formen zu praktizieren, zeigt, dass er gegen die eigene innerste Struktur lebt. Wer dagegen mit der Spur in Berührung gekommen ist, die er als Kind für sich entdeckt hat, um sich wohl zu fühlen, um Lebensfreude zu erfahren, der wird spirituelle Formen finden, die er ohne große Anstrengung leben kann. Wenn unser ureigenstes Leben in uns aufblüht, dann braucht es zwar auch Achtsamkeit und Disziplin, aber wir müssen uns nicht immer wieder dazu zwingen, etwas zu tun, was unser Herz im Tiefsten gar nicht will. So ist die Freudenspur auch eine Spur hin zu der Spiritualität, die für mich stimmt, die aus meinem eigenen Personkern herauswächst und mich genauso untrüglich zu Gott führen wird, wie sie mich als Kind zum Leben gebracht hat.

Ein Märchen, das Freude macht

Als ich in den »Schönsten Märchen der Weltliteratur« nach einem Märchen suchte, das etwas über die Freude aussagt, stieß ich auf eines, das zwar auf den ersten Blick weniger tiefgründig ist und wohl kaum tiefenpsychologisch ausgelegt werden kann, das aber in mir selbst Freude hervorgerufen hat. Ich musste einfach lachen, als ich dieses niederländische Märchen »Wie ein Bauer dem heiligen Antonius seine Kuh verkaufte« zu Ende gelesen hatte. Es beginnt mit den Worten:

»Es war einmal ein ganz dummer Bauer, der eine kluge Frau hatte. Sie führte das Haus, kaufte und verkaufte, teilte die Arbeit auf dem Hof ein und sorgte dafür, dass nach wie vor alles bestens in Ordnung war. Aber eines Tages verletzte sie sich so an

ihrem Fuß, dass sie nicht mehr gehen konnte und zu Hause bleiben musste. Nun sollte gerade eine Kuh verkauft werden, und es ging halt nicht anders, der Bauer musste mit der Kuh zum Markt gehen.«[13]

Die Frau hatte ihn gewarnt, er solle die Kuh nicht unter 160 Gulden verkaufen, und er solle sich vor Kaufleuten hüten, die zu viel redeten. Denn die würden sowieso nicht kaufen. Sie brauchte das Geld unbedingt für den Pachtzins. Sonst hätte sie das Geschäft gerne verschoben, weil sie ihrem dummen Mann nicht zutraute, dass ihm der Verkauf gelingen würde. Auf dem Markt redeten viele Kaufleute auf den Bauern ein. Er dachte an seine Frau und gab die Kuh niemandem. So musste er seine Kuh wieder nach Hause bringen. Er hatte schon Angst, seine Frau würde ihn wieder einen Dummkopf schimpfen.

»Unterwegs kam er in einem Dorf an einer Kirche vorbei, die gerade geöffnet war. Nun ja, dachte er, da will ich mal hineinschauen; vielleicht finde ich dort noch einen Käufer. Nun ergab es sich, dass gerade an dem Tag eine Wallfahrt zum heiligen Antonius, dessen Statue in der Kirche stand, stattgefunden hatte, und deshalb war die Tür der Kirche noch offen. Aber es war schon so spät, dass kein Mensch mehr in der Kirche war. Das Bäuerchen ging mit seiner Kuh hinein und band das Tier an einer Kirchenbank fest. Er selber ging noch etwas weiter vor, denn er hatte da jemand gesehen, der ganz still stand und kein Wort sagte, nämlich die Statue des heiligen Antonius.«

Da Antonius mit einem Schwein abgebildet war, hielt ihn der Bauer für einen Schweinehändler. Dass er so schweigsam war, das gefiel ihm gut. Nun beginnt er mit der Statue ein Gespräch. Er bietet ihr seine Kuh an. Aber als Antonius gar nicht antwortet, wird er böse und schlägt ihn mit seinem Stock.

»Da fiel dem Hannes ein Sack Geld vor die Füße. ›Schön!‹ sagte er, ›ich wusste ja, dass du meine Kuh kaufen würdest. Hättest

du den Mund nur aufgetan, so hätte ich dich nicht geschlagen.‹ Zufrieden hob er das Geld auf, verließ die Kirche und kam nach Hause.«

Dort wirft er seiner Frau das Geld hin und freut sich, dass sie ihn jetzt nicht mehr einen Dummkopf nennen könne. Die Frau wundert sich über das viele Geld. Hannes erzählt ihr nur, dass er die Kuh einem Schweinehändler verkauft habe, der ihm den Geldbeutel ohne auch nur zu feilschen vor die Füße geworfen habe.

Nachdem Hannes die Kirche verlassen hatte, kam der Küster, um die Türe zu schließen. Er sah die Kuh angebunden. Und er sah, dass all seine Ersparnisse, die er hinter der Statue des heiligen Antonius versteckt hatte, fort waren. Er holte den Pfarrer und erzählte ihm von seinem Missgeschick. Er hatte das Geld hinter der Antoniusstatue vor seiner Frau in Sicherheit gebracht, die das Geld sonst mit beiden Händen zum Fenster hinausgeworfen hätte. Der Pfarrer sagte, er solle die Kuh nehmen und seiner Frau erklären, dass sie ein Geschenk von ihm sei.

»Der Küster kam mit der Kuh nach Hause, und seine Frau staunte nicht wenig über solch ein großes Geschenk, zumal der Pfarrer sonst sparsam war und selber auch nicht gerade aus dem Vollen schöpfen konnte. Der Küster aber nahm ihr jeden Zweifel, als er ihr sagte, dann solle sie nur selber den Pfarrer fragen. Die Kuh kam in den Stall, die Frau hatte ihre Freude daran und versorgte sie gut. Die Arbeit machte ihr allmählich Spaß, und statt den üblichen Kaffeeklatsch zu halten oder von einer Nachbarin zur anderen zu rennen, war sie fortwährend mit der Kuh beschäftigt. Die Kuh gab viel Milch, denn es war ein gutes Tier, und die Frau, die früher leichtsinnig mit dem Geld um sich warf, wurde sparsam, als sie sah, wie schwierig es war, etwas zu verdienen. Auf die Art und Weise hatten sie bald Geld genug zur Seite gelegt, um noch eine zweite Kuh zu kaufen. Später kauften sie noch etwas Land, und heute ist der Küster ein wohlhabender Mann mit einem ganzen Stall Vieh und viel Land.

Auch mit dem Hof von Hannes ging es gut voran, als seine Frau über etwas mehr Geld verfügen konnte. Seitdem wagte sie es nicht mehr, ihm vorzuwerfen, dass er dumm sei; auch wenn er nicht schlauer war als vorher.

Auf diese Art und Weise hatte der Verkauf der Kuh an den heiligen Antonius zwei Familien glücklich gemacht.«[14]

Mein erster Eindruck beim Lesen war: Gott hat Humor. Durch das tolpatschige Verhalten des Bauern wird sein Leben gesegnet. Und selbst der, den er geschädigt hatte, wurde letztlich durch den Schaden reich beschenkt. Es waren weder Klugheit noch Frömmigkeit, die dem Bauern aus seiner misslichen Situation halfen. Er kannte sich mit Heiligen gar nicht aus. Er hielt den Mönchsvater Antonius, der mit dem Schwein dargestellt wird als Zeichen dafür, dass alles Unreine in ihm verwandelt worden ist, für einen Schweinehändler. Und trotzdem geschah für ihn ein Wunder. Seine Frau hat nun eine andere Meinung von ihm. Sie hält ihn nicht mehr für dumm. So können sie sich gemeinsam einen gewissen Wohlstand erarbeiten. Ihre Beziehung verwandelt sich von Grund auf, und so kommt auch ihr äußeres Leben in Ordnung. Der Küster war auch kein tugendhaftes Vorbild. Er hat das Geld vor seiner Frau versteckt. Und der scheinbar schlechte Tausch seiner ganzen Ersparnisse in eine Kuh bringt ihm trotzdem Segen. Seine Frau lernt durch das Geschenk der Kuh auf einmal arbeiten. Sie hat Freude an der Arbeit, und auf einmal wird das Leben dieses Ehepaares verwandelt. Es scheint alles Zufall zu sein, nicht unbedingt Ausdruck von Tugend und neuen Einsichten. Und trotzdem erleben beide Familien das Wunder der Verwandlung. Die Beziehung der Ehepartner wandelt sich. Jetzt arbeiten sie gemeinsam miteinander, ohne dass einer dem anderen etwas vorwirft oder verheimlicht. Statt Streit und Argwohn herrschen nun Freude und Frieden.

Die Frage ist, warum uns so ein Märchen anspricht und was es in uns auslöst. Offensichtlich weckt es in uns die Hoffnung, dass sich auch unser Leben verwandelt, dass sich auch bei uns alles richtig fügt. Und das Märchen bringt uns mit der Freude darüber in Berührung, dass Gott oft unverhofft und unmotiviert das Chaotische in unserem Leben ordnet und das Unstimmige stimmig macht, dass er die Last und Qual unseres Lebens in Freude und Fröhlichkeit verwandelt. Als ich das Märchen gelesen hatte, erinnerte ich mich an Gespräche, in denen mir Leute Ähnliches erzählten. Da hatten sie den Eindruck, sie würden alles falsch machen. Aber dann kam durch einen Zufall alles anders. Auf einmal hat sich in ihnen etwas verwandelt. Ihr Leben bekam Sinn. Sie wurden nicht mehr verachtet. Sie hatten Erfolg. Ihre Stimmung wurde besser. Die Depression war vorbei. Auf einmal konnten sie sich wieder am Leben freuen. Manchmal entschuldigen sich dann die Gesprächspartner, dass sie das gar nicht verdient hätten. Es sei durch einen Zufall geschehen. Da hat sich eine Studentin durch eine Lügengeschichte in Schwierigkeiten gebracht und viele Freunde verloren. Sie lernt einen jungen Mann kennen. Und ihr Leben ordnet sich. Und alles wird gut. Gott ist nicht der, der jeden Fehler bestraft. Er kann manches zurechtrücken, was wir in falsche Bahnen gelenkt haben. Und er wählt oft recht humorvolle Wege, um unser Leben auf neue Bahnen zu führen. Er kann, wie das Sprichwort sagt, auch auf krummen Zeilen gerade schreiben. Freude ist also nicht immer Verdienst von tugendhaftem Leben, sondern oft unvermutetes Geschenk. Oft können wir bei Menschen erleben, wie sich auf einmal alles zum Besseren wendet, ohne dass sie selbst viel dazu getan hätten. Jetzt können sie sich ihres Lebens freuen. Da hören auf einmal Ehepaare, die sich das Leben jahrelang gegenseitig schwer gemacht haben, damit auf und leben friedlich miteinander, manchmal aus Einsicht, manchmal aber auch aus einem zufälligen Anlass. Da hat eine Frau Angst, dass die Mauern der neuen Wohnung hellhörig sind. Das genügt schon, dass sie achtsamer umgeht mit ihren Kindern und mit ihrem Mann. Da sieht ein Mann einen Film an, der vielleicht gar kein Niveau hat. Aber trotzdem wird er zum Anlass, sich auf einmal anders zu verhalten. So können zufällige Anlässe oder Vorurteile oder ungeschicktes Verhalten wie das des Bauern Hannes zum Wunder der Freude im Leben führen.

Die Kunst, sich zu freuen

Ein Märchen, das direkt von der Freude handelt, ist das von Hans Wohlgemut oder, wie es im Grimmschen Märchen heißt: »Hans im Glück«. Da bekommt Hans als Lohn für seinen siebenjährigen Dienst einen Goldklumpen. Als er unterwegs einen Reiter sieht, spricht er ihn an:

»Ja, lieber Herr Reiter, unsereiner ist schlimmer daran als Ihr. Bei Euch geht es hoch zu Rosse, bei uns zu Fuße. Hab ich doch mein Lebtage noch nicht auf einem Pferd gesessen; bei meiner Treu, das Reiten muss ein herrliches Ding sein.« »Ja, lieber Sohn«, sprach der Reiter, »wir können tauschen! Gib her das Stück Gold und nimm dafür das Pferd.« »Ach, mit tausend Freuden«, rief der andre, sprang und klatschte in die Hände, und es fehlte nicht viel, so wäre er dem Pferde wie dem Reiter um den Hals gefallen. Seelenvergnügt trennten sich die Wandersleute.«[15]

Das Pferd tauscht er schließlich gegen eine Kuh und die gegen ein Schwein und das gegen eine Gans ein. Und jedes Mal freut sich Hans über den scheinbar guten Tausch. Zuletzt tauscht er seine Gans gegen drei Wetzsteine, die ihm der Scherenschleifer gibt. Als er unterwegs Durst bekommt, legt er die Steine auf den Brunnenrand. Und da fallen sie ins Wasser.

»Und Hans, was tat er? Er kniete nieder, fast in Tränen schwimmend, und dankte Gott, dass er ihm das noch erwiesen hätte,

was einzig zu seinem Glück gefehlt. So wahr Gott über mir lebt, bis heute hat es wohl keinen glücklicheren Menschen, als ich bin, gegeben! So sprechend, trollte er ohne die Steinlast, mit frohem Sinne neugestärkt nach Hause.«[16]

Der scheinbar dumme Hans Wohlgemut ist doch der glücklichste Mensch. Er kann sich jedes Mal von neuem freuen. Das Märchen entbehrt nicht der Ironie. Beim Leser weckt es Mitleid oder auch Schadenfreude über den Wandersmann, der zuletzt alles verliert. Aber da ist noch eine andere Ebene. Vielleicht entspricht der Titel des Märchens »Hans Wohlgemut« oder »Hans im Glück« doch dem Wesen der Titelfigur. Vielleicht ist Hans doch der eigentliche Lebenskünstler. Gold allein kann den Menschen nicht glücklich machen. Gold steht für Reichtum und Besitz. Wer viel besitzt, wird davon leicht besessen. Das Gold tauscht Hans mit dem Pferd, das ein Bild für die Stärke ist, für Selbstbewusstsein und Erfolg. Auch das erfüllt den Menschen nur anfangs mit Freude. Irgendwann wird die Freude darüber schal. Die Kuh ist Bild der Fruchtbarkeit. Wenn unser Leben Frucht bringt, ist die Freude ein angemessener Ausdruck dafür. Aber auch die Frucht vergeht. Das Schwein ist Bild des vordergründigen Genusses, die Gans steht für den verfeinerten Genuss. Beides kann zur Freude führen. Aber wir können nicht immer genießen, wir können uns nicht immer über das Essen freuen. Schließlich tauschte Hans die Gans gegen die Steine des Scherenschleifers. Sie stehen für eine sinnvolle Arbeit, die Spaß macht und zugleich auch Geld einbringt. Auch die Arbeit kann zur Quelle der Freude werden. Aber auch von der Arbeit und vom Erfolg kann ich letztlich nicht leben. Es scheint schon paradox, dass Hans gerade dann, als er alles verloren hat, am glücklichsten ist. Was ist jetzt die Ursache seiner Freude? Er ist völlig frei. Nichts belastet ihn noch. Er ist ganz im Augenblick. Hinter dem scheinbar tolpatschigen Verhalten steht ein Lernprozess, der den Leser mit Humor dazu führen will, das wahre Glück und die bleibende Freude zu finden. Wirklich freuen kann sich nur der, der sich über sich selbst freut, der sich über den Augenblick freut, der sich an seiner Freiheit, an seinem Leben, der sich am Schluck Wasser und an der frischen Luft freuen kann und der voll Freude nach Hause geht. Hier ist sicher nicht nur das Haus seiner Mutter gemeint, sondern letztlich das ewige Haus. Auf unseren Weg in die endgültige Heimat bei Gott können wir nichts mitnehmen. Wenn wir diesen Weg frei und froh gehen, dann haben wir die Quelle wahrer und dauernder Freude gefunden.

Ist Freude erlernbar?

Sowohl die Philosophie als auch die Psychologie zeigen uns zu Genüge, dass Freude etwas Erstrebenswertes ist, dass sie dem Menschen gut tut, dass der Mensch, wie Pascal sagt, für die Freude geboren ist. Aber die Frage ist, ob wir die Freude lernen können, oder ob wir uns einfach damit abfinden müssen, wenn wir eher depressiv veranlagt sind. Können sich unsere Emotionen wandeln, oder sind wir ihnen einfach ausgesetzt? Sind sie durch unsere Kindheitserfahrungen bedingt, oder können wir daran arbeiten, dass sich hemmende und blockierende Emotionen in bewegende und erhellende Emotionen wandeln? Es ist sicher zu billig, nur zur Freude aufzufordern mit dem Argument, es gäbe doch genügend Grund zur Freude. Man brauche doch nur die Schönheit der Natur zu betrachten, dann würde man sich schon freuen. Wer mitten in seiner Depression steckt, dem nützt der Hinweis auf die schöne Landschaft auch nichts, den kann ich durch keine Aufmunterung zur Freude animieren. Was soll ich tun, wenn ich voller Ärger bin, wenn ich Angst habe, wenn Eifersucht mich verzehrt? Wie soll ich mich freuen, wenn ein lieber Freund tödlich verunglückt ist? Wie soll in mir noch Freude sein, wenn die langjährige Partnerschaft zerbricht und ich keinen Boden mehr unter den Füßen spüre? Da helfen mir die Gedanken über die Freude wenig. Aber bin ich dann meinen negativen Emotionen hoffnungslos ausgeliefert? Gibt es einen Weg für mich, dass sich die Emotionen wandeln, dass mehr und mehr positive Emotionen mich bewegen?

Alle Gefühle zulassen

»Gefühle kann man nicht verbieten, sonst werden sie stärker! Sie sind da und fragen nicht nach Erlaubnis.«[17] Das gilt gerade für solch belastende Gefühle wie Ärger und Wut, Angst und Traurigkeit, Eifersucht und Neid. Wenn ich solche Gefühle unterdrücke und frontal bekämpfe, entwickeln sie eine Gegenkraft, der ich nicht gewachsen bin. Ich kann solche Gefühle auch nicht einfach durch Freude ersetzen. Ich kann nicht sagen: Ich will mich nicht ärgern, ich will mich jetzt freuen. Besser ist, die Gefühle anzuschauen, sie zuzulassen, mit ihnen zu reden, nach ihrem Grund zu fragen: »Was willst du mir sagen? Worauf willst du mich aufmerksam machen? Wie bewertest du mit diesem Gefühl das Erlebte?« Vielleicht finde ich dann auf dem Grund meines Ärgers die Sehnsucht nach Verstandenwerden, nach Wohlbefinden, nach Freude. Vielleicht entdecke ich in meiner Emotion eine ganz bestimmte Wertung der Wirklichkeit. Die Frage ist, ob das die einzig mögliche Wertung ist, oder ob ich das Ganze auch anders sehen kann. Dann verbiete ich mir die Emotion von Ärger und Wut nicht. Aber ich gehe aktiv mit meinen Gefühlen um. So können sie sich wandeln. Sie haben mich nicht mehr im Griff.

Die Kirchenväter sahen in der biblischen Aufforderung zur Freude einen Weg, die Gefühle zu verwandeln und die Wirklichkeit mit neuen Augen zu sehen, mit Augen des Glaubens, die durch das vordergründig Vorhandene hindurchschauen und auf dem Grund der Wirklichkeit Gott erkennen. Wer mit solchen Augen des Glaubens auf die Welt schauen kann, stößt nicht nur auf Gott, sondern in seinem Herzen auch auf die Freude. Er wird unterhalb seiner negativen Emotionen die Freude entdecken oder zumindest die Sehnsucht nach Freude.

Ein Priester erzählte mir, wie er oft bedrückt durch die Straßen seiner Pfarrei geht, wenn er seinen Abendspaziergang macht. Da sieht er dann die Schönheit der Landschaft gar nicht mehr. Er grübelt nur darüber nach, was heute schon wieder schief gelaufen ist, wo ihn ein Mitarbeiter missverstanden hat, in welche konfliktreiche Gemeinde er da geraten ist. Aber dann erinnert er sich immer wieder an die geistliche Begleitung, in der er gelernt hat, in jedem Augenblick achtsam zu sein. Er richtet sich auf und blickt umher. So nimmt er bewusst die Berge wahr, die ihn umgeben, den See, an dem er entlanggeht. Er hört die Vögel und das Rauschen der Wälder. Er lauscht der nächtlichen Stille. Dann steigt in ihm wieder Freude auf. Er spürt, dass er selbst Verantwortung für seine Gefühle hat. Er kann entscheiden, worauf er seinen Blick richten will, auf die negativen Ereignisse des Tages oder auf die Schönheit der Natur, die ihn umgibt. Das ist kein Verdrängen der Konflikte, sondern ein gesundes Sich-Distanzieren vom Alltag, um mitten in den Problemen auf das zu schauen, was ihn trägt, und mitten in den Grübeleien mit der Freude in Berührung zu kommen, die immer noch in seinem Herzen ist. Es ist der gleiche Weg, den *Henry Nouwen* empfiehlt, wenn er sagt: »Klöster baut man nicht, um Probleme zu lösen, sondern um Gott mitten aus den Problemen heraus zu loben.« Im Loben komme ich mit der Freude in Berührung, die in mir ist. Ich verschließe die Augen nicht vor den Problemen, aber ich höre auf, mich auf sie zu fixieren. Ich kann mitten aus den Problemen heraus auf Gott schauen, der mich trägt. Dann verwandelt sich meine Stimmung. Ich bin offen für die Freude, die mich durchdringen möchte.

Freude drängt zum Tun

Emotionen »drängen uns, etwas zu tun beziehungsweise zu unterlassen, länger bei einer Sache zu bleiben, eine andere früher abzubrechen, zu wiederholen, was positive Gefühle in der Vergangenheit hervorbrachte. Es sind die großen Lehrmeister im

Leben. Wir werden nicht nur vom Wissen gesteuert, sondern wesentlich durch die Gefühle.«[18] Ärger und Wut, Eifersucht und Neid, Traurigkeit und Angst drängen uns zu ganz bestimmten Verhaltensweisen, oft genug zu einem Verhalten, das andere verletzt, das Gemeinschaft zerstört, das Leben verhindert. Freude ist eine Emotion, die uns dazu antreibt, dem Leben zu dienen, in anderen Menschen Leben hervorzulocken. Freude treibt uns an, auf andere zuzugehen. Sie macht uns lebendig, weckt in uns neue Energie, lässt uns mit Lust an die Arbeit gehen, lässt uns mit Schwung den Tag beginnen. Die Frage ist, wie wir zu dieser Emotion kommen können. Wir können sie uns nicht befehlen. Aber wir können die Bedingungen schaffen, in denen Freude entstehen kann.

Was ist die Bedingung, dass ich mich freuen kann? Freude entsteht bei Erreichen eines Zieles. Wenn ich also daran arbeite, das gesteckte Ziel zu erreichen, kann ich in mir Freude auslösen. Oft aber ist die Freude nicht von unserem Tun abhängig. Freude überkommt uns, wenn uns ein Freund anruft, wenn uns jemand lobt, wenn uns etwas gelingt, wenn uns jemand ein Wort der Liebe sagt. Die Bedingung der Freude kommt hier von außen. Wir können es nicht beeinflussen, ob uns einer anruft oder nicht. Aber es liegt an uns, ob wir uns darüber freuen oder nicht. Von Zachäus heißt es im Evangelium: »Da stieg er schnell herunter und nahm Jesus freudig bei sich auf« (Lk 19,6). Dass Jesus ihn angeschaut hat, dass er ihn so liebevoll und vorurteilsfrei angesprochen hat, das konnte er nicht beeinflussen. Aber ob er ihn freudig aufnimmt oder nicht, das ist seine Sache. Er hätte ja auch weiter jammern können, dass das doch alles keinen Zweck habe, er würde ja doch von allen abgelehnt, dass das von Jesus doch nur ein billiger Trick sei, um ihn »rumzukriegen«. Es gibt Menschen, denen man schenken kann, was man will, sie können sich nie freuen. Sie sind in ihren Ansprüchen maßlos. Daher werden sie nie voll Freude jemanden aufnehmen können. Sie haben immer etwas auszusetzen. Sie nähren immer irgendwelche Zweifel in sich. Zachäus ist schnell heruntergestiegen von seiner Maßlosigkeit, von seiner Gier, immer mehr Geld zu verdienen. Um Freude zu erleben, müssen auch wir herabsteigen von unserem Beobachtungsposten, von dem aus wir alles nur aus der Distanz her beurteilen, der uns davor schützt, uns wirklich auf das Leben einzulassen. Wir müssen hinabsteigen dorthin, wo das Leben pulsiert, dorthin, wo der Mensch steht, der uns das kostbare Angebot seiner Zuwendung macht. Wir müssen den freudig an die Hand nehmen und umarmen, der uns so liebevoll anschaut. Indem Zachäus sich ganz auf den Augenblick einlässt, indem er den aufnimmt, der ihn annimmt, wächst in ihm die Freude. Er lässt an sich geschehen und er lässt sich ganz auf das Geschehen ein. Das sind wohl die Bedingungen dafür, dass uns die Freude mehr und mehr erfüllen kann.

Verantwortung für die eigene Lebenskultur

Um die Frage beantworten zu können, ob Freude erlernbar ist, müssen wir erst bedenken, wie wir Emotionen überhaupt verändern und verwandeln können. Emotionen sind meistens Spontanreaktionen, die nicht ohne weiteres beherrscht werden können. Aber da wir mit unseren Emotionen auf ganz bestimmte Ereignisse und Erlebnisse reagieren, können wir zumindest bei der Auswahl der Ereignisse aktiv werden. Wir können uns das Leben selbst schwer machen, indem wir uns ständig um die negativen Seiten des Lebens kümmern, indem wir uns fixieren auf alle Skandale dieser Welt, indem wir uns immer wieder in Konfliktsituationen hineinbegeben, die uns eigentlich gar nichts angehen. Es liegt an uns, dass wir uns bewusst auch angenehme Dinge aussuchen, dass wir uns ganz bewusst einen Spaziergang gönnen, dass wir im Urlaub dorthin fahren, wo wir uns wohl fühlen, dass wir uns die Wohnung so einrichten, dass sie positive Gefühle in uns auslöst. Wir können natürlich nicht alle Ereignisse beeinflussen. Aber wir sollten uns doch fragen, ob wir nicht den Hang haben, uns immer wieder in schwierige Situationen hineinzumanövrieren. Es gibt Menschen, die sich unbewusst immer wieder die gleichen Situationen aussuchen, in denen die Verletzungen der Kindheit weitergehen. Sie haben den Eindruck, dass das Leben schlimm sei, dass die Menschen so brutal seien und sie ständig verletzen. Aber sie suchen sich diese Situationen selber aus. »Jeder ist seines Glückes Schmied«, sagt das Sprichwort. Bis zu einem gewissen Punkt stimmt dieser Satz. Wir sind oft selbst verantwortlich für die Situationen, die wir uns aussuchen.

Ein Mann erzählte mir, dass er sich bei uns in der Abtei so wohl gefühlt habe und dass es ihm da über längere Zeit gut gegangen sei. Aber jetzt, daheim, falle er wieder in die alten Gleise. Da leidet er wieder an sich und seinen negativen Phantasien und Emotionen. Ich sagte ihm, dass er nun auch daheim in seiner gewohnten Umgebung dafür sorgen müsse, dass er sich wohlfühle. Er dachte kurz nach und kam dann selbst auf viele Gedanken, wie er das bewerkstelligen könnte. Er hat Lust, die Klassiker der Weltliteratur zu lesen. Und er hört gerne Musik. Da kann er sich fallen lassen und sich vergessen. Also liegt es in seiner Verantwortung, dass er sich die Bücher aussucht, die ihn gerade ansprechen, und dass er sich die Zeit nimmt, diese Bücher systematisch zu lesen. Das wird sein inneres Chaos ordnen und ihm Freude bereiten. Er ist selbst für seine Lebenskultur verantwortlich. Er hat es selbst in der Hand, sich eine Kultur zu schaffen, die ihm Freude macht, oder weiter in dem Chaos zu vegetieren, das ihn nach unten zieht und deprimiert.

Vom Recht, sich auch mal schlecht zu fühlen

Aber manchmal fallen auch Schatten auf unseren Weg. Wir werden – ob wir wollen oder nicht – mit dem Tod eines lieben Bekannten konfrontiert. Wir werden krank. Es wird etwas schief gehen. Die Situation in der Firma verschlechtert sich. Ein Kind geht andere Wege, als wir es uns vorgestellt haben. Wir machen uns Sorge um den Sohn, der Drogen nimmt, und um die Tochter, die sich von ihrem Freund ausnutzen lässt. Sollen wir darauf mit Freude reagieren, wie es Johannes Chrysostomus empfiehlt? Das wäre doch dann eine Überforderung. Gefühle wie Schmerz und Trauer, Wut und Ärger gehören genauso zu unserem Leben wie die Freude. Wir dürfen uns nicht unter Leistungsdruck stellen, als ob wir immer froh sein müssten. Negative Gefühle gehören genauso zu unserem Leben wie die gehobenen Gefühle. Wir sollen sie zulassen, ohne sie zu bewerten. Wer Schmerz zulassen kann, der kann sich auch intensiver freuen. Wer die negativen Gefühle unterdrückt, weil sie ihm unangenehm sind, der wird auch nicht fähig sein, wirklich positive Gefühle zu zeigen. Bei Kindern, die den Schmerz und die Wut unterdrücken mussten, um überhaupt zu überleben, lässt sich häufig Gefühllosigkeit beobachten. Sie können sich dann auch nicht mehr freuen. Viele leiden als Erwachsene darunter, dass sie nicht weinen können. Sie spüren, dass Weinen sie auch dazu befähigen würde, sich wirklich zu freuen.

Manchmal fühlen wir uns traurig, ohne dass wir einen Grund in einem äußeren Ereignis finden. Wir wissen nicht, warum wir heute nicht gut gelaunt sind, warum uns irgendetwas nach unten zieht. Auch dann sollten wir uns nicht den Vorwurf machen, dass wir doch gar keinen Grund hätten für so ein negatives Gefühl, dass es anderen doch viel schlechter gehe, dass wir uns als Christen doch freuen müssten. Solche Vorwürfe bewirken in uns nur Schuldgefühle. Wir gehen davon aus, dass wir uns nicht schlecht fühlen dürften. Wenn wir uns aber schlecht fühlen, seien wir selbst daran schuld. Das ist eine falsche Grundannahme. Es gibt manche Darstellungen des positiven Denkens, die suggerieren, wir müssten alles positiv sehen. Das kann zu einem Leistungsdruck werden, der uns zwingt, alles Negative abzuspalten. Abspaltung aber macht krank. *Hazleton* hat ein Gegenbuch gegen die Sucht geschrieben, alles positiv sehen zu müssen: »Vom Recht, sich schlecht zu fühlen«. Wir dürfen uns auch einmal schlecht fühlen. Das gehört genauso zu unserem Leben. Wir müssen uns alle Gefühle erlauben. Sie dürfen alle sein. Aber ich lasse mich von den Gefühlen nicht einfach bestimmen. Ich spreche mit ihnen, frage, was wohl die Ursache für dieses Gefühl sein könne, oder wie es sich eigentlich anfühlt. Dabei hilft ein Achten auf den Körper. Wo lokalisiert sich dieses Gefühl? Was begleitet das Gefühl? Ich komme in Berührung mit dem Gefühl, ich tauche in es ein und folge ihm bis auf den Grund. Dann kann es sich wandeln. Oder es klärt sich, was es eigentlich meint. Vielleicht bin ich so müde und depressiv, weil ich zu lange meine Wut unterdrückt habe, weil ich nicht Nein gesagt habe, sondern mich zu Besprechungen überreden ließ, bei denen ich sofort spürte, dass sie nichts bringen. Solche Gefühle sind wichtig. Denn sie spornen mich dazu an, mein Verhalten zu ändern. Emotionen bewegen mich zu einem neuen Handeln, zu einem Handeln, das für mich angemessen ist, das im Einklang mit mir selbst steht.

Die Neubewertung der Ereignisse

Emotionen bewerten die Ereignisse. Um die Emotionen ändern zu können, müssen wir genauer hinschauen, ob unsere Bewertung der Wirklichkeit denn stimmt. »Wir reagieren ... nicht auf die Dinge, wie sie sind, sondern auf die Bilder, die wir uns von ihnen machen, und auf die Art, wie wir sie bewerten.«[19] Ich ärgere mich über einen Mitarbeiter, weil er zu langsam ist, weil er etwas vergessen hat. Der Ärger ist ein Impuls, mit dem anderen zu sprechen und sein Verhalten zu verbessern. Dann hat der Ärger seine Funktion erfüllt und hört auf. Wenn ich mich immer wieder über diesen Mitarbeiter ärgere, kann ich überlegen, ob andere Strategien nötig sind, damit er sein Verhalten ändern kann oder damit ein reibungsloser Ablauf in der Abteilung besser gewährleistet wird. Aber ich kann mich auch fragen, ob ich ihn falsch bewerte. Vielleicht kann er nicht anders, weil er mit sich selbst und mit seinen momentanen Problemen beschäftigt ist. Und ich kann mich fragen, ob sich mein Ärger denn wirklich lohnt. Ist es wirklich so schlimm, wenn er etwas langsamer ist oder wenn er etwas vergisst? Das ist doch sein Problem, das ich mir nicht aufladen muss! Wenn ich morgens aufwache und mich über den Regen ärgere, dann kann ich mich auch fragen, ob meine Bewertung des Regens so stimmt. Wenn ich im Büro arbeite, ist es doch eigentlich unwichtig, ob die Sonne scheint oder ob es regnet. Vielleicht kann ich sogar effektiver arbeiten, wenn es nicht so heiß ist. Wenn ich gerade einen Ausflug geplant habe, macht mir der Regen zwar einen Strich durch die Rechnung, aber ich könnte mich ja auch darauf einstellen. Bei Regen durch den Wald zu gehen, hat auch seinen Reiz.

Wenn ich eine Bergwanderung geplant habe, kann der Ärger über den Regen durchaus berechtigt sein. Die Frage ist trotzdem, wie viel Raum ich dem Ärger gebe, ob meine Zufriedenheit allein vom Wetter abhängt oder ob ich kreativ mit den Dingen umgehen kann, die mir vorgegeben sind. Wenn ich mit Phantasie auf den Regen reagiere, kann es ein schöner Ausflug werden mit viel Lachen und Freude. Da hängt es von mir ab, wie ich die Dinge bewerte. *Kohelet* sagt nicht umsonst: »Alles hat seine Stunde. Für jedes Geschehen unter dem Himmel gibt es eine bestimmte Zeit: ... eine Zeit zum Weinen, eine Zeit für die Klage und eine Zeit für den Tanz« (Koh 3,1.4). Es geht also nicht darum, uns unter Druck zu setzen und zu meinen, wir müssten immer voller Freude sein. Aber wir sollten uns doch beobachten, wo wir uns selber nach unten ziehen, wo wir unsere Depressivität zelebrieren, wo wir so um uns kreisen, dass wir gar keinen Blick mehr für die Freude haben.

Ich beobachte in letzter Zeit gerade bei frommen Menschen, etwa bei Ordensleuten, öfter, dass sie nur noch um sich kreisen. Sie können nur noch über den negativen Zustand ihrer Gemeinschaft jammern, über die unmögliche Oberin und die aggressive Stimmung der Mitschwestern. Und sie lassen sich von diesem Jammern alle Energie und Lust am Leben rauben. Manchmal bewerten sie dann ihre Situation auch noch als Mitleiden mit Christus. Doch dieses Mitleiden führt sie nicht zum Leben, sondern in eine depressive Stimmung und in die Kraftlosigkeit. Es geht kein Leben mehr von ihnen aus. Sie haben keine Phantasie und Kreativität, etwas anzupacken, etwas von der Frohen Botschaft in unsere Welt hinein zu vermitteln. Freude hat es mit Leben, mit Beweglichkeit, mit Strömen, mit Beziehung zu tun.

Wer jammernd um sich selbst kreist, der merkt gar nicht, wie narzisstisch und egozentrisch er geworden ist. Er meint, er sei fromm. In Wirklichkeit verwechselt er Frömmigkeit mit narzisstischem Kreisen um sich selbst.

Freude hat für mich durchaus etwas mit Spiritualität zu tun, allerdings nicht in dem Sinn, dass wir als Christen doch erlöst aussehen und uns immer freuen müssten. Solche Ideale helfen uns nicht weiter. Aber das Thema Freude ist eine Anfrage an mich, ob ich ständig nur um mich kreise, ob ich anderen Menschen so viel Macht gebe, dass ich mich von ihnen vom Leben abhalten lasse, oder ob ich frei bin, mich dem Leben zu stellen, mich auf die Menschen um mich herum einzulassen und zu spüren, wie es ihnen gerade geht und was sie brauchen. Es ist schon eigenartig, dass Fromme, die die Nächstenliebe auf ihre Karte geschrieben haben, oft gar nicht fähig sind, sich auf einen anderen einzulassen, weil sie nur um sich selbst kreisen. Sie fühlen sich einsam. Sie tragen eine so schwere Last. Sie leiden mit Christus. Oder sie klagen, dass sie Gott nicht mehr so erfahren wie früher. Alles dreht sich nur um sie, und sie haben keinen Blick mehr für die Schönheit der Welt, aber auch nicht mehr für die Schmerzen der Menschen, die nach Linderung schreien.

Die Freude als Zeichen echter Spiritualität zeigt sich für mich nicht in lautem Lachen, nicht in der Fähigkeit, eine Gruppe zu unterhalten, sondern in der frohen Heiterkeit als Grundstimmung und in der Phantasie und Kreativität, die von einem Menschen ausgeht. Wer sich freut, der kreist nicht um sich. Er beobachtet nicht ständig seine Gefühle, sondern er lässt sich auf das Leben ein. Er lässt das Leben zu. Und Freude bewegt ihn zum Handeln. Das Handeln, das aus der Freude fließt, ist nicht beschwert von der Last der Pflichterfüllung. Es ist nicht gepaart mit dem Jammern darüber, wie schwer einem die Nächstenliebe oder die Arbeit fallen. Es strömt vielmehr aus einem heraus. Man hat Lust dazu, etwas anzupacken, dem anderen unter die Arme zu greifen. Das ist genau das Handeln, das Jesus im Blick hat, wenn er sagt: »Wenn du Almosen gibst, soll deine linke Hand nicht wissen, was deine rechte tut« (Mt 6,3). Wenn ich aus der Lebensfreude heraus einem anderen helfe, dann reflektiere ich nicht darüber, ob ich jetzt das Gebot der Nächstenliebe erfüllt habe. Ich werde es mir selbst nicht vorrechnen und auch Gott nicht. Und ich werde es nicht herausposaunen, weil es keinen Grund gibt, darüber zu reden. Es war einfach selbstverständlich. Von Menschen, die froh sind, geht etwas Heilendes und Befreiendes aus. Da finden Menschen Hilfe, ohne dass sie den Eindruck haben, sie seien nun zur Dankbarkeit verpflichtet. Das Handeln aus der Freude hat den Geschmack von Leichtigkeit, von Geschenk und Gnade, von Lust und Freiheit. Das tut einem gut. Das hinterlässt kein schlechtes Gewissen und kein bohrendes Fragen, wie ich es dem anderen vergelten könne. Ich freue mich einfach über das, was der andere mir aus Freude geschenkt oder getan hat.

Der dritte Weg zur Freude

Um Freude zu erlernen, müssen wir, so das bisherige Ergebnis, einmal die Ereignisse beeinflussen, die Freude auslösen, zum anderen die Bewertung der Ereignisse ändern. Ein dritter Weg ist für mich noch wichtiger, um die Freude in mir zu stärken. Es ist der spirituelle Weg. Je tiefer meine Beziehung zu Jesus Christus wird, je öfter ich in den inneren Raum des Schweigens trete, in dem Gott in mir wohnt, desto mehr bekomme ich auch Anteil an der Freude, die mir niemand mehr nehmen kann. Auch geistliches Leben ist nicht nur Freude. Es schließt auch die Erfahrung der Wüste und der dunklen Nacht mit ein. Aber der innere Raum, zu dem uns das Gebet führen will, ist für mich auch der Raum tiefer Freude. Zwar spüre ich diese Freude nicht immer. Manchmal ist sie verborgen unter dem Ärger über unnötige Konflikte und über das eigene Unvermögen. Aber wenn ich in der Meditation in diesen Raum des Schweigens gelange, dann verbinde ich mit ihm nicht nur Liebe und Wärme, Heimat und Geborgenheit, sondern auch Freiheit und Freude. Freude ist nie allein zu haben. Sie ist die Schwester der Liebe. Für Paulus ist die Frucht des Geistes: »Liebe, Freude, Friede, Langmut, Freundlichkeit, Güte, Treue, Sanftmut und Selbstbeherrschung« (Gal 5,22). Alle neun Früchte gehören innerlich zusammen. Sie sind Ausdruck des Heiligen Geistes, der das menschliche Herz durchdringt. Je mehr ich dem Geist Gottes in mir Raum gebe, desto mehr komme ich mit der Freude in Berührung, die in mir ist, unabhängig von der äußeren und inneren Situation, in der ich gerade stehe. Das gibt mir das Gefühl von Freiheit. Die Freude, die in mir ist, ist letztlich göttlich. Daher kann sie mir niemand streitig machen. Sie kann zwar getrübt werden. Aber sie ist unterhalb der Turbulenzen meines Lebens auf dem Grund meines Herzens immer vorhanden.

Gerade in Augenblicken meines Lebens, in denen es mir nicht gut geht, versuche ich, mit der inneren Freude in Berührung zu kommen. Dann habe ich das Gefühl: Es kann kommen, was will, diese innere Freude ist trotzdem in mir. Gott ist in mir. Und wo Gott ist, ist die Freude, die Ahnung, dass alles gut ist, die Freude darüber, ein Mensch zu sein, von Gott geliebt, mit Lebendigkeit und Phantasie begabt, ein freier Mensch, über den niemand Macht hat. Ich kann mich erinnern an eine Situation, in der ich mich von meinen Mitbrüdern nicht verstanden fühlte. Die erste Reaktion war Ärger und Enttäuschung. Und ich war auch in Gefahr, in Selbstmitleid zu versinken. Aber da spürte ich, wie viel Macht ich solchen Missverständnissen gab. Und ich merkte, wie gerade diese Erfahrung eine Anfrage an meine Spiritualität war. Kann ich nur geistlich leben, wenn ich von allen anerkannt und bestätigt werde? Lasse ich mich von den kritischen Äußerungen so nach unten ziehen, dass ich keinen Geschmack mehr am Gottesdienst und an meinem Leben als Mönch habe? Oder ist das eine Herausforderung, gerade nun in Christus meinen Grund zu sehen, auf den allein ich baue? Als mir in der Meditation solche Gedanken durch den Kopf gingen, war auf einmal die Ahnung da: Da ist in mir ein Raum der Freude, den mir niemand nehmen kann. Tief in mir ist eine Quelle von Lebendigkeit und Lebenslust, die stärker ist als alle Anerkennung und alles Verstehen von außen. Auf einmal hat mich das Missverstandenwerden nicht mehr gelähmt, sondern mich beflügelt, mit dieser inneren Freude in Berührung zu sein. Und ich konnte gerade in einer so lähmenden Situation auf einmal schreiben. Beim Schreiben strömten die Gedanken aus mir heraus. Da spürte ich, welche Kraft die Freude hat. Sie ist eine Energie, die fließen möchte, die stärker ist als alle Hindernisse von außen. So wie ein Wasserfall nach unten fließt, alles lockere Geröll nach unten reißt und die großen Felsen umströmt, so ist auch die Freude ein lebendiger Strom, der die in uns blockierten Energien mitreißt und sie wieder zum Fließen bringt. Sie lässt sich nicht aufhalten, sondern erreicht trotz aller Hindernisse unfehlbar das Ziel.

Die Freude an mir selbst

Hans Wohlgemut freut sich an sich selbst. In unserer christlichen Erziehung haben wir es manchmal verlernt, uns an uns selbst zu freuen. Wir haben unser Augenmerk allzu sehr darauf gerichtet, dass wir Sünder sind, dass wir so, wie wir sind, nicht richtig sind, dass wir uns ändern, umkehren, uns bessern müssen. Der Ruf zur Umkehr, mit dem Jesus seine Predigt beginnt, ist sicher wichtig. Denn oft genug sind wir in die Irre gegangen, haben dort Leben gesucht, wo es nicht zu finden ist. Aber die Bußpredigt darf uns nicht dazu verführen, nur als Büßer herumzulaufen, die sich ständig vorwerfen, dass sie alles verkehrt gemacht haben und sie Gottes Liebe nicht verdienen. Jesus beginnt seine Predigt mit der Zusage: »Die Zeit ist erfüllt, das Reich Gottes ist nahe« (Mk 1,15). Er bietet uns die Fülle des Lebens an. Wenn Gott nahe ist und wenn wir uns in die Nähe Gottes stellen, dann kommt unser Leben in Ordnung, dann wird es mit einer neuen Freude erfüllt. Lukas schildert daher in seinem Evangelium, dass überall dort, wo Jesus auftauchte und Gottes menschenfreundliche Nähe nicht nur mit Worten, sondern mit seinem ganzen Verhalten verkündete, Freude herrschte. Wo Jesus wirkte, da war keine gedrückte Bußstimmung, keine Selbstentwertung und Selbstbeschuldigung, sondern da war die Ahnung, dass eine neue Lebensmöglichkeit angeboten wird, dass Freiheit und Freude unser Leben bestimmen könnten.

Kohelet als Botschafter der Freude

Die Freude an uns selbst wird – ganz ohne die uns so vertraute moralisierende Sicht – im Buch *Kohelet* propagiert. Der Verfasser des Buches *Kohelet* versucht, die griechische Popularphilosophie mit der jüdischen Weisheit zu verbinden. Er stellt einige jüdische Dogmen in Frage, etwa das Dogma, »dass gutes Handeln immer zu Glück und langem Leben, schlechtes zu Unglück und frühem Tod führen«[20]. Die Fakten sind anders. *Kohelet* lädt uns ein, uns des Lebens zu freuen und die Freude des Augenblicks mit vollen Zügen zu genießen. Wenn die Freude sich anbietet, dürfen wir auch darauf vertrauen, dass Gott sie uns zugeteilt hat: »Iss freudig dein Brot und trink vergnügt deinen Wein, denn das, was du tust, hat Gott längst so festgelegt, wie es ihm gefiel. Trag jederzeit frische Kleider, und nie fehle duftendes Öl auf deinem Haupt. Mit einer Frau, die du liebst, genieß das Leben alle Tage deines Lebens voll Windhauch, die er dir unter der Sonne geschenkt hat, alle deine Tage voll Windhauch. Denn das ist dein Anteil am Leben und an dem Besitz, für den du dich unter der Sonne anstrengst« (Koh 9,7-9). Kohelet ist nicht voller Euphorie. Er weiß, dass alles letztlich Windhauch ist, dass der Mensch weder auf dem Erfolg noch auf dem Besitz ausruhen kann. Und er weiß, dass es neben der Freude genauso auch Zeiten der Trauer geben wird. »Alles hat seine Zeit. Es gibt eine Zeit des Lachens und eine Zeit des Weinens« (Koh 3,1ff). Aber solange Gott uns die Freude schenkt, sollen wir sie auch dankbar annehmen und bewusst genießen: »Freu dich, junger Mann, in deiner Jugend, sei heiteren Herzens in deinen frühen Jahren! ... Halte deinen Sinn von Ärger frei und schütz deinen Leib vor

Krankheit; denn die Jugend und das dunkle Haar sind Windhauch. Denk an deinen Schöpfer in deinen frühen Jahren, ehe die Tage der Krankheit kommen und die Jahre dich erreichen, von denen du sagen wirst: Ich mag sie nicht« (Koh 11,9f; 12,1).

Freude an meiner Einmaligkeit

Die Freude an mir selbst ist einmal Freude an mir und meiner Einmaligkeit. Auch diese Freude kann ich lernen. Ich nehme mich bewusst wahr, wie ich bin, wie ich geworden bin. Ich sehe meine Lebensgeschichte mit ihren Höhen und Tiefen. Ich verschließe die Augen nicht vor den schmerzlichen Erfahrungen. Aber im Nachhinein kann ich auch dafür dankbar sein und froh, dass ich all das durchgestanden habe, dass ich jetzt so bin, wie ich bin. Freude hat hier auch mit Entscheidung zu tun. Ich entscheide mich für mich selbst. Ich erlaube mir, so zu sein, wie ich bin. Ich höre auf, mich ständig zu entwerten, mich mit anderen zu vergleichen. Ich bin ich. Ich bin von Gott geschaffen. Ich bin Gottes geliebter Sohn, Gottes geliebte Tochter. Neulich hatte ich einen Traum. Es war die Nacht vor dem Termin mit einem Vertreter einer Bank. Ich diskutierte im Traum mit dem Bankdirektor über gute Geldanlagen. Der Traum schloss damit, dass mir der Direktor eine weiße Karte gab, wie eine Visitenkarte. Auf der stand: »Du bist mein geliebter Sohn«. Als ich aufwachte, spürte ich, wie ich diesen Tag froh beginnen konnte, wie ich mich meines Lebens freuen konnte und wie ich Lust hatte an meiner Arbeit.

Freude an meinem Leib

Die Freude an mir ist für mich auch Freude an meinem Leib. Ich bin mein Leib. Das musste ich auch erst lernen. Bei Graf *Dürckheim* habe ich gelernt, dass ich nicht einen Leib habe, sondern mein Leib bin, dass ich mich in meinem Leib darstelle. Aber diese Worte fielen damals bei mir auf den Boden meines Leistungsdenkens. So wie ich in der Arbeit etwas leisten wollte, so wollte ich jetzt leibbewusst leben, meinen Leib lockern, damit alle sehen, dass ich in Berührung bin mit meinem Leib. Aber das war eher anstrengend. Ich musste erst mein Leistungsdenken ablegen, um die Freude an meinem Leib zu lernen. Und ich musste erst frei werden von meiner Sexualerziehung, für die Nacktheit immer etwas Anrüchiges war. Jetzt kann ich mich an meinem nackten Leib freuen, wenn ich dusche, wenn ich danach noch nackt in meinem Bett liege. Es ist dann das Gefühl: Ich bin mein Leib. Und mein Leib gehört Gott. Gott hat ihn mir geschenkt. Ich freue mich an meinen Händen, weil ich mich in ihnen so lebendig fühle und viel damit ausdrücken kann. Meine Hände sind flink, wenn ich etwas anpacke, wenn ich auf meinem PC schreibe. Mit meinen Händen kann ich zärtlich sein, Trost spenden, Nähe schenken. Und mit meinen Händen kann ich beten. Wenn ich meine Hände vor Gott öffne, dann werde ich ganz eins mit mir, dann ahne ich, dass Gott die Sehnsucht meines Leibes nach Nähe und Zärtlichkeit erfüllt.

Die Freude an mir und meinem Leib nennt auch *Hildegard von Bingen* eine wichtige Quelle des gesunden Lebens. Für Hildegard bewirkt das harmonische Zusammenwirken von Leib und Seele im Menschen eine dauernde Freude. Sie lässt die Seele sprechen: »O Fleisch und ihr, meine Glieder, in denen ich Wohnung fand, wie freue ich mich von Herzen, dass ich in euch gesandt ward.«[21] Die Seele freut sich, im Leib zu wohnen. »Die Seele liebt ihren Leib und hält ihn für ein schönes Gewand und eine erfreuliche Zier.«[22] Das ist eine andere Spiritualität als die vieler Zeitgenossen *Hildegards*, die vom Kerker des Leibes sprachen. Sie sah den Leib positiv als eine Quelle der Freude. Und die Nahrungsmittel haben für Hildegard die Aufgabe, den Menschen mit Freude zu erfüllen. So schreibt sie vom Dinkel, dass er nicht nur den Leib gesund hält, sondern dass er den Menschen auch heiter und froh macht. »Alle Lebenskraft, die Gott in die Natur gelegt hat, soll uns helfen, gut zu leben und frohen Herzens wirken zu können.«[23] Damit der Mensch aber in sich dauernde Freude spüren kann, braucht er auch Disziplin. So schreibt Hildegard vom Sinn ihrer asketischen Anweisungen: »Sinn dieser Anweisungen ist nicht, den Menschen Beschwerlichkeiten spüren zu lassen, vielmehr soll er immer nur Freude empfinden.«[24] Das ist für mich eine gute Definition von Askese: Askese soll helfen, dass Freude der Grundton unseres Lebens ist. Askese will uns befreien von der bedrückenden Last unserer Gier und von unseren Launen. Sie will uns mit der beständigen Freude in Berührung bringen.

Ich erlebe so viele Menschen, die sich in ihrem Leib ablehnen. Sie haben nicht die Leibgestalt, die ihrem Idealbild entspricht. Sie meinen, sie würden den Erwartungen ihrer Umgebung nicht entsprechen. Sie fühlen sich in ihrer Haut nicht wohl. Sie flüchten sich in den Kopf. Dort spielt sich alles bei ihnen ab. Aber oft genug haben sie dann auch Kopfweh. Sie überfordern ihren Kopf. Sie sollten den ganzen Leib bewohnen. Natürlich leide ich auch an meinem Leib, wenn er rebelliert, wenn ich Schmerzen habe, wenn er nicht mehr mitmacht. Aber auch dann läge es an mir, behutsam mit meinem Leib umzugehen, dankbar zu sein, wenn er mich auf meine Grenzen aufmerksam macht. Ich weiß aus eigener Erfahrung, wie demütigend es erst einmal ist, wenn der Leib streikt, wenn er mir einen Strich durch meine Rechnung macht. Ich habe keine Garantie, immer Kraft für die Arbeit zu haben. Und ich weiß nicht, wie lange ich in meinem Leib leben werde. So wenig wie ich über meinen Leib verfügen kann, so wenig kann ich die Freude darüber festhalten. Wie Kohelet sagt, soll ich mich freuen, solange ich gesund und vital in meinem Leib bin. Es gibt auch Tage, die ich lieber nicht sehen möchte. Manche können sich nicht freuen, aus Angst, die Freude werde ihnen schon im nächsten Augenblick genommen. Aber das ist eben unser Anteil, dass wir uns freuen, solange es Zeit ist, dass wir aber auch bereit sind, das von Gott anzunehmen, was weniger angenehm ist. Freude ist immer die Zustimmung zum Augenblick. Ich kann mich nur wirklich freuen, wenn ich auch bereit bin, sie wieder loszulassen. Wer Freude festhalten will, der vertreibt sie oder verhindert sie schon im Vorhinein.

Freude über meine Lebensgeschichte

Im Urlaub habe ich mit meinen Geschwistern Erinnerungen an die Kindheit ausgetauscht. Wir haben viel gelacht dabei. Natürlich war auch meine Kindheit keine heile Welt. Aber es gab so viele schöne Erlebnisse, so viel Phantasie und Lebendigkeit, so viel Freude und Lachen, dass die Erinnerung daran in uns allen neue Freude hervorrief. Es geht nicht darum, nur in der Vergangenheit zu leben und von der schönen alten Zeit zu schwärmen. Aber die Vergangenheit gehört zu mir. Freude heißt für mich auch Freude über meine Lebensgeschichte. In Seelsorgegesprächen höre ich da meistens nur ein Jammern, dass alles so schwierig war. Auch das hat seine Zeit, die Verletzungen der Kindheit anzuschauen, sie nochmals zu durchleben, um sich allmählich von ihnen verabschieden zu können. Aber genauso wichtig sind die Erinnerungen an die frohen Erlebnisse. Und die hat jeder in seinem Leben. Wir brauchen nur die Bilder aus unserer Kindheit und Jugendzeit anzuschauen. Da erkennen wir im Gesicht oft eine innere Freude, die Ahnung, dass das Kind in sich eine eigene Welt trägt, die von der negativen Stimmung um es herum nicht beeinträchtigt ist. Wenn mir Menschen, die eine schwierige Kindheit hatten, ihre Kinderbilder zeigen, staune ich oft, wie sie als Kind trotzdem voller Lebensfreude waren. Da sehe ich in einem Bild, wie dem Kind der Schalk im Nacken sitzt, als ob es sagen wollte: »Ihr könnt mit mir machen, was ihr wollt: Ich bin ich. Ich lasse mich nicht kleinkriegen. Ich durchschaue euch. Ihr habt keine Macht über mich.« Solche Erinnerungen können uns wieder mit der Freude in Berührung bringen, die trotz aller Kränkungen in unserem Herzen ist.

Die Freude am Tun

Freude ist für mich immer auch Freude an dem, was ich gerade tue. Wenn ich mich ganz darauf einlasse, dann ist es für mich nicht anstrengend, sondern es macht Freude. Wenn ich jetzt gerade schreibe, dann muss ich mich auch disziplinieren. Wenn die Gedanken nicht fließen, möchte ich am liebsten aufstehen und in die Bibliothek gehen, um dort herumzusuchen. Aber ich weiß, dass mir das nicht weiterhilft. Wenn ich mich ganz auf den Augenblick einlasse, dann fließt es meistens auch. Ich muss dann gar nicht so viel überlegen, was ich schreiben soll. Es geht einfach weiter. Ich habe Lust, neue Gedanken zu entwickeln. Wenn ich bei einem Seelsorgegespräch ganz dabei bin, dann ist es für mich keine Leistung, sondern es macht Spaß. Oft kommt dann eine Begegnung zustande, die mich selbst beglückt. Wenn ich entspannt im Gespräch bin, ohne Druck, die Probleme des anderen lösen zu müssen, dann entsteht oft eine Atmosphäre von Freude im Gespräch, dann lachen wir miteinander, wenn wir so manche Täuschungsmanöver und Fluchtversuche gemeinsam entlarvt haben.

Freude am Augenblick

Freude ist die Kunst, sich ganz auf den Augenblick einzulassen. Das ist leichter gesagt als getan. Ich merke heute Morgen, wie sich trotz aller Versuche, ganz gegenwärtig zu sein, immer wieder Gedanken einschleichen, die mich woandershin treiben, Gedanken, wie das heute Nachmittag mit der Besprechung sein wird, wie das am Wochenende mit dem Kurs gehen wird. Ich muss mir dann immer wieder sagen: »Es gibt nichts Wichtigeres, als gerade jetzt im Augenblick zu sein. Ich tue jetzt das, was ich tue.« Dann verschwinden die störenden Gedanken wieder. Wenn ich im Augenblick bin, dann spüre ich meinen Leib. Jetzt im Augenblick spüre ich die Finger, wie sie über die Tasten gleiten. Ich spüre meinen aufrechten Sitz, bei dem ich ganz in mir ruhe. Und dann habe ich Freude daran. Natürlich kenne ich auch das Gegenteil. Ich schreibe und bin ganz woanders. Ich bin voller Unruhe, habe keine Lust zu schreiben. Ich möchte mich am liebsten verkriechen. Dann überlege ich, ob ich bewusst das Schreiben lassen und lieber ein Buch lesen soll, das mich interessiert, oder ob ich versuchen sollte, trotzdem dabei zu bleiben. Es hat keinen Zweck, wenn ich mich nur zwinge, weiterzumachen. Es gibt ja auch den berechtigten Wunsch, jetzt woanders zu sein und etwas anderes zu tun. Für mich ist es wichtig, nach innen zu horchen und zu spüren, was für mich jetzt stimmt. Und wenn es stimmt, stellt sich auch wieder die Freude ein.

Ich spüre, dass ich zu einem großen Teil selbst dafür verantwortlich bin, ob Freude in mir hochsteigt oder Ärger, Unruhe, Unzufriedenheit, Enttäuschung über mich und die ganze Welt. Aber auch wenn ich im Augenblick bin, kommt die Freude nicht automatisch. Es kann auch sein, dass eine tiefe Traurigkeit mich befällt. Wenn ich die dann auch zulasse, dann ist sie kein Gegensatz zur Freude, dann ist sie nur die Kehrseite der Medaille. Sie gehört genauso zum Leben wie die Freude. Wenn ich meiner Traurigkeit auf den Grund gehe, wenn ich ihr dahin folge, wohin sie mich führen möchte, dann entdecke ich auf ihrem Grund die Ahnung von Getragenwerden und Geborgensein. Dann spüre ich die Schwere der Traurigkeit und auf ihrem Grund zugleich eine stille Freude. Ich bin einverstanden mit mir, auch mit meinen ungestillten Sehnsüchten, auch mit meiner Einsamkeit, auch mit meinem Nichtverstandenwerden.

Freude am Erfolg

Freude am Tun ist auch Freude am Erfolg. Manche geistlichen Schriftsteller neigen dazu, uns den Erfolg madig zu machen. Aber der Erfolg gehört auch zu unserem Leben. Natürlich kann ich mich auf meinem Erfolg nicht ausruhen. Wenn ich einen Vortrag halte und der Saal überfüllt ist, dann freut mich das.

Aber ich weiß auch, dass ich davon nicht leben kann. Ich kann damit nicht angeben. Denn dann würde ich meinen Mitbrüdern nur auf die Nerven fallen. Ich nehme es wahr und freue mich. Aber ich weiß auch, dass alles vergänglich ist. Vielleicht ist es gerade eine Welle. Und im nächsten Jahr wird es schon wieder anders sein. Als Cellerar habe ich viele Neubauten initiiert und begleitet. Da spürte ich auch, welche Freude es macht, ein Bauwerk wachsen zu sehen. Und ich kann jeden Pfarrer verstehen, der Freude am Renovieren seiner Kirche hat oder am Neubau des Pfarrheims. Wenn mir ein Geldgeschäft gelingt, dann freue ich mich. Aber da ich nun seit mehr als fünfundzwanzig Jahren mit Geld umgehe und auch schon genügend verloren habe, weiß ich, dass die Bäume nicht in den Himmel wachsen, dass nach einem Gewinn auch wieder ein Verlust kommen wird. Trotzdem freue ich mich. Zur echten Freude gehört es aber auch, dass ich sie wieder lassen kann. Die Freude beflügelt mich, heute unbeschwerter und mit mehr Lust zu arbeiten als an einem Tag, an dem vieles misslungen ist.

Für *Aristoteles* und *Erich Fromm* hat Freude vor allem mit Kreativität zu tun. Wir freuen uns, wenn wir eine Arbeit gut geschafft haben, wenn wir sehen können, was wir heute geleistet haben. Noch größer aber ist die Freude, wenn wir kreativ waren, wenn uns eine gute Idee kam, wie wir die Arbeit anpacken und wie wir etwas lösen können. *Hildegard von Bingen* sagt von der Freude am schöpferischen Tun: »Die Seele hat ihre Freude daran, im Körper schöpferisch tätig zu sein.«[25] Freude will sich im schöpferischen Tun ausdrücken. Jeder Künstler kennt die Freude an der Kreativität. Oft ist das Entstehen eines Kunstwerkes ja wie eine Geburt, die nur unter vielen Schmerzen geschehen kann. Aber wenn dann das Bild oder die Figur oder der Tonsatz oder das Gedicht entstanden ist, dann wird das Herz weit. Es gibt aber nicht nur die Freude nach der Geburt, sondern auch die Freude beim Entstehen. Ich freue mich am Gestalten, am Formen, am Schaffen. Der Prozess selbst ist lustvoll. Bei den afrikanischen Schnitzern, die unsere Abtei öfter besuchen, um bei uns zu arbeiten, kann ich diese Lust am Formen beobachten. Sie haben keinen Plan, nach dem sie schnitzen. Sie schnitzen einfach drauf los. Sie lassen das Kunstwerk unter ihren Händen wachsen.

Die Freude am Miteinander

Freude will geteilt werden. Es gibt die stille Freude, die ich in mir spüre. Aber Freude sucht auch die Gemeinschaft. Sie will mitgeteilt werden. Dann wird sie stärker. Das weiß jeder, der eine frohe Runde erlebt hat, in der voller Esprit erzählt wurde, in der man Lieder sang und miteinander spielte. Bei jedem Recollectiohauskurs machen wir einen Ausflug auf den Winkelhof im Steigerwald. Dort wandern wir zuerst, halten Gottesdienst, essen gut zu Abend und dann singen wir miteinander die alten Fahrtenlieder. Bei der Heimfahrt höre ich dann immer wieder, wie die Gäste sagen: »Das war heute so richtig schön.« Als wir einmal Priesterseelsorger, Personalreferenten, Psychologen und Ordensfrauen ins Recollectiohaus eingeladen hatten, um gemeinsam über den Zölibat zu reden und wie wir ihn denn heute wirklich leben könnten, da saßen wir abends noch lange beim Wein zusammen. Es entstand eine so kreative und fröhliche Runde, dass sich alle wohl gefühlt haben. Offensichtlich hatte das tagsüber sehr engagierte Gespräch über die Möglichkeit, die Sexualität in sein geistliches Leben zu integrieren, die Lebenslust so gesteigert, dass diese fröhliche Atmosphäre möglich wurde. Sie hob sich ab von den vielen frustrierenden und resignierten Gesprächen über den Zölibat, die ich in der Kirche immer wieder erlebt habe. Integrierte Sexualität will sich in Lebendigkeit und Fröhlichkeit ausdrücken. Unterdrückte Sexualität dagegen erzeugt Härte, Missmut, Unzufriedenheit und Selbstgerechtigkeit, und oft drückt sie sich in schlüpfrigen Witzen aus, die dann eine peinliche Atmosphäre erzeugen.

Kirche als Miteinander in Freude

Lukas schildert die Urkirche in Jerusalem als eine Gemeinde, in der die Freude die eigentliche Grundstimmung war. Die ersten Christen »brachen in ihren Häusern das Brot und hielten miteinander Mahl in Freude und Einfalt des Herzens« (Apg 2,46). Im Brotbrechen erlebten sie die froh machende Nähe Jesu, da war wieder die freudige Atmosphäre der vielen Mahlzeiten, die Jesus während seiner Wanderschaft mit ihnen gehalten hatte, in denen er Gottes Güte und Menschenfreundlichkeit nicht nur verkündet hatte, sondern erfahrbar werden ließ. Für Lukas ist die Freude eine Wirkung des Heiligen Geistes: »Die Jünger waren voll Freude und erfüllt vom Heiligen Geist« (Apg 13,52). Vom Heiligen Geist erfüllt sein und von der Freude bestimmt sein ist miteinander identisch. Die Freude ist Ausdruck der Erfahrung des Heiligen Geistes. Der Heilige Geist selbst schafft sich eine neue Gemeinschaft, ein Miteinander von Juden und Griechen, von Herren und Sklaven, von Männern und Frauen, von Armen und Reichen, das von Freude geprägt ist.

Wenn wir unsere kirchliche Gefühlslage heute mit der Stimmung der frühen Kirche vergleichen, so müssen wir einen himmelweiten Unterschied konstatieren. In beiden Kirchen herrscht heute eher eine depressive Grundstimmung. Man hat das Gefühl, dass die Leute der Kirche immer mehr den Rücken kehren. Man jammert über den nachlassenden Kirchenbesuch und über das schwindende Interesse der Menschen an der Kirche. Oft genug zieht man sich gegenseitig durch depressive Gedanken nach unten. Man braucht nur einmal Pfarrertreffen oder Treffen pastoraler Mitarbeiter und Mitarbeiterinnen zu beobachten. Da ist von der Freude der Urkirche wenig zu spüren. Der orthodoxe Theologe *Alexander Schmemann* sieht im Verlust der Freude die Ursache, dass die Kirche die Menschen immer mehr verliert: »Allein die Freude hat die Kirche in der Welt siegreich gemacht, und sie verlor die Welt, als sie aufhörte, Zeuge der Freude zu sein.« [26] Man hat den Eindruck, dass man sich in der Kirche heute gegenseitig allen Elan raubt. Die Energie, etwas Neues anzupacken und sich den Problemen der Zeit kreativ zu stellen, schwindet immer mehr. Man saugt sich gegenseitig aus. Falls jemand diese depressive Grundstimmung nicht mitmacht, wird er eher madig gemacht. Der verdränge nur alles. Der stelle sich der Wirklichkeit nicht. Natürlich ist es zu billig, die Kirchen einfach zur Freude aufzufordern. Denn schließlich ist die Lage der Kirche heute nicht sehr rosig, und wir können die Augen nicht verschließen vor negativen Tendenzen in der Kirche und in der Gesellschaft. Aber wir sollten uns auch nicht gegenseitig in eine depressive Stimmung hineinziehen. Denn das raubt uns alle Energie, die wir aber bräuchten, um uns den Herausforderungen unserer Zeit zu stellen. Für Lukas ist die Freude ein Kennzeichen dafür, dass der Heilige Geist im Menschen ist. Trauen wir dem Heiligen Geist heute nichts zu, oder versperren wir uns seinem Wirken aus Angst, wir könnten uns zu leicht in Euphorie hineinsteigern? Oder kommt die Depressivität daher, dass wir meinen, wir müssten alles selber machen? Dann übersehen wir aber die Quelle des Geistes, die in uns sprudelt und nie versiegt, weil sie eben eine göttliche Quelle ist! Oder flüchten wir uns in das Jammern, um uns vor dem Antrieb des Heiligen Geistes zu schützen, der uns zum Engagement und zum Kampf aufrufen würde? Wir bleiben lieber auf dem bequemen Sofa sitzen und beurteilen von da aus die Lage der Dinge, anstatt aufzustehen und uns auf die Auseinandersetzung einzulassen.

Ich kenne solche depressiven Treffen kirchlicher Leute aus eigener Erfahrung. Als wir im Konvent in Münsterschwarzach Anfang der siebziger Jahre viele Austritte zu beklagen hatten, da war jedes Treffen nur noch von einem Jammern über den desolaten Zustand der Gemeinschaft geprägt. Anstatt uns aneinander zu freuen, zogen wir uns gegenseitig nach unten. Ja, es entstand ein Gruppendruck, möglichst alles negativ zu sehen. Davon wurde aber unsere Gemeinschaft nicht besser, und wir nahmen uns selber den Schwung, den wir gebraucht hätten, um frischen Wind in die Gemeinschaft zu bringen. Erst als wir uns persönlichen spirituellen Themen stellten, ohne die Augen vor der Realität zu verschließen, entstand allmählich eine bessere

Stimmung. Und es änderte sich wirklich etwas in der Gemeinschaft. Trotz der Defizite, die wir an der Gemeinschaft so schmerzlich erlebten, konnten wir auf einmal auch sehen, welche Chancen in einer Gemeinschaft stecken und wie viele schöne Erlebnisse wir immer wieder miteinander hatten. Viel Lebendigkeit brach da auf, wenn wir miteinander um die Zukunft unserer Mönchsgemeinschaft rangen. Einer zitierte aus dem Psalm »Seht doch, wie gut und schön ist es, wenn Brüder miteinander in Eintracht wohnen« (Ps 133,1). Der Austausch über diese positiven Erfahrungen hat das Klima unter uns wesentlich verwandelt.

Natürlich gibt es neben dem depressiven auch einen euphorischen Gruppendruck. Da muss man alles positiv sehen. Da setzt man sich unter spirituellen Leistungsdruck. Es gibt in manchen spirituellen Kreisen die Übung, täglich zu erzählen, wo einem Gott begegnet ist und was er einem gesagt hat, wo er Wunder an einem gewirkt hat. Da bin ich auch skeptisch. Denn nicht jeder Tag ist wunderbar. Und manchmal gibt es eben auch Phasen, in denen man keine Wunder wahrnimmt und Gott nicht erkennt in den Ereignissen des Alltags. Bei solchen Erzählrunden habe ich oft den Eindruck, dass da ein ganz bestimmtes Muster abläuft: Zuerst muss man ganz gottlos sein, verdorben und völlig leer. Und auf einmal greift Gott vom Himmel her ein, und schon ist alles anders. Jetzt ist man auf einmal ganz von Gottes Geist erfüllt. Wer mit solch dramatischen Erzählungen nicht dienen kann, der bekommt dann ein schlechtes Gewissen. Oder aber er ärgert sich, weil er in der konkreten Wirklichkeit des Alltags beim anderen so gar nichts von dem Heiligen Geist spürt. Der andere bildet sich vielleicht ein, vom Heiligen Geist geleitet und voller Freude zu sein. Aber damit überspringt er nur seine Realität, die so geistlos ist. Und mit seinem freudigen Lächeln überspielt er nur den traurigen Gesichtsausdruck, der hinter seiner frohen Fassade lauert. Es geht immer darum, sich der ganzen Realität zu stellen. Denn wenn ich alles positiv sehen muss, dann macht das auch krank. Denn nicht alles ist wirklich positiv. Also muss ich wieder vieles in mir abspalten. Und jede Abspaltung führt zu psychischer oder oft auch körperlicher Krankheit. Auf dem Hintergrund der desillusionierenden Wirklichkeit sollten wir aber auch die Spur unserer Freude in unserem Leben wahrnehmen. Wenn ich diese Spur in meinem grauen Alltag entdecke, verwandelt sich nicht nur meine persönliche Stimmung, sondern ein Gruppengespräch kann auf einmal zu einer ganz neuen Erfahrung führen. Auf einmal entsteht eine Stimmung der Bejahung, des Einverstandenseins und der Dankbarkeit. Und die persönliche Freude wird verstärkt durch die Erfahrung, dass andere ähnliche Erfahrungen gemacht haben. Aber es muss immer ehrlich zugehen. Es darf nie zu einer manipulierenden Forderung werden, alles positiv sehen zu müssen.

Einander Freude machen

Vor ein paar Jahren starb mit 92 Jahren unser Bruder Coelestin. Er war ein Original. Immer hatte er ein witziges Wort auf der Zunge. Wenn ich Namenstag feierte, dann kam er noch bis in seine letzten Jahre hinein in mein Büro, las mir ein selbst verfasstes Gedicht vor und spielte mir auf seiner Trompete etwas vor. Als es mit dem Trompetenspielen nicht mehr ging, nahm er seine Mundharmonika und tanzte mir zu seinem eigenen Spielen etwas vor. Wenn ich mich dann bedankte, meinte er immer, es sei doch das Schönste, anderen eine Freude zu machen. Da wir in unserer Gemeinschaft etwa hundert Mönche sind, hatte Bruder Coelestin jedes Jahr einige Auftritte ähnlicher Art. Das hielt ihn am Leben und machte ihm Freude. Und es erfreute auch viele Mitbrüder, dass da einer an sie dachte und sich die Mühe machte, ihnen etwas vorzutragen. Aber offensichtlich hatte er selbst die größte Freude daran.

Vielleicht mag da einer einwenden, der Bruder habe uns dazu benutzt, sich in den Mittelpunkt zu stellen und seinen Auftritt zu genießen. Unsere psychologischen Erkenntnisse über den hilflosen Helfer, der den anderen braucht, um sich selber stärker zu fühlen, haben unseren kritischen Blick für solche Situationen geschärft. Aber wir sind damit in Gefahr, in einen neuen Perfektionismus und Puritanismus abzugleiten. Ist es denn wirklich so schlimm, wenn es Bruder Coelestin selbst die größte Freude bereitet, andere zu erfreuen? Wenn da bei beiden Freude wächst, so liegt in diesem Tun doch Segen für alle. Bruder Coelestin blieb bis in sein hohes Alter hinein voller Humor und Lebensfreude. Er hat nicht nur leichte Stunden erlebt. Einmal erzählte er, immer wenn er manches zu tragen hatte, habe er den Rosenkranz gebetet und vor allem immer wieder über das Geheimnis nachgedacht: »Der für uns das schwere Kreuz getragen hat«. Das habe ihm wieder Kraft gegeben. Weil er in seinem Alter nicht nur um sich und seine Krankheiten kreiste, weil er nicht dabei stehen geblieben ist zu jammern, dass er nicht mehr so arbeiten konnte, wie er gerne gewollt hätte, sondern seinen Blick auf andere gerichtet hat, blieb er bis zuletzt lebendig. Er hat viel Zeit darauf verwendet, zu überlegen, womit er anderen eine Freude machen könnte. Das hat ihn selbst mit Freude erfüllt und ihn offensichtlich auch gesund gehalten.

Die Gefahr unserer Zeit ist, dass wir vor lauter Narzissmus gar nicht mehr sehen, was den Menschen in unserer Nähe gut täte. Und wir übersehen damit auch, was wir selbst bräuchten. Denn wenn wir nur um unsere Bedürfnisse kreisen, werden wir niemals zufrieden sein. Die Bedürfnisse sind wie ein Fass ohne Boden. Wenn ich aber von mir wegsehe, wenn ich mich in die Menschen um mich herum hineinmeditiere und wenn mir dann spontan einfällt, was dem anderen gut täte und ihm eine Freude bereiten würde, dann bringt mich das von dem dumpfen Gefühl der Wertlosigkeit und Sinnlosigkeit weg. Ich habe auf einmal das Gefühl, für andere noch von Bedeutung zu sein. Ich kann anderen eine Freude machen. Ich kann etwas bewirken. Ich kann die Stimmung um mich herum verbessern. Und damit verwandle ich auch meine eigene Gefühlslage. Indem ich anderen eine Freude mache, wächst auch in mir wieder die Freude am Leben. Ich muss mir dann nicht den Kopf darüber zergrübeln, ob das jetzt egoistisch ist oder nicht, ob ich das nur tue, damit es mir selbst besser geht. Ich darf dem Gefühl trauen, dass es mir und dem anderen gut tut. Das ist wohl ein inneres Gesetz der Freude, dass sie sich ausbreiten möchte, dass sie zum anderen hin strömt. Und indem sie zum anderen fließt, fließt sie auch auf mich zurück. Nach *Philipp Lersch* gehört zur Freude »wesensmäßig die Gebärde des Sichöffnens, des Umfassens und des Sichverschenkens«[27]. Und das Sprichwort sagt: »Geteilte Freude ist doppelte Freude.«

Eine amerikanische Untersuchung hat festgestellt, dass »Menschen, die anderen Menschen helfen, sich durchweg gesundheitlich besser fühlen als andere Personen ihrer Altersgruppe«[28]. Sie spricht vom »Helfer-Hoch«. Wer anderen hilft und ihnen eine Freude macht, erlebt in sich »plötzliche Wärme, gesteigerte Energie und ein Gefühl der Euphorie«. Offensichtlich wirkt die Bereitschaft, anderen eine Freude zu machen, positiv auf uns selbst zurück. Ich erlebe immer wieder Menschen, die sich grenzenlos freuen können, wenn es ihnen gelungen ist, anderen eine Freude zu machen. Das weckt in ihnen wirklich neue Energie und Phantasie, wie sie auch andere erfreuen könnten. Allerdings machen sie manchmal auch die Erfahrung, dass sie sich viel Mühe gemacht haben, einem etwas zu schenken, von dem sie sicher glaubten, dass es Freude auslösen würde. Und dann erleben sie Beschenkte, die sich über nichts mehr freuen können. Das wirkt frustrierend. Wenn Kinder die Geschenke zum Geburtstag nur noch danach vergleichen, was am meisten gekostet hat, dann haben sie die Fähigkeit verloren, sich wirklich zu freuen. Und dann fühlt man sich als Schenkender in einer misslichen Lage. Ich habe es erlebt, wie sich zwei Nichten am meisten über einen Brief zu ihrem Geburtstag gefreut haben. Dann macht auch das Schenken noch Spaß. Mir hat ein Ordensoberer geklagt, er wisse gar nicht mehr, was er den Mitbrüdern an Weihnachten schenken solle. Die hätten doch schon alles. Er könne ihnen gar keine Freude mehr machen. In so einem Klima, in dem man sich nicht mehr freuen und anderen Freude bereiten kann, stirbt die Lebendigkeit und Kreativität. Da ist von Lust am

Leben nichts mehr zu spüren. Lust am Leben erfahren wir, wenn wir die Phantasie aufbringen, anderen eine Freude zu bereiten, und wenn wir uns über eine Aufmerksamkeit anderer zu freuen vermögen.

Die Freude an der Schöpfung

Im Alten Testament gibt es neben der Freude über Gottes Handeln in der Geschichte auch viele Texte, die von der Freude an Gottes Schöpfung reden. Die Frommen freuen sich an der Schönheit der Schöpfung, in die Gott sie gestellt hat. Im Psalm 104 zählt der Beter alles auf, wie Gott in seiner Schöpfung für Tiere und Menschen sorgt. Er lässt Quellen hervorsprudeln, an denen die Wildesel ihren Durst stillen. Da erklingt aus den Zweigen der Gesang der Vögel (Ps 104,11f). Der Beter erlebt Gott als den, der voller Freude mit seiner Schöpfung spielt und sich seiner Werke erfreut. Und so antwortet er auf das wunderbare Spiel der Schöpfung: »Ich will dem Herrn singen, solange ich lebe, will meinem Gott spielen, solange ich da bin. Möge ihm mein Dichten gefallen. Ich will mich freuen am Herrn« (Ps 104,33f). Im Dichten ahmt der Psalmist Gott nach. Im Griechischen lauten die Worte für Schöpfung und für Dichtung gleich: Poiesis. Genauso schön, wie Gott die Welt erschaffen hat, will der Dichter über diese Welt singen. Die Schönheit seines Liedes soll die Schönheit der Welt zum Klingen bringen.

Die vielen kleinen Freuden des Alltags

Dem, der einen Blick für die Schönheit der Schöpfung hat, bieten sich täglich tausend Gelegenheiten zur Freude. Schon wenn ich in der Frühe das Fenster öffne, kann ich mich freuen an der frischen Luft, die mein Zimmer durchdringt. Oder wenn die

Sonne gerade aufgeht, kann ich mich am milden Morgenrot freuen. Wenn ich durch die Natur gehe, kann ich die Schönheit der Blumen und der Gräser wahrnehmen, die Vielfalt der grünen Farben, die ich in einem Wald entdecke. Ich spüre den Wind, der mich zärtlich streichelt oder mich stürmisch durchweht. Ich rieche den Duft, der von den Tannen ausgeht oder von dem Heu, das auf der abgemähten Wiese liegt. Jeder Geruch erinnert mich an intensive Erfahrungen, die ich einmal mit ähnlichen Düften gemacht habe, und weckt die Emotionen in mir, die ich damals gespürt habe. Der Geruch von Heu löst in mir immer das Gefühl von Urlaub und Ferien aus. Auch wenn ich zur Arbeit fahre, zu Besprechungen oder zu Vorträgen, kann mir so ein Heugeruch mitten in der Arbeit das Gefühl von Urlaub vermitteln. Wenn ich zu einem Vortrag oder Kurs fahre, nehme ich die Schönheit der Landschaft wahr, durch die ich komme. Jede Landschaft hat ihren eigenen Reiz, die Weite der Ebenen, die Majestät der Berge, das liebliche Tal, durch das sich der Fluss schlängelt, der See, der sich in die Hügel hineinschmiegt. Ich muss mich da nicht künstlich in Freude versetzen. Ich muss nur bewusst wahrnehmen, was ist. Dann ist in mir Freude.

Viele sind heute unfähig zu solcher Freude. Ihr Blick hat sich so auf die eigenen Probleme fixiert, dass sie vor lauter Jammern über die eigene Situation gar nicht sehen, wie schön die Welt um sie herum ist. Sie sehen nicht, was ist. Und sie sind nicht in Beziehung zur Schöpfung, in die sie eingebettet sind. Freude ist Ausdruck einer intensiven Beziehung. Und Freude hat immer mit Schönheit zu tun. Die Schönheit der Schöpfung erzeugt von selbst in mir Freude. Aber es braucht auch Offenheit dafür. Wenn ich bewusst die Schönheit der Schöpfung wahrnehme und mich daran freue, dann ist das gesundheitsfördernd, dann tut das nicht nur dem Leib, sondern auch der Seele gut, dann werden meine Augen leuchten und das Leben in mir aufblühen. Ich habe dann nicht den Eindruck, das Leben sei eine Last. Ich denke dann nicht an den Termin, den ich wahrnehmen muss, sondern genieße die Farben der Bäume und Sträucher, das frische Grün im Frühling und das leuchtende Gelb und Rot im Herbst. Dann wird mein Herz weit. Wenn ich während einer Autofahrt nur daran denke, ob ich rechtzeitig zum Vortrag komme, dann strenge ich mich die ganze Zeit über an. Wenn ich dagegen die Schönheit der Landschaft beachte, dann habe ich in mir immer das Gefühl von Urlaub, von Freiheit und Weite, von Freude und Dankbarkeit.

Naturerfahrung als Gotteserfahrung

Wenn die Freude an der Schöpfung immer auch Freude an Gott ist, dann darf man intensive Naturerfahrungen durchaus Gotteserfahrungen nennen. Und wenn manche Menschen gerade in der Natur sich Gott am nächsten fühlen, dann würde ich das nicht gleich abqualifizieren und auf den Gottesdienst als den eigentlichen Ort der Gottesbegegnung verweisen, so wie es in meiner Jugend üblich war. Ich würde aber die Erfahrungen von Wasser, Wiesen, Wald und Bergen genauer anschauen, die mir andere beschreiben als den Ort, an dem sie sich Gott am nächsten fühlten. Eine junge Frau, die wenig mit Meditation anfangen konnte, erzählte, dass sie sich selbst vergessen könne, wenn sie am Meer sitzt. Dann fühle sie sich eins mit Gott. Ich fragte sie, was es genau sei, was sie so fasziniere. Sie erzählte, sie würde die Wellen beobachten. Das sei so beruhigend. Da würden die vielen Sorgen zur Ruhe kommen, die sie sonst quälen. Und manchmal, wenn die Wellen sich brechen, da spüre sie das Geheimnis. Ich fragte sie, welches Geheimnis das sei. Sie meinte, das Geheimnis an sich, etwas Geheimnisvolles, das sie nicht näher beschreiben könne. Aber es sei für sie so wunderbar. Es sei ihre tiefste Sehnsucht, das, was sie sieht, einmal so malen zu können, dass es die Realität wirklich trifft. Dann habe sie das Gefühl, in ihr sei etwas, das niemand mehr verletzen könne. Dann sei sie in Berührung mit dem Eigentlichen. An der Art und Weise, wie sie darüber sprach, spürte ich, dass das für sie wirklich eine spirituelle Erfahrung war. Für mich geht es nicht darum, die Freude an der Schöpfung nur als sekundär zu sehen und die eigentliche Gottesbegegnung in das Gebet zu verlagern. Jeder hat seinen Ort, an dem er Gott am intensivsten erfährt.

Wenn Gott die Freude ist, dann ist das Erlebnis intensiver Freude immer auch Gotteserfahrung. Viele meinen, sie seien nur dann fromm, wenn sie sich extra zum Gebet oder zur Meditation hinsetzen. Aber wenn die Freudenspur immer auch die spirituelle Spur ist, dann genügt es, die Erfahrungen von Freude bewusst anzuschauen und zu Ende zu denken. Was erlebe ich eigentlich, wenn ich in der Tiefe meines Herzens froh bin? Was löst diese Freude aus? Geistliches Leben bedarf sicher auch der Disziplin. Aber wenn Spiritualität vor allem darin bestünde, sich feste Gebetszeiten und den Besuch von Gottesdiensten aufzuerlegen, dann wäre sie zu sehr von außen übergestülpt. Und sie würde auf Dauer nicht zu leben sein. Wenn ich dagegen der Spur der Freude folge, dann werde ich genau die Spiritualität finden, die für mich stimmt, die Ausdruck meiner tiefsten Sehnsucht und meiner Beziehung zu Gott ist.

Freude und Gesundheit

Dass Freude dem Menschen gut tut, das weiß nicht nur die Psychologie, sondern auch die Medizin. Der amerikanische Medizinprofessor *Herbert Benson* hat in einem Forschungsprojekt nachgewiesen, dass »erinnertes Wohlbefinden« den Menschen nach einer Operation schneller gesund werden lässt und dass es sich überhaupt positiv auf seine Gesundheit auswirkt.[29] Freude entspannt den Menschen und schont daher seinen Körper, der sich durch zu viel Anspannung leicht überfordert, so als ob jemand sein Auto im 3. Gang ständig mit Höchstgeschwindigkeit fahren möchte. Wir wissen heute, welch starken Einfluss Gedanken und Stimmungen auf unsere Gesundheit haben. Wer sich ständig durch negative Gedanken nach unten zieht, der hat auch weniger Widerstandskraft gegen Infekte. Wer der Freude in sich Raum gibt, der kann lockerer über manche Belastungen hinweggehen, den wird nicht jede Grippewelle niederstrecken.

Die Weisheit der Bibel

Was die Psychologie und die Medizin heute beschreiben, das hat die Weisheitsliteratur des Alten Testaments schon vor 2500 Jahren erkannt. Da wird vor allem im Buch der Sprichwörter die erhellende und gesundmachende Funktion der Freude gepriesen: »Kummer im Herzen bedrückt den Menschen, ein gutes Wort aber heitert ihn auf« (Spr 12,25). Hier werden psychologische Beobachtungen über die Freude in die spirituelle Unterweisung integriert. Kummer zieht den Menschen nach unten, Freude heitert ihn auf. Sie macht Leib und Seele hell. Freude macht den Menschen schöner: »Ein fröhliches Herz macht das Gesicht heiter« (Spr 15,13). Ein Sprichwort sagt, nach vierzig sei jeder für sein Gesicht verantwortlich. Vielen Menschen sieht man an, dass sie ihr Gesicht durch Verbitterung entstellt haben. Ihr Gesicht ist hart und kalt geworden. Bei anderen sieht man die Freude aus den Augen blitzen. Solchen Menschen sieht man gerne ins Gesicht. Sie sind schöner als andere, die vor Ärger und Bitterkeit erstarrt sind, auch wenn sie als Kinder noch so ein schönes Gesicht hatten.

Wer dem Kummer zu viel Raum gibt, der verletzt sich selbst, der macht sich selbst das Leben schwer: »Der Bedrückte hat lauter böse Tage, der Frohgemute hat ständig Feiertag« (Spr 15,15). Die Freude verändert nicht nur das Aussehen, sie ist gut für den ganzen Leib: »Ein fröhliches Herz tut dem Leib wohl, ein bedrücktes Gemüt lässt die Glieder verdorren« (Spr 17,22). Wer sich freuen kann, fühlt sich auch in seinem Leib wohl. Und dieses subjektive Wohlbefinden wirkt auch auf den Leib gesundheitsfördernd. Wer sich dagegen von Ärger und Sorgen niederdrücken lässt, der kann auch seinen Leib nicht lieben. Er hat das Gefühl, neben sich zu stehen. Er steht nicht im »Saft des Lebens«, er trocknet vielmehr ein und verdorrt. Die Freude, von der die Sprichwörter sprechen, meint die Freude an den Dingen des Alltags, die Freude am Genießen. Aber der letzte Grund der Freude ist die Weisheit, die Gott dem Menschen verleiht. Wer sich von Gott den Weg weisen lässt, dessen Leben gelingt, dessen Herz wird froh und dessen Leib wird gesund. »Herzensfreude ist Leben für den Menschen, Frohsinn verlängert ihm die Tage ... Neid und Ärger verkürzen das Leben, Kummer macht vorzeitig alt. Der Schlaf des Fröhlichen wirkt wie eine Mahlzeit, das Essen schlägt gut bei ihm an« (Sir 30,22.24f). Hier wird das Wissen des Volkes um die gesundmachende Funktion der Freude als Weisheit gepriesen, die Gott selbst dem Menschen schenkt.

Freude als Antriebsfeder

Diese Beobachtungen der jüdischen Weisheitsliteratur entsprechen durchaus den Einsichten heutiger Psychologie. So schreibt *Heinz-Rolf Lückert* in der Psychologie des 20. Jahrhunderts: »Allem Anschein nach ist der Mensch biologisch eher auf Freude als auf Missmut eingestellt: Im Gefühl der Freude gelingt uns mehr; wir lösen Probleme leichter; wir kooperieren leichter; wir nehmen besser wahr.«[30] Was geschieht, wenn wir uns freuen? Das Herz weitet sich. Es entsteht ein Gefühl von Leichtigkeit, von Stimmigkeit, von Zustimmung zum Sein. Das deutsche Wort Freude kommt von einer Wurzel, die zugleich »erregt, bewegt, lebhaft, schnell« bedeutet. Freude lässt den Puls schneller schlagen. Sie bringt die Energie im Menschen zum Fließen. Alles geht schneller von der Hand. Wer innerlich so voller Leben ist, der ist heiter und vergnügt. Alles fällt ihm leicht. Die Erdenschwere schwindet. Er spürt etwas von der Leichtigkeit des Seins. Der Autor der Sprichwörter hatte ein feines Gespür dafür, dass die Freude sich auch im Leib positiv auswirkt. Wir drücken unsere Freude ja auch im Leib aus. Wir machen Luftsprünge, wir lachen, wir singen, die erstarrten Gesichtsmienen lösen sich. Es wird etwas locker in uns. Auf einmal haben wir mehr

Energie. Wir fühlen uns wohl. Wir könnten die ganze Welt umarmen. Wir fühlen uns von den Menschen nicht mehr bedroht, sondern im Gegenteil, wir suchen ihre Nähe, wir brauchen die anderen, um unsere Freude auszudrücken. Freude drängt uns aber nicht nur zur Gemeinschaft, sondern auch zur Tat. Die Freude ist die beste Motivation, etwas Neues anzupacken, kreativ zu sein und neue Wege zur Lösung alter Probleme zu beschreiten. All diese Wirkungen hat auch *Friedrich Schiller* in seiner berühmten Ode an die Freude »Freude, schöner Götterfunken« gesehen. Da beschreibt er, wie die Freude zur Antriebsfeder alles kreativen Handelns wird:

»Freude heißt die starke Feder
In der ewigen Natur.
Freude, Freude treibt die Räder
In der großen Weltenuhr.
Blumen lockt sie aus den Keimen,
Sonnen aus dem Firmament,
Sphären rollt sie in den Räumen,
Die des Sehers Rohr nicht kennt.
Froh, wie seine Sonnen fliegen
Durch des Himmels prächtigen Plan,
Wandelt, Brüder, eure Bahn,
Freudig wie ein Held zum Siegen.«

Wenn die Psychologie als Kriterien für die Gesundheit eines Menschen die Emotionsfähigkeit, Beziehungs- und Leistungsfähigkeit nennt, dann erfüllt die Freude alle drei Bedingungen. Sie ist die Emotion, die uns zum Handeln bewegt und die uns in Beziehung bringt zu den Menschen. Sie ist die Emotion, die innere Spannungen auflöst, die das Leben in uns zum Strömen bringt, die alles in uns miteinander verbindet, die Leib und Seele miteinander vereint. Sie ist daher eine Quelle von Gesundheit. Wir sind dafür verantwortlich, ob wir uns von negativen Gedanken ständig nach unten ziehen lassen oder ob wir uns von der Freude zum Leben und zur Gesundheit anstiften lassen. Natürlich kann Freude nicht jede Krankheit verhindern. Krankheit gehört genauso zum Leben wie die Gesundheit. Aber es liegt an uns, ob wir uns immer wieder selbst kränken durch Selbstverletzung und Selbstverneinung oder ob wir uns innerlich stärken durch die lebensbejahende Kraft der Freude.

Freude und Liebe

Die Weisheitsliteratur des Alten Testaments lädt uns ein, uns über alles, was Gott uns schenkt, zu freuen, an der Frau unserer Jugend, die uns mit ihrer Schönheit entzückt (Spr 5,18), an den Kindern, die Gott uns gewährt, an der Klugheit unseres Sohnes (Spr 10,1), am Erfolg der Arbeit, an einer guten Ernte. Die größte Freude, die Gott dem Menschen geschenkt hat, ist für das Alte Testament die Freude an der Liebe zwischen Mann und Frau. Das Hohelied besingt die Freude an der Liebe zwischen Braut und Bräutigam: »Wie schön ist deine Liebe, meine Schwester Braut; wie viel süßer ist deine Liebe als Wein« (Hl 4,10). Freude und Liebe hängen eng miteinander zusammen. Wer verliebt ist, der spürt, wie er von einer frohen Grundstimmung getragen ist. Ja, er kann mit dem Liebhaber des Hohenliedes sprechen: »Verzaubert hast du mich, meine Schwester Braut, ja verzaubert mit einem Blick deiner Augen« (Hl 4,9). Für ihn ist der Winter eisiger Gefühle vorbei: »Auf der Flur erscheinen die Blumen; die Zeit zum Singen ist da« (Hl 2,12). Das Alte Testament besingt diese Liebe zwischen Mann und Frau ganz offen und kann sich darüber freuen. Es ist nicht getrübt durch eine enge Moral, wie sie im Christentum die Freude an der Liebe zwischen Mann und Frau oft genug behindert hat. Für das Alte Testament ist die Liebe das größte Geschenk Gottes an den Menschen.

In der Liebe zwischen Mann und Frau erfahren wir zugleich, wie Gott zu uns steht, dass Gott uns genauso liebt. »Mit ewiger Liebe habe ich dich geliebt«, sagt Gott seinem Volk (Jer 31,3).

Und er vergleicht seine Liebe zum Volk mit der Jugendliebe eines jungen Mannes: »Kann man denn die Frau verstoßen, die man in der Jugend geliebt hat?, spricht dein Gott. Nur für eine kleine Weile habe ich dich verlassen, doch mit großem Erbarmen hole ich dich heim« (Jes 54,6f). Freude und Liebe bilden eine innere Einheit. Beide haben mit Lebenssteigerung zu tun, mit einer intensiven Erfahrung von Leben. Leben ohne Liebe ist nicht denkbar. Und daher gehört zum wahren Leben auch die Freude. Ein freudloses Leben ist halbiertes und reduziertes Leben.

Wenn sich für den alttestamentlichen Frommen seine Frömmigkeit vor allem in der Freude an Gott und an der Liebe, die Gott ihm geschenkt hat, ausdrückt, dann lädt uns dieses Verständnis von Frömmigkeit dazu ein, unsere Spiritualität einmal genauer anzuschauen. Ist sie geprägt von einem freudlosen Leistungsdruck, von Angst, Gott und dem eigenen Anspruch nicht gerecht zu werden, von dem Gefühl, nicht richtig zu sein und daher hart an sich arbeiten zu müssen? Oder ist sie durchtränkt von der Freude am Leben und von der Liebe zu Gott und zu den Menschen? Die Freude kann nicht gedeihen in einer Frömmigkeit, der es vor allem um Fehlerlosigkeit geht. Sie ist eine Frucht der Liebe. Nur wer sein Herz von der Liebe durchdringen lässt, wird auch fähig zur Freude. Natürlich schenkt die Liebe nicht nur Freude, sondern auch Schmerz. Es gibt keine Liebe ohne Schmerz. Aber offensichtlich kann nur der echte Freude erleben, der sich von der Liebe aufbrechen lässt und der auch bereit ist, sich auf den Schmerz einzulassen, den die Liebe mit sich bringt.

Die Freude an Gott

Die Psalmen als das Gebetbuch des frommen Juden sprechen immer wieder von der Freude an Gott und an seinem Tempel. »So will ich zum Altar Gottes treten, zum Gott meiner Freude«

(Ps 43,4). Die Freude an Gott konkretisiert sich für den Frommen oft im Jubel über die schönen Gottesdienste, in der Vorfreude auf die gemeinsame Erfahrung Gottes im Tempel: »Ich freute mich, als man mir sagte: Zum Haus des Herrn wollen wir pilgern« (Ps 122,2). Und der Beter erfährt Gott immer wieder als den, der sein Klagen in Tanzen verwandelt, der ihn mit Freude umgürtet (vgl. Ps 30,12). Er weiß, dass Gott die Tränen abwischen und uns zur Freude führen wird. »Die mit Tränen säen, werden mit Jubel ernten. Sie gehen hin unter Tränen und tragen den Samen zur Aussaat. Sie kommen wieder mit Jubel und bringen ihre Garben ein« (Ps 126,5-7). Diese Gewissheit bewahrt davor, bei den Tränen und Schmerzen stehen zu bleiben, die am Beginn jedes Wachstumsprozesses stehen. Gott ist für den Beter der Garant dafür, dass wieder Freude in unser Leben einkehren wird. Denn sobald Gott an uns handelt, werden wir uns wieder freuen können. Gott selbst ist ja die Quelle aller Freude.

Die unvergängliche Freude Gottes

Sind das nur Erfahrungen des alttestamentlichen Frommen? Können wir die Worte des Psalmisten ehrlichen Herzens nachbeten? Wir Mönche beten viermal am Tag die Psalmen. Da werden wir in ein Wechselbad der Gefühle eingetaucht. Da wechseln Psalmen, in denen der Beter sein trauriges Los beklagt, in denen er mit Gott hadert und gegen seine Feinde schimpft, mit Psalmen, die zum Lob Gottes und zu Freude und Jubel auffordern. Natürlich bin ich nicht immer in der Stimmung, die der Psalmist gerade von mir erwartet. Aber wenn ich mich von Worten der Freude anstecken lasse, dann spüre ich, wie sie mir gut tun. Da kommt eine Ahnung in mir hoch, dass die Worte stimmen. In ihnen komme ich in Berührung mit dem tiefsten Grund meiner Freude. Ich spüre, wie sehr ich mich in eine verdrießliche Stimmung hineinsteigern kann, wie oft ich mich über kleine Dinge maßlos ärgere. Die Psalmen zeigen mir, wie relativ mein Ärger ist und dass ich mir selbst schade, wenn ich mich darin festbeiße.

Wenn ich die Aufforderungen zur Freude in mich hineinfallen lasse, geht mir auf, wie brüchig alle menschliche Freude immer auch ist. Die Freude über eine erfüllte Freundschaft wird immer auch angenagt durch Zweifel und Eifersucht. Die Freude über den Erfolg eines Vortrages oder eines Buches relativiert sich schon bald nach dem ersten Applaus. Ich spüre, dass ich davon auch nicht leben kann. Die Freude über ein gelungenes Gespräch wird abgelöst vom Ärger über die ungelösten Probleme, die unsere Gemeinschaft lähmen. Im Gebet erahne ich, dass ich da mit einer Freude in Berührung komme, die nicht brüchig und nicht durch menschliche Unzulänglichkeiten gefährdet ist. Da erahne ich etwas von der unzerstörbaren, unbegrenzten und immer währenden Freude, von der Gregor von Nyssa spricht, von einer Freude, die nicht an das Sichtbare gebunden ist, sondern aus der Verbindung mit Gott strömt. Dann entsteht in mir ein tiefer Friede. Die Freude, die im Gebet aufkommt, muss ich nicht festhalten. Ich weiß, dass da im nächsten Augenblick schon andere Stimmungen das Herz trüben und bedrücken. Aber ich bin in Berührung gekommen mit der Ahnung einer Freude, die mir niemand nehmen kann. Diese Freude liegt auf dem Grunde des Herzens verborgen. Sie kann zwar durch den Ärger und die Trauer über misslungene Gespräche und Begegnungen überdeckt werden. Aber das Gebet führt mich auf den Grund meiner Seele, in den inneren Raum, in dem mit Gott auch die Freude wohnt.

Die vollkommene Freude im Johannesevangelium

Von der Freude an Gott und in Gott wird vor allem im Johannesevangelium gesprochen. Jesus verheißt in den Abschiedsreden seinen Jüngern eine Freude, die von einer anderen Qualität ist als die Freude, die Menschen einander schenken können. Jesus spricht von der erfüllten Freude oder von der Freude in Fülle. Er offenbart seinen Jüngern die Worte, die er vom Vater gehört hat, »damit meine Freude in euch ist und damit eure Freude vollkommen wird« (Joh 15,11). Und im hohenpriesterlichen Gebet sagt er: »Dies rede ich noch in der Welt, damit sie meine Freude in Fülle in sich haben« (Joh 17,13). Er redet also so zu seinen Jüngern, dass sie voll werden von einer Freude, die nicht von dieser Welt ist. Seine Worte wollen Freude bewirken. Wenn ich diese Worte heute meditiere, wollen sie in mir die gleiche Freude hervorrufen wie damals bei den Jüngern im Abendmahlsaal. Es sind Worte, die Jesus vor seinem Tod gesprochen hat, aber auch Worte, die der Auferstandene und Erhöhte vom Himmel her genauso zu mir persönlich sagt, damit sie mein Herz mit Freude erfüllen. Aber diese Worte bewirken nicht automatisch, dass ich mich freuen kann. Ich muss Jesu Worte kosten und schmecken, im Herzen hin- und herwiegen, damit sie mich ganz und gar durchdringen. Ich stelle mir dann vor: Jesus spricht diese Worte jetzt in diesem Augenblick zu mir, damit ich mich freue. Dann erahne ich oft etwas von der Freude, die nicht von dieser Welt ist, die mir Gott schenkt, damit ich in dieser Welt eine andere Qualität von Leben erfahren darf, damit ich ewiges Leben habe.

Jesus spricht von der Fülle der Freude genauso wie von der Fülle des Lebens, die er uns verheißt: »Ich bin gekommen, damit sie das Leben haben und es in Fülle haben« (Joh 10,10). Das griechische Wort für erfüllen, *pleroun*, meint, etwas ganz ausfüllen, etwas vollenden, ein Maß oder eine Zusage erfüllen. In diesem Wort klingt das Bild der Ganzheit und Vollendung mit. Freude in Fülle ist volles, pralles Leben, wirkliches Leben. Sie ist Ausdruck des ewigen Lebens, wie Johannes die neue Lebensqualität nennt, die uns Jesus schenkt. Für Johannes ist daher die Freude der eigentliche Ausdruck dafür, dass wir in Jesus Christus ewiges Leben erhalten haben, göttliches Leben, das uns ganz und gar durchdringt. Die Freude hat in Jesus Christus ihr Vollmaß erreicht. Jesus ist der Offenbarer, der das Geheimnis Gottes den Menschen enthüllt und ihnen so Anteil an Gottes Freude schenkt. Denn Gott ist das Leben und die Liebe, und er ist auch die Freude. Freude ist also bei Johannes eine göttliche Gabe. Und sie ist Ausdruck des Lebens, das Gott mir in Jesus

Christus schenkt, des ewigen Lebens, das zugleich Liebe ist. Das hat Papst Johannes XXIII. verstanden, wenn er sagt, dass wir uns »durch die Freude direkt dem Abglanz des Herrn«[31] öffnen.

Jesus spricht im Johannesevangelium davon, dass die Jünger in der Welt Kummer haben, weil sie unter der Abwesenheit Jesu leiden. »Aber euer Kummer wird sich in Freude verwandeln. Wenn die Frau gebären soll, ist sie bekümmert, weil ihre Stunde da ist; aber wenn sie das Kind geboren hat, denkt sie nicht mehr an ihre Not über der Freude, dass ein Mensch zur Welt gekommen ist. So seid auch ihr jetzt bekümmert, aber ich werde euch wiedersehen; dann wird euer Herz sich freuen, und niemand nimmt euch eure Freude« (Joh 16,20-22). Der Wandlungsprozess des Menschen wird hier mit der Geburt eines Kindes verglichen. Es ist ein schmerzlicher Prozess, bis das göttliche Leben in uns geboren werden kann. Aber wenn Christus in uns Gestalt annimmt, wenn er alles in uns durchdringt, dann wird sich unser Herz freuen. Und es wird eine Freude in uns sein, die uns diese Welt nicht mehr nehmen kann. Denn es ist eine Freude, die nicht von dieser Welt ist. Damit greift Johannes ein gnostisches Thema auf, da die Gnosis ja auch von der unzerstörbaren Freude spricht, die einer anderen Welt entspringt. Für Johannes ist die Freude Kennzeichen des Menschen, der in Christus neu geboren wurde, der reif geworden ist, der den Weg der Individuation, der Selbstwerdung, gegangen ist. Und die Freude zeigt an, dass ich in einer persönlichen Beziehung zu Jesus Christus stehe, dass mein Herz auf ihn ausgerichtet ist. Freude ist also Kriterium dafür, ob ich spirituell bin oder nicht.

Bei den johanneischen Sätzen kommt bei mir oft das Gefühl hoch: zu schön, um wahr zu sein. Ich kann diese Sätze auch nicht erklären. Wenn ich allerdings solche Worte, ohne sie gleich kritisch zu hinterfragen, auf mich wirken lasse, dann kommt in mir eine Ahnung hoch: Ja, wenn Jesus mich tief in das Geheimnis Gottes hineinzieht, dann entsteht da eine Freude, die mir niemand mehr nehmen kann. Mir hilft dabei, dass ich mir vorstelle: Wenn das stimmt, was da steht, wie fühle ich mich dann, wer bin ich dann, wie erlebe ich dann meine Wirklichkeit? Ich spüre dann zugleich die Geburtsschmerzen dieses neuen Lebens, dieser göttlichen Freude. Denn ich ahne, dass ich mich dann nicht mehr zu definieren brauchte durch Erfolg und Zuwendung, durch Gesundheit und Leistung, nicht einmal durch Freundschaft und Liebe. Es wächst die Ahnung, dass da etwas in mir ist, was alles Sichtbare übersteigt, was nicht von dieser Welt ist. Und daher hat die Welt auch keine Macht darüber. Aber dieser Welt zu sterben, sich ihrer Macht zu entziehen, das ist zugleich eine schmerzliche Geburt. Auch nach dieser Geburt weiß ich, dass ich nicht immer auf dem Höhepunkt solcher Erfahrung leben kann. Ich muss mich wieder einlassen auf die täglichen Probleme. Mitten in der Realität meines ganz unspektakulären Alltags gibt es etwas, das mich über diese Welt hinausführt. Und dort, wo dieses Andere, wo mich dieser Jesus Christus als der göttliche Offenbarer hinführt, dort ist vollkommene Freude, dort ist Freude in Fülle, eine Freude, die mir niemand mehr nehmen kann.

Ein Athosmönch der Freude

Erhart Kästner berichtet in der Stundentrommel von Pater Awakum, einem Mönch aus dem Kloster Megistri Lavra. Man könnte ihn als einen Narren in Christus bezeichnen. Er strahlte eine unglaubliche Freude aus. Immer wieder sagte er: »Ich bin ganz Freude, ganz und gar Freude, olo chara, olo chara.« Und er hält den Wein trinkenden Gästen eine Predigt über die Freude: »Freude ist der Äther, der alles verbindet, die Freude hält Gott und die Schöpfung zusammen; Melancholie ist, was sie voneinander entfernt, Verdrossenheit ist das Fremde. ›Ich freue mich, dass ich mich freue in dir‹, sagt der Psalm. Die Freude ist die Verbindung mit Gott, die Einheit mit ihm. Der Mensch ist zur Freude, nicht zur Trauer geboren. Warum holt er sich seine Freude von den Abgöttern? Glaubt es, Kinder, die lassen sich ihre Freuden bezahlen. Gottes Freude kostet nichts, ich zum Beispiel könnte sie sonst nicht bezahlen, denn ich besitze nichts auf der Welt.«[32] Offensichtlich hatte dieser Mönch von jener Freude gekostet, die Johannes die vollkommene nennt, die zur Fülle gekommen ist, die das Maß menschlichen Lebens voll macht. Bei ihm sprudelte diese Freude nur so heraus. Nach außen hin hatte er die niedrigsten Aufgaben im Kloster zu verrichten. Doch in ihm war eine Freude, die ansteckend wirkte, die die Besucher in Bann zog und in eine andere Wirklichkeit eintauchte. Es war keine gemachte Freude, sondern Ausdruck einer tiefen spirituellen Erfahrung, Ausdruck seiner persönlichen Gotteserfahrung. Ebenso sagte der Unbeschuhte Karmelit, *Bruder Lorenz* (1608-1691), von sich: »Mein ganzes Leben ist nur noch vollkommene Freiheit und beständige Freude.«[33] Das Leben in der Gegenwart Gottes befreite ihn von allen Sorgen um sich selbst und erfüllte ihn mit einer tiefen Freude. Er nennt sie die wahre Freude, die von Gott kommt und die daher weder Kränkungen noch Schmerzen zerstören können.

Jesu, meine Freude

Wenn ich die johanneischen Worte über die Freude lese, muss ich immer an die Bach-Motette »Jesu, meine Freude« denken, die er zur Beerdigung einer Witwe 1723 komponiert hat. Er hat dabei das Kirchenlied von *Johann Franck* aus dem Jahre 1653 verarbeitet. Da heißt es:

> »Jesu, meine Freude, meines Herzens Weide,
> Jesu, meine Zier:
> ach wie lang, ach lange ist dem Herzen bange
> und verlangt nach dir!
> Gottes Lamm, mein Bräutigam,
> außer dir soll mir auf Erden
> nichts sonst Liebers werden.«

Bach ließ das angesichts eines offenen Grabes singen. Der Tod ist die letzte Station der Neugeburt des ewigen Lebens, das uns Christus durch sein Wort und durch seine Liebe schon geschenkt hat. Wenn diese Motette Bachs nach wie vor eine große Anziehungskraft auf die Hörer hat, dann zeigt das die Sehnsucht, die viele Menschen auch heute haben, nach einer Freude, die anders ist als die kleinen Freuden des Alltags. Es muss doch noch eine ganz andere Freude geben, es muss doch Jesus selber der Grund meiner Freude sein, einer Freude, die auch den Tod überdauert. Diese Ursache unserer Freude wird in vielen Kirchenliedern besungen, vor allem in den Liedern, die aus der Zeit des Dreißigjährigen Krieges stammen. Offensichtlich war gerade da die Freude als Heilmittel für die Menschen besonders wichtig. So heißt es im Lied vom *Christian Keimann* aus dem Jahre 1646:

»Freuet euch, ihr Christen alle,
freue sich, wer immer kann;
Gott hat viel an uns getan.
Freuet euch mit großem Schalle,
dass er uns so hoch geacht',
sich mit uns befreundt gemacht.
Freude, Freude über Freude:
Christus wehret allem Leide.
Wonne, Wonne über Wonne:
Christus ist die Gnadensonne.«

Für mich ist das Herzens-Gebet der Weg, auf dem ich Jesus als meine Freude erahnen und ab und zu auch erfahren darf. Wenn ich vor meiner Christusikone sitze und das Jesusgebet mit meinem Atem verbinde: »Herr Jesus Christus, Sohn Gottes, erbarme dich meiner«, dann stelle ich mir vor, wie Jesus in meinem Herzen wohnt und mit ihm die Freude. Und ich weiß, dass mit Jesus eine Freude in mir ist, die mir niemand nehmen kann. Jeden Morgen, wenn ich meditiere, komme ich in Berührung mit einer Quelle der Freude, die auch durch die Konflikte des Alltags nicht erstickt werden kann. Denn diese Freude liegt tiefer.

Aber es ist eine ganz stille Freude, die sich nicht ekstatisch ausdrückt. In dieser Freude kann ich nicht sagen, worüber ich mich freue. Es ist einfach die Erfahrung von Freude. Der innere Raum, in dem Christus in mir wohnt, ist zugleich der Raum der Freude. Freude ist wie eine Qualität, die diesen Raum erfüllt. Es ist die Qualität von Leichtigkeit und Weite, von Heiterkeit und Frieden, von Helligkeit und Stimmigkeit. Wenn ich nach der Meditation zur Eucharistiefeier gehe, dann habe ich das Gefühl, dass ich diesen Raum der Freude in mir trage und dass es meine Aufgabe ist, diese innere Freude auch in die alltäglichen Besprechungen und Begegnungen hineinzutragen. Aber ich spüre auch, dass ich diese Freude in mir schützen muss. Denn allzu leicht wird sie wieder verdeckt vom Ärger über dies oder jenes Missgeschick. Allzu schnell kann sich die Freude auflösen in das Gefühl von Bitterkeit über die Enttäuschungen, die das Leben bereitet. Die Freude braucht Achtsamkeit, damit sie nicht erstickt unter den negativen Emotionen, denen ich in vielen Gesprächen ausgesetzt bin. Und ich erlebe es manchmal wie einen Machtkampf zwischen der Freude, die in mir ist, und dem Ärger und der Depressivität, die mir im Gespräch entgegenkommen. Lasse ich mich von den destruktiven Gefühlen des anderen anstecken, oder gelingt es mir, die Freude in mir durchzuhalten und dem anderen einen Funken davon zu vermitteln?

Freude im Leiden

Die Freude, von der die Bibel uns kündet, ist keine euphorische Freude. Sie bewährt sich gerade im Leiden. Jesus selbst preist die selig, die um seinetwillen beschimpft und verfolgt werden: »Freut euch und jubelt: Euer Lohn im Himmel wird groß sein« (Mt 5,11). Und der Hebräerbrief sagt von Jesu Leiden: »Er hat angesichts der vor ihm liegenden Freude das Kreuz auf sich genommen, ohne auf die Schande zu achten« (Hebr 12,2). Die

Freude über den Sieg der vollkommenen Liebe hat Jesus befähigt, Ja zu sagen zu seinem qualvollen Sterben am Kreuz. Als Christen leben wir nicht in einer heilen Welt. Wie Jesus müssen auch wir damit rechnen, dass Leid und Not, dass Schande und Beschämung unsere Vorstellungen vom Leben durchkreuzen. Wir können auch nicht so tun, als ob der Glaube an Gottes helfende Nähe uns alle Schwierigkeiten aus dem Weg räumen würde. Bei manchen geistlichen Schriftstellern hat man den Eindruck, als ob man durch den Glauben alle Probleme überspringen könnte. Doch das ist nicht die Botschaft Jesu.

Freude über das Leiden

In der frühen Kirche dachten manche offensichtlich ähnlich. Sie glaubten an die Erlösung durch Jesus Christus, an die Heilung ihrer Wunden, an den mächtigen Schutz Gottes. Aber dann mussten sie erleben, dass die Welt ganz anders aussieht. Sie wurden von den staatlichen Behörden angefeindet, verfolgt und drangsaliert. Sie wurden denunziert. Sie passten nicht in die spätantike Gesellschaft, die vom Schrei nach »Brot und Spielen« (panem et circenses) geprägt war. Offensichtlich war das für viele eine große Glaubensprüfung. Im 1. Petrusbrief wird sichtbar, dass der Autor den Christen Mut machen muss, diese Situation im Glauben zu bestehen. Und ein wichtiges Argument, die Bedrängnisse der Welt auszuhalten, ist für ihn, dass sich die Jünger darüber freuen sollen, wenn sie das gleiche Schicksal erleiden wie Jesus: »Freut euch, dass ihr Anteil an den Leiden Christi habt; denn so könnt ihr auch bei der Offenbarung seiner Herrlichkeit voll Freude jubeln« (1 Petr 4,13). Die Freude hat zwei Motive, einmal die Freude darüber, dass wir im Leiden die Gemeinschaft mit Jesus Christus erfahren, ja, dass wir gewürdigt werden, um Jesu willen Leid auf uns zu nehmen. Das Leiden ist also hier wie eine Art Auszeichnung, durch die man Christus näher kommt. Im Leiden kann man seine Liebe zu Jesus Christus bewähren. Uns klingen solche Worte zunächst fremd. Aber wenn wir einen Menschen lieben, dann kann uns der Schmerz, den wir mit ihm teilen und mit ihm durchstehen, auf eine tiefe Weise miteinander verbinden. Auf einmal entsteht eine Dichte im Miteinander, wie sie gemeinsame Erfolgserlebnisse kaum bewirken können.

Das zweite Motiv der Freude über das Leiden ist die Hoffnung auf die Herrlichkeit, die uns nach dem Leid im Himmel zuteil wird. Mit diesem Motiv tun wir uns heute schwer. Wir sind allergisch gegen allzu schnelle Vertröstungen. Aber wenn wir an einer unheilbaren Krankheit leiden, kann das Motiv der ewigen Herrlichkeit, die uns erwartet, das Leiden relativieren. Das Leiden verliert seine Sinnlosigkeit. In ihm erleiden wir die Geburtswehen der Neugeburt für den Himmel. Die Gewissheit, dass das Leiden nur ein Durchgang zur ewigen Herrlichkeit Gottes ist, bewirkt in manchen Menschen schon jetzt eine Verwandlung. Mitten im Leid leuchten ihre Augen und spiegeln eine Freude wider, die nicht von dieser Welt ist. Einem Kranken zu begegnen, der durch das Leid nicht bitter wird, sondern fröhlich und heiter, ist ein Geschenk.

Wenn mir im Gespräch jemand von seinen Problemen erzählt, fällt es mir schwer, wie der Autor des 1. Petrusbriefes zu reagieren und den Gesprächspartner aufzufordern, er solle sich freuen, am Leiden Christi Anteil zu haben. Ich muss erst seine Situation ernst nehmen. Und manchmal verschlägt es mir die Sprache, wie viel Leid auf einen Menschen fallen kann. Da ist eine Frau, die von ihren fünf Kindern vier durch den Tod verloren hat, zwei schon bald nach der Geburt und zwei durch Verkehrsunfälle. Jetzt hat sie Angst, auch noch das fünfte Kind zu verlieren. Da wäre es wie ein Hohn, wenn ich sie zur Freude auffordern würde. Das unverständliche Schicksal will erst einmal ausgehalten werden. Ich muss es mittragen. Ich muss mich in die Frau hineinfühlen und verstehen, dass sie verzweifelt ist, dass sie nicht mehr beten kann. Erst wenn ich bereit bin, mit ihr durch ihren Schmerz und ihre Verzweiflung zu gehen, darf ich behutsam beginnen, eine andere Sichtweise des Vorgefallenen zu versuchen. Ihre verstorbenen Kinder möchten sicher nicht, dass sie sich das Leben noch schwerer macht. Die Kinder sind bei Gott und möchten sie auf ihrem Weg begleiten. Sie möchten, dass sie das Leben, das ihr geschenkt ist, auch wirklich lebt, dass sie von dem Geheimnis des Lebens kündet, über das wir nicht verfügen können. Auf einmal erzählt die Frau von einem Traum, in dem sie den verstorbenen Sohn im Licht sieht, Friede und Freude ausstrahlend. Sie hat sich noch nie getraut, den Traum jemandem zu erzählen, aus Angst, sie würde für verrückt gehalten. Ich bestärke sie darin, diesen Traum ernst zu nehmen, ihn immer wieder zu meditieren. Ihr Sohn möchte sie in eine andere Welt führen, in die Welt des inneren Friedens und der Freude, die von Gott kommt.

Es fällt mir schwer, einfach zur Freude aufzufordern, wenn mir jemand von seiner inneren oder äußeren Not berichtet. Da kommt mir vielmehr das Wort aus dem Buch *Kohelet* in den Sinn, dass es eine Zeit des Weinens und des Lachens, eine Zeit der Trauer und eine Zeit der Freude gibt (vgl. Koh 3). Ich darf die Zeit der Trauer nicht überspringen. Ich muss sie aushalten. Zugleich darf ich hoffen, dass sie sich wandelt, dass sich die Klage in Tanzen verwandelt, wie es in Psalm 30,12 heißt: »Du hast mein Klagen in Tanzen verwandelt, hast mir das Trauergewand ausgezogen und mich mit Freude umgürtet.« Tränen, Schmerzen, Trauer, Leid sind der eine Pol des Lebens. Und dieser Pol muss ernst genommen werden. Aber ich darf mich auch nicht auf diesen Pol fixieren. Ich muss immer auch um den anderen Pol wissen, der genauso zum Leben gehört: Freude, Fröhlichkeit, Leichtigkeit, Hoffnung, Vertrauen. Wenn ich um den Gegenpol weiß, relativiert sich die Trauer. Sie ist nicht mehr ohne Boden. Auf dem Grund der Trauer werde ich auch auf die Freude stoßen, die in mir aufsteigen möchte. Und auf dem Grund der Freude werde ich auf die Trauer stoßen, dass ich so weit von dem entfernt bin, der ich vor Gott und in Gott sein möchte. Wenn wir weinen, kann es sein, dass wir auf einmal gar nicht mehr wissen, ob wir aus Trauer oder Freude weinen. In den Tränen vermischen sich Trauer und Freude, da sind beide Pole miteinander eins.

Schmerz und Freude

Die Einheit von Schmerz und Freude erlebe ich in der Begleitung von Menschen immer wieder. Wer sich den Schmerzen über die Verletzungen seiner Kindheit stellt, wer durch den Schmerz hindurchgeht, der kann oft die Verwandlung seines Schmerzes in Freude erfahren. Da ist eine Frau, die von Zeit zu Zeit eine tiefe Traurigkeit in sich wahrnimmt. Solange sie sich dieser Traurigkeit nicht stellt, geht in ihrer Arbeit nichts voran. Sie fühlt sich wie blockiert. Wenn sie in ihre Traurigkeit hineingeht, kommt die Erinnerung an ein schmerzhaftes Erlebnis in ihrer Kindheit hoch. Dem muss sie sich dann stellen. Nur so wandelt sich der Schmerz in neue Lebendigkeit und Freude. Wenn sie den Schmerz überspringt, kann sie sich auch nicht wirklich freuen. Offensichtlich hängen die Bereitschaft, den Schmerz anzunehmen, und die Fähigkeit, Freude zu empfinden, miteinander zusammen.

Freude im Leiden

Das Neue Testament kennt nicht nur die Freude über das Leiden, sondern auch die Freude im Leiden. Vor allem Paulus hat erfahren, dass das Leiden ihn ganz eng an Christus bindet, dass er im Leid wohl am intensivsten die Gemeinschaft mit Jesus Christus erlebt. Freude im Leid ist das Thema des Philipperbriefes, den Paulus aus dem Gefängnis in Ephesus heraus schreibt. Er muss damit rechnen, hingerichtet zu werden. Seine Situation ist also äußerst bedrohlich. Und gerade aus dieser bedrängenden Not heraus fordert er die Christen zur Freude auf: »Freut euch im Herrn zu jeder Zeit! Noch einmal sage ich: Freut euch! Eure Güte werde allen Menschen bekannt. Der Herr ist nahe. Sorgt euch um nichts, sondern bringt in jeder Lage betend und flehend eure Bitten mit Dank vor Gott!« (Phil 4,4-6). Hier wird deutlich, was wahre Freude für Paulus ist. Die wahre Freude, die Freude im Herrn, bewährt sich gerade im Leid. Sie lässt sich durch äußere Bedrohungen nicht zerstören. Denn sie ist im Herrn, in Christus verankert. Solche Freude kann Paulus sogar noch im Gefängnis erleben. Denn auch im Kerker, an Händen und Füßen gefesselt, ist er in Christus. Christus ist für ihn wie ein Raum, in dem er wohnt und der ihn all den bedrohlichen Räumen des Gefängnisses und der Gefahren entreißt.

Die Freude wird hier zusammengesehen mit Güte und Sorglosigkeit. Das Reich Gottes drückt sich in den drei Haltungen aus: »Gerechtigkeit, Friede und Freude im Heiligen Geist« (Röm 14,17). Freude ist also ein wesentliches Kennzeichen des Menschen, der sich von Gott bestimmen lässt. Wenn Christus mir wirklich nahe ist, wenn ich aus seiner Nähe lebe, wenn ich in ständiger Beziehung zu ihm bin, dann ist Freude meine Grundstimmung. Wir dürfen die Aufforderung des Paulus nicht missverstehen, so als ob er sagen wollte: Freu dich doch endlich! Vielmehr möchte uns Paulus auf das Wesen unseres Christseins hinweisen. Wir sollen auf die Nähe Christi achten, wir sollen aus der Beziehung zu Christus leben. Dann wird die Freude unsere Grundhaltung werden. Wir sollen uns im Herrn freuen, das bedeutet wohl, wir sollen in Christus sein. Und dann wird unsere Freude immer da sein, selbst im Gefängnis, auch dann, wenn wir an uns selber leiden, wenn wir uns selbst nicht ausstehen können. Ein anderer Ausdruck dieser Erfahrung des In-Christus-Seins ist die Güte und die Sorglosigkeit. Freude ist nicht Selbstgenuss, sondern sie zeigt sich in der Güte, in der Milde gegenüber den Brüdern und Schwestern. Im Griechischen steht hier epieikes, das Schickliche, Billige, Ausgeglichene. Wer in sich froh ist, weil er von der Nähe des Herrn und nicht von den drängenden Problemen geprägt ist, der verhält sich von selbst richtig zu den Menschen. Er wird ihnen gütig und milde begegnen.

Freude und Sorglosigkeit

Und zur Freude gehört die Sorglosigkeit. Wer sich lauter Sorgen um sein Leben macht, der kann sich nicht freuen. Die Aufforderung des Paulus entspricht hier dem Wort Jesu, der uns auf die Vögel des Himmels und die Lilien des Feldes verweist und uns ermahnt: »Macht euch also keine Sorgen!« (Mt 6,31). Paulus hätte im Gefängnis allen Grund, sich Sorgen zu machen, ob er wohl mit dem Leben davonkommt. Martin Heidegger nennt die Sorge ein Grundexistenzial des Menschen. Der Mensch ist immer einer, der sich sorgt. Er sorgt sich um sein Leben. Er grübelt nach, was er alles zum Leben brauche. Das griechische Wort für Sorge, *merimna*, kommt von teilen. Die Sorge zerteilt das Gemüt des Menschen. Sie gräbt Sorgenfalten in das Gesicht und macht es bedrückt und bekümmert. Das deutsche Wort Sorge heißt von seiner Wurzel her »Kummer, Gram, Krankheit, Unruhe, Angst, quälender Gedanke«. Es weist also auf das Gegenteil der Freude hin, auf einen Menschen, der sich selbst quält mit grübelnden Gedanken, der sich krank macht vor lauter Kummer. Und es meint einen Menschen, der nicht genießen kann, der immer voller Unruhe ist, der nie dort ist, wo er gerade steht, sondern immer voller Angst um seine Zukunft besorgt ist. Es gibt Menschen, die vor lauter Sorgen unfähig geworden sind zu genießen. Sie können einen sonnigen Urlaubstag nicht genießen, weil sie sich Sorgen machen, ob es abends ein Gewitter gibt oder ob es morgen regnen könnte. Sie können ein gutes Essen nicht genießen, weil sie sich darum sorgen, ob sie immer genügend Geld für ihren Lebensunterhalt haben. Sie können ein Gespräch nicht genießen, weil sie sich darum sorgen, ob sie auch einen guten Eindruck machen. Die Sorge teilt das menschliche Herz und lässt es nie dort sein, wo es sich freuen und wo es genießen kann. Freude lässt das Herz ganz sein. Man kann sich nur aus ganzem Herzen freuen. Da sich die Sorge verselbständigen kann, da sich Menschen in ihren Sorgen verlieren können, ist es durchaus angebracht, wie Paulus zur Freude aufzurufen. Der Aufruf zur Freude meint nicht, eine ganz bestimmte Stimmung in sich zu erzeugen, sondern die Wirklichkeit zu durchschauen und in allem die Nähe des Herrn zu sehen. Dann wird mein Leben anders, dann werde ich die Welt mit neuen Augen sehen. Wenn der Herr nahe ist, der mich liebt, der meine tiefste Sehnsucht erfüllt, dann wird vieles unwichtig. Eine Frau, die sich um vieles in ihrem Leben Sorgen machte und sich zerquälte, erzählte mir neulich einen Traum von einem jungen Mann, der auf sie zukam und sie freundlich anschaute. Da war ihr auf einmal klar: Wenn der mich liebt, dann kann ich vieles lassen, dann wird alles gut, dann wird wieder die Freude mein Leben bestimmen und nicht mehr die Sorge, wie es wohl weitergehen wird.

Die Freude, zu der Paulus auffordert, ist keine euphorische Freude. Sie meint die Freude mitten im Leid. Er sitzt im Gefängnis und schreibt über die Freude. So wird auch unsere Freude nur dann stimmig sein, wenn wir das Gefängnis anschauen, in dem wir sitzen, wenn wir unsere Abhängigkeiten von anderen Menschen wahrnehmen, die uns gefangen halten, wenn wir die Verletzungen unserer Lebensgeschichte betrachten, die uns in ganz bestimmten Lebensmustern festhalten, die uns daran hindern, in Freiheit zu leben. Wir sollen nichts verdrängen, sondern alles, was in uns ist und was uns belastet und bedrückt, was uns fesselt und einengt, vor Gott ans Licht kommen lassen. Nur dann wird unsere Freude echt sein. Paulus fordert uns auf: »Bringt in jeder Lage betend und bittend eure Anliegen mit Dank vor Gott!« (Phil 4,6). Das, was in uns liegt, sollen wir vor Gott bringen, anstatt uns in Sorgen darüber zu zerquälen. Wenn es offen vor Gott gebracht wird, verwandelt es sich. Ja, wir sollen unsere Probleme mit Dank vor Gott bringen, in der Grundhaltung, dass alles sein darf und alles in uns gut ist. Wir glauben daran, dass wir für alles Gott danken können, weil Gott es im Grund gut mit uns meint, selbst dann, wenn wir im Gefängnis sitzen. Auch da hält Gott seine gute Hand über uns.

Die Kirchenväter haben die Aufforderung des heiligen Paulus »Freuet euch« oft kommentiert. Für sie geht es um die Frage, wie wir uns immer freuen können, obwohl doch das Leben nicht immer Anlass zur Freude gibt. So fragt *Chrysostomus* in einer

Predigt: »Wie ist es möglich, sagt man, sich beständig zu freuen, da man doch ein Mensch ist? Es ist nicht schwer, sich zu freuen; aber sich immer zu freuen, das scheint mir nicht möglich. So dürfte vielleicht jemand sagen. Es umdrängen uns ja so vielfache Nöte, um uns den freudigen Mut zu nehmen. Man verliert einen Sohn oder sein Weib oder einen redlichen Freund, der uns mehr am Herzen liegt als alle Verwandten. Man erleidet einen Verlust an seinem Vermögen, man fällt in eine Krankheit oder es stoßen einem andere Unfälle zu. Oder man grämt sich wegen geschädigter Ehre. Es kommt eine Teuerung oder die Pest oder eine unerträgliche Steuer oder eine häusliche Sorge. Wir sind gar nicht im Stande alles aufzuzählen, was uns im privaten und öffentlichen Leben so oft in Trauer versetzt. Wie soll es also möglich sein, sagt man, immerdar fröhlich zu sein?«[34] Und dann zeigt *Chrysostomus* einen Weg auf, wie wir uns immer freuen können. Alle Menschen, so meint er, »haben ein Verlangen, sich zu freuen und fröhlich zu sein: Dahin zielt all ihr Handeln, Reden und Tun.« Aber nicht alle kennen den Weg zur dauernden Freude. Wir können uns nur beständig freuen, wenn wir uns im Herrn, in Christus, freuen. »Wer sich im Herrn freut, kann durch keinen Zufall um diese Freude gebracht werden. Alles andere, worüber wir uns freuen, ist veränderlich, flüchtig und unterliegt leicht einem Wechsel.« Wer im Herrn ist, wer Gott fürchtet, der kann in der Freude bleiben, selbst wenn ihm Trauriges zustößt. »Im Gegenteil: Was anderen Trauer verursacht, wird deine Freude erhöhen; denn Geißelhiebe, Tod, Verluste, Verleumdungen, Unrecht, das uns widerfährt, und alle ähnlichen Leiden erfüllen unser Herz mit tiefem Glück, wenn sie uns um Gottes willen treffen und darin ihren Ursprung haben. Niemand kann uns unglücklich machen, außer wir tun das uns selber.«[35] Es geht den Kirchenvätern also um die Frage, wie wir uns mitten in einer Welt, in der es so viel Leid und Not gibt, dennoch immerdar freuen können. Und sie verweisen auf die Freude in und an Gott, an die Freude in Jesus Christus. Denn nur sie kann uns von widrigen Umständen nicht genommen werden. So ist die Sehnsucht nach wahrer Freude, die in jedem Menschen steckt, immer auch die Sehnsucht nach Gott, der allein beständige und unzerstörbare Freude zu schenken vermag.

Fest und Freude

Die Freude will sich ausdrücken. Der eigentliche Ort der Freude ist in allen Religionen das Fest. Das Alte Testament spricht von Freude und Jubel oft im Zusammenhang mit den vielen Wallfahrtsfesten, die das Volk gefeiert hat, um sich an die Heilstaten Gottes zu erinnern und sich daran zu freuen. Ein Fest zu feiern war für die Israeliten immer wieder der Versuch, der Freude Raum zu geben gegenüber der Angst, die das Leben behindert, und gegenüber Leid und Tod als täglicher Erfahrung. Im Fest brach etwas anderes ein in das Leben des Volkes. Da spürte das Volk, dass Gott der Herr ist und dass das Leben Sinn hat. Froh erinnern sich die Frommen immer wieder an die Schönheit des Gottesdienstes im Tempel von Jerusalem. Da war alles voller Jubel und Jauchzen. So betet der Psalmist: »Das Herz geht mir über, wenn ich daran denke, wie ich zum Haus Gottes zog in festlicher Schar, mit Jubel und Dank in feiernder Menge« (Ps 42,5). Der gemeinsame Gottesdienst war offensichtlich für die Israeliten der intensivste Ort freudiger Gotteserfahrung.

Fest und Freude bei den Griechen

Auch für die Griechen gehörten Fest und Freude wesentlich zusammen. Indem sie der Götter gedenken, werden die Feiernden den Unsterblichen ähnlich. Beim Fest spielen nicht nur Tanz, Spiel und gutes Essen eine wichtige Rolle, sondern vor allem der Gesang. »Das Herz erfüllt sich mit Wonne, wenn der Sänger die Töne der Himmlischen nachahmt; es gibt kein angenehmeres Leben, als wenn ein ganzes Volk ein Fest der Freude begeht.«[36] Das griechische Wort für Freude, *chara*, hat mit leidenschaftlicher Erregtheit zu tun. Es meint die ekstatische Freude, die das Volk an den gemeinsamen Festen erlebte. Um diese ekstatische, ja rauschhafte Freude ging es vor allem an den Dionysosfesten. Dionysos war der eigentliche Freudenbringer. Die Griechen erfuhren diese Freude besonders im Wein und in der Poesie. Musik und Tanz sollen am Dionysosfest das Bewusstsein betäuben, damit der Mensch im Rausch sich selbst vergisst und enthusiastisch wird, das heißt sich in Gott hinein verliert.

Christliche Festesfreude

Die frühen Christen haben die Tradition der Juden und Griechen fortgeführt. Der Gottesdienst war für sie der Ort, an dem sie gemeinsam Freude erlebten. Und sie feierten schon früh das Osterfest, an dem sie das Neuerwachen der Natur und die Erinnerung an den Auszug aus Ägypten erfüllt sahen in der Auferstehung Jesu Christi von den Toten. Da feierten sie den Sieg des Lebens über den Tod, den Sieg der Freude über das Leid. Sie drückten ihre Osterfreude aus in Tanz und Gesang. Im Mittelalter wurde es üblich, dass der Priester in seiner Osterpredigt die Leute durch Witze zum Lachen reizte. Das Osterlachen war Ausdruck, dass das Leben und die Liebe über alle Starre und Kälte gesiegt haben. An Ostern wird das Wesen jedes Festes deutlich: Es ist »Bejahung und Steigerung des Daseins«[37]. Das Fest ist Zustimmung zur Welt, Öffnung des Daseins auf Gott hin. Und nach *Ernst Bloch* gehört zum Fest immer die Heimat. Im Fest tut sich ein Fenster auf und die ewige Heimat leuchtet auf. In der Musik, die wesentlich zum Fest gehört, kostet der Mensch, so zitiert *Ernst Bloch* den Astronomen *Johannes Kepler*, »die Schöpferfreude Gottes nach, über sein Werk in dem süßesten Wonnegefühl, wie es ihm die Gott nachahmende Musik vermittelt«[38]. Wir feiern im Fest die Freude über Gottes Handeln in der Schöpfung und in der Geschichte.

In der Geschichte des Kirchenjahres lässt sich beobachten, dass im Laufe der Zeit das Bedürfnis nach Festen immer größer geworden ist. Immer wieder wollte man aufs Neue das Geheimnis des neuen Lebens in Jesus Christus feiern, an Weihnachten, an Christi Himmelfahrt, an Pfingsten, am Fest der Verklärung und schließlich in vielen Marienfesten und Heiligenfesten. Sie waren der Versuch, die Freude an Gott in menschliche Gefäße zu füllen. An den Marienfesten freute man sich darüber, dass Gott eine Frau gewürdigt hatte, Mutter seines Sohnes zu werden. Und man feierte in immer neuen Bildern das Geheimnis der eigenen Erlösung und Heilung. Gerade die Marienfeste sind immer optimistische Feste, voller Poesie und spielerischer Kreativität. An den Heiligenfesten feierte man nie nur den konkreten Menschen, sondern immer Gott, der auf vielfache Weise den Menschen zu seiner Vollendung führt, der unsere Wunden heilt und die vielen Möglichkeiten aufzeigt, die im Menschen liegen.

Die Kunst, ein Fest zu feiern

Viele tun sich heute schwer mit den christlichen Festen. Da sagen manche, sie könnten sich nicht freuen, nur weil jetzt gerade Weihnachten oder Ostern ist. Sie sind so mit sich selbst beschäftigt, dass sie sich nicht auf ein Fest einlassen können. Aber das zeigt gerade die ganze Not des heutigen Menschen. Er kreist so narzisstisch um sich selbst, er zelebriert seine Unlust, er feiert geradezu seine eigenen Wunden und Kränkungen, seinen Schmerz und seine Trauer, dass er sich nicht mehr davon distanzieren kann. Das Fest ist eine Einladung, einmal all das zu vergessen, was uns bedrückt, und uns auf Gott einzulassen, auf den Gott unserer Freude. Natürlich kann ein Fest nicht automatisch in uns Freude erzeugen. Aber wenn ich mich in meiner momentanen Verfassung, in der mir vielleicht gar nicht nach Freude zumute ist, dennoch auf das Fest einlasse, dann komme ich in Berührung mit der Freude, die immer schon in mir ist, die momentan nur verdeckt ist durch den Schmerz und die Trauer, durch die Not und die Krise, in der ich gerade stecke. Ich muss die Freude nicht künstlich erzeugen. In uns sind immer beide Pole: Freude und Trauer, Freude und Lustlosigkeit. Im narzisstischen Kreisen um meine Probleme bin ich nur auf den einen Pol fixiert. Ich ziehe mich immer mehr nach unten und werde mehr und mehr depressiv. Ein Fest feiern heißt nicht, die Augen vor den Problemen zu verschließen, sondern die Probleme von einer neuen Warte aus bewusst anzuschauen und sich dann davon distanzieren. Sie sind ein Teil des Lebens, aber nicht das ganze Leben. Ich darf sie auch einmal getrost beiseite lassen, um mich den positiven Aspekten des Lebens zu stellen, die mir das Fest vor Augen führt. Wenn ich mich auf das Fest einlasse, ohne an meinen Emotionen zu kleben und ohne mich unter Leistungsdruck zu stellen, mich unbedingt freuen zu müssen, dann kann in mir – ganz gleich, wie es mir gerade geht – doch Freude aufkeimen. Auf einmal spüre ich, wie relativ alles ist angesichts des Gottes, der alles zu verwandeln vermag. Die vordergründige Wirklichkeit, die mich so bedrängt, hat auf einmal keine Macht mehr über mich. Ich spüre dahinter das eigentliche Leben. Allerdings darf ich mich auch hier nicht unter einen Druck setzen. Ich muss an diesem Ostern nicht die gleiche Freude spüren wie im Jahr zuvor. Vielleicht wird es eine ganz stille Freude, die meine Traurigkeit nur ein wenig aufhellt. Ich feiere das Fest mit der Verfassung, in der ich gerade bin. Und ich vertraue darauf, dass das Fest gerade in meine Situation ein wenig mehr Licht und Freude zu bringen vermag.

Das Fest zeigt noch einen anderen Aspekt der Freude. Freude ist immer auch Mitfreude. Sie sucht die Gemeinschaft und braucht sie. Sich miteinander zu freuen, das verstärkt die Freude. Und die Gemeinschaft kann durch die Art und Weise, wie sie ein Fest feiert, diese Freude in uns vertiefen. Das beginnt bei der festlichen Gestaltung des Gottesdienstraumes oder des Feierraumes, wenn es sich um die Feier eines Geburtstages oder eines Jubiläums handelt. Die Freude braucht die Form, um sich entfalten zu können. Ein wesentlicher Aspekt der Freude ist das Wort, das gesprochen wird, etwa in der Predigt oder in der Festrede. Die Worte müssen stimmen. Sie dürfen nicht in einen euphorischen Ton verfallen oder übertreiben. Sie dürfen aber auch nicht unterkühlt sein. Manche Redner haben Angst, etwas von den eigenen Emotionen zu zeigen. An den Worten und am Tonfall spüren die Hörer, ob vom Redner Freude ausgeht oder ob hinter der Fassade pathetischer Worte Leere und Angst, Depression und Sinnlosigkeit lauern. Die Freude muss ins Wort gefasst werden, indem der Anlass der Freude gebührend gewürdigt wird.

Ein entscheidendes Element der Freude ist der Gesang. Bei weltlichen Feiern lässt man sich den Gesang zumeist von Chören vorsingen. Das kann durchaus Anlass zur Freude sein. Aber wenn die Gemeinschaft miteinander singt, entsteht eine ganz andere Dichte. Das spürt man in vielen Gottesdiensten, in denen sich die Leute vom Gesang mitreißen lassen und aus »inbrünstigem Herzen« singen. Manche verkopfte Priester lassen im Gottesdienst nur Lieder singen, die theologisch ganz richtig sind. Aber sie übersehen die Emotionalität, die in den Liedern steckt. Das gilt besonders bei den Marienliedern. Da gibt es natürlich kitschige, die man lieber nicht singen sollte, weil sie infantil sind. Aber viele alte Marienlieder rühren die Herzen der Menschen, weil sie voller Poesie sind und Freude über den menschlichen und mütterlichen Gott sind. Und solche Lieder erinnern immer auch an Erfahrungen aus der Kindheit, an die Ahnung, geborgen und geliebt zu sein, an die Erfahrung, vom Glauben der anderen getragen zu werden.

Freude und Singen

Damit die Freude echt wird, bedarf es auch einer Kultur des Singens. Das fängt bei der Tonhöhe an. Viele stimmen aus Angst, dass sie die hohen Töne nicht bekommen, die Lieder zu tief an. Als ich mich einmal mit *Godehard Joppich* über den Gesang in der Liturgie unterhielt, meinte er, der Sänger habe eine ganz große Verantwortung für die Stimmung, die die Feiernden erfasst. Wenn er einen Ton aus der »Sofaecke« anstimme, dann

werde sich auch nur eine Liturgie aus der »Sofaecke« entwickeln. Dann singe man vor sich hin, damit man durchkommt. Aber man zeige nicht sein Herz. Man hat offensichtlich Angst, seine Ergriffenheit zu zeigen. Man hat Angst vor der Freude, die da vielleicht aufkommen könnte.
Lieber bleibe man im Unverbindlichen stecken, damit man ja nicht Farbe bekennen müsse. In einer Singstunde mit den Jugendlichen, die zu unseren Osterkursen kommen, stimmte *Godehard Joppich* das »Hagios o theos« des Karfreitags sehr hoch an. Als einige protestierten, dass das zu hoch sei, erwiderte er: »Irgendwann einmal muss man das Sofakissen unter sich wegziehen und hinstehen und singen. Da zeigt sich, ob ich glaube oder nicht.« Nur wenn wir unser Kleben an der Bequemlichkeit unseres Sofas lassen und uns mit ganzem Herzen, mit Leib und Seele einlassen auf den Gesang, kann Freude in der Liturgie entstehen und sich auf die Feiernden ausbreiten.

Plato hat das griechische Wort für Freude, *chara*, von *choros*, vom Chor der Sänger, abgeleitet. Und *Augustinus* hat sich immer wieder Gedanken über das Singen gemacht. Für ihn ist Singen Ausdruck der Liebe. Aber es ist auch ein Weg, mit der inneren Freude in Berührung zu kommen. Er schreibt von einer Freude, die keine Worte mehr findet, sich auszudrücken, einem Singen ohne Worte, dem so genannten *Jubilus*. Augustinus hat dieses Singen ohne Worte bei den Arbeitern im Weinberg beobachtet: »Die bei der Ernte, im Weinberg oder bei einer anderen anstrengenden Arbeit singen, fangen zuerst an, mit Worten und Liedern ihre Freude auszudrücken. Doch wenn sie so voller Freude sind, dass sie sie mit Worten nicht mehr ausdrücken können, wenden sie sich von den Worten mit ihren Silben ab und gehen zum Jubilieren über. Der Jubilus ist ein Ton, der bedeutet, das Herz gebären zu lassen, was man nicht mehr sagen kann. Und wem ziemt solcher Jubilus, wenn nicht dem unaussprechlichen Gott?«[39] Dieses Singen ohne Worte hat sich im gregorianischen Choral in den Vertonungen der Allelujaverse eine eigene Tradition geschaffen. Da wird auf der Silbe A eine endlose Tonfolge gesungen. In den Alpenländern hat sich diese Tradition im Jodler fortgesetzt. Es ist das Bedürfnis, die Freude, die man in sich spürt und für die einem die Worte fehlen, dennoch auszudrücken.

Das persönliche Magnifikat

Als unsere Gemeinschaft in den siebziger Jahren durch eine schwierige Krise ging, versuchten wir, uns an einigen theologischen Arbeitstagen über die Wurzeln unseres Glaubens und unseres klösterlichen Lebens zu unterhalten. Das hat unsere gemeinsame Grundlage gestärkt und die Gemeinschaft langsam aus der Krise herausgeführt. Bei einem solchen theologischen Arbeitstag lud uns Pater Meinrad ein, in einer stillen Arbeit ein persönliches Magnifikat zu schreiben. Das Magnifikat ist ja der Lobpreis, den Maria beim Besuch ihrer Base Elisabeth anstimmte. Dieser Lobpsalm wurde früher täglich in der Vesper, dem Abendlob der Kirche, gesungen. Wir singen ihn jeden Samstag und an vielen Feiertagen. Der Evangelist Lukas hat in diesem Lied Verse benutzt, die damals in der Armenfrömmigkeit ähnlich gesungen wurden. Das Magnifikat erinnert auch an Psalmen, wie sie in Qumram gebetet wurden. Maria verwendet diese Worte, um ihre Erfahrung mit Gott auszudrücken. So können auch wir dieses Loblied verstehen als Jubel über alles, was Gott an uns getan hat und Tag für Tag an uns wirkt.

Nach der Übersetzung der ökumenischen Kommission beginnt das Lied mit den Worten:

»Meine Seele preist voll Freude den Herrn,
mein Geist ist voll Jubel über Gott, meinen Retter.
Denn er hat gnädig auf seine arme Magd geschaut.
Von nun an preisen alle Geschlechter mich glücklich.
Denn der Mächtige hat an mir Großes getan;
sein Name ist heilig« (Lk 1,46-49).

Auf dem Hintergrund dieser Worte kann ich mein eigenes Gebet schreiben. Dabei sollte ich nicht angestrengt nachdenken, was Gott mir getan hat. Es ist besser, einfach zu schreiben, ohne viel zu überlegen, mehr in der Hand zu sein als im Kopf. Im Schreiben kommt dann von alleine hoch, wofür ich Gott danken und worüber ich mich freuen kann. Ich preise Gott dafür, dass er mich geschaffen hat, dass er in mir seine Lieblingsidee verwirklicht hat, dass er mich durch die Wechselfälle meines Lebens geformt und gebildet hat, dass er mich auf meinem Weg begleitet und seine schützende Hand über mir gehalten hat. Gott hat immer wieder auf mich in meiner Niedrigkeit und Armseligkeit hingeschaut. Er hat auf mich geschaut, weil ich ihm wichtig bin, weil er mich liebt. Die wohlwollenden und liebenden Augen Gottes sind für mich Grund genug zur Freude. Ich lebe nicht als Nummer, sondern unter den Augen Gottes, der auf mich Acht gibt, dass mein Fuß nicht an einen Stein stößt (vgl. Ps 91,12).

Beim Schreiben unseres persönlichen Magnifikats kamen uns immer wieder Psalmverse in den Sinn, die wir täglich beten, die aber oft an uns vorbeigehen. Jetzt waren es auf einmal unsere Verse, Ausdruck unserer Erfahrung mit Gott. Jetzt konnten wir von uns persönlich sagen: »Du schaffst meinen Schritten weiten Raum« (Ps 18,37). »Meine Augen schauen stets auf den Herrn; denn er befreit meine Füße aus dem Netz« (Ps 25,15). »Du hast mich herausgeholt aus dem Reich des Todes« (Ps 30,4). »Gott ist mein Helfer, der Herr beschützt mein Leben« (Ps 54,6). Jeder fand genügend Erlebnisse in seinem Leben, von denen er sagen konnte: »Gott hat Großes an mir getan.«

Wenn ich unter dem Blickwinkel meines persönlichen Magnifikats meine Lebensgeschichte durchgehe, dann verschließe ich nicht die Augen vor den dunklen Zeiten. Aber ich sehe auch die schwierigen Situationen in einem anderen Licht. Auch da hat Gott Großes an mir getan, denn er hat mich hindurchgeführt durch Angst und Not, durch Verzweiflung und Dunkelheit, durch Einsamkeit und Leere, und er hat mich herausgeführt in die Freiheit. Und ich spüre, dass es nicht selbstverständlich ist, dass ich noch am Leben bin, dass ich gesund bin, dass ich schöpferisch bin, dass ich Lust habe am Leben, dass ich etwas gestalten und schaffen kann, dass ich mit meinen Worten andere anspreche, dass ich in meinem Herzen Frieden spüre, dass mich die Suche nach Gott lebendig hält.

Auch die anderen Verse des Magnifikats beschreiben nicht nur die Großtaten Gottes in der Geschichte, sondern Gottes Handeln an mir:

Gott schenkt mir sein Erbarmen. Er fühlt mit mir. Er verurteilt mich nicht, wenn ich mir so unbarmherzig meine Fehler vorhalte. Er »zerstreut« meinen Hochmut, indem er mich immer wieder mit meiner Ohnmacht konfrontiert. Er macht meinen Stolz zunichte, in dem ich mich über die anderen erhebe und mich in Illusionen wiege. Er stürzt in mir das mächtige Ego vom Thron, das sich dort gerne etablieren möchte und das mich vom wirklichen Leben abschneidet, weil es nur auf sich bedacht ist und sich an seinem Thron festklammert. Und er bringt das Arme in mir zu Ehren. Das, was ich in mir am liebsten verberge, erweist sich als mein eigentlicher Schatz, als eine Quelle von Kreativität und Schönheit. Er erhöht das Niedrige in mir. Er kehrt das Unterste nach oben. Dort, wo ich unten lag, gescheitert, ohnmächtig, dort hat er mich aufgerichtet. Er hat meine Maßstäbe durcheinander geschüttelt. Das hat mir gut getan, das hat Neues in mir zum Leben geweckt. Den Hunger in mir beschenkt er mit seinen Gaben. Er stillt meinen Hunger nach Liebe und Leben. Aber dort, wo ich mich reich dünke, wo ich meine, ich hätte doch alles, dort lässt er mich leer ausgehen, dort lässt er mich erfahren, dass meine Hände leer sind, dass ich nichts vorweisen kann. Er nimmt sich meiner an. Im Lateinischen heißt es hier *suscepit*. Es meint: »von unten her aufnehmen, jemanden auffangen, wenn er hinfällt; jemanden aufrichten und stützen, jemanden als Kind annehmen und aufziehen; jemanden tragen«. Gott hat mich immer wieder aufgefangen, wenn ich gefallen bin. Er hat mich aufgerichtet, wenn ich mich hängen ließ. Er hat mich in seinen Händen getragen und mich als sein Kind angenommen, bedingungslos angenommen, so wie ich bin. Das hat er getan, weil er an sein Erbarmen denkt, weil er mit mir fühlt, weil er ein Herz hat für mich.

Als jeder von uns sein persönliches Magnifikat geschrieben hatte, war auf einmal eine andere Stimmung im Raum. Da war nicht mehr das Jammern über die Mitbrüder, die sich nicht an die Ordnung halten. Da war keine Resignation mehr, dass man halt bei vielen Problemen in der Gemeinschaft nichts machen könne. Die Freude, die jeder beim Formulieren seines persönlichen Dankgebetes spürte, verbreitete sich im Raum und steckte auch die anderen an. Das Gespräch war viel gelöster. Wir konnten miteinander lachen. Die Angst, ob die älteren Mitbrüder sich überhaupt auf unsere Methoden und Vorschläge einlassen konnten, war verflogen. Jetzt spürten wir, wie viel uns miteinander verbindet. Und als wir dann in der Vesper gemeinsam das Magnifikat sangen, da war es erfüllt mit den persönlichen Erfahrungen jedes Einzelnen. Im Singen der gleichen Worte klangen die persönlichen Schicksale und die Sehnsüchte jedes Einzelnen zusammen. Da spürten wir das Geheimnis, wie die Freude sich durch das gemeinsame Singen vermehrt und eine Kraft entfaltet, die auch für andere zum Segen wird. Denn die Besucher unserer Kirche spüren beim Chorgebet, ob es getragen ist von der Müdigkeit und Frustration oder aber von der Freude und Liebe. Die Freude, die beim Beten des persönlichen Magnifikats aufkam, setzte sich fort im gemeinsamen Chorgebet und in einer neuen Lust, gemeinsam in die Zukunft zu gehen. Auf einmal entwickelte die Gemeinschaft neue Phantasie und Kreativität. Sie überlegte, was ihre Aufgabe in unserer Zeit sei. Da hörten die Überlegungen auf, ob wir überhaupt noch zeitgemäß seien. Jetzt spürten wir, dass wir als Mönche mit einer 1500-jährigen Tradition auf die Fragen unserer Zeit eine wichtige Antwort zu geben vermögen.

Vielleicht regt Sie diese Erfahrung an, selbst Ihr persönliches Magnifikat zu schreiben. Ich wünsche Ihnen, dass Ihnen die Worte nur so zufließen und dass sich Ihr Herz mit Freude füllt. Sie können dieses Gebet alleine schreiben. Aber es wäre auch eine gute Idee, etwa am Jahresende oder bei wichtigen Anlässen in der Familie oder in Ihrer Gemeinschaft, in der Sie leben, gemeinsam an diese Aufgabe heranzugehen. Jeder sollte natürlich für sich das Gebet schreiben. Aber dann sollte die Gemeinschaft zusammenkommen und sich über das persönliche Magnifikat austauschen. Das könnte so geschehen, dass jeder seinen Zettel mit dem Gebet in die Mitte legt. Dann kann jeder einen Zettel nehmen (nicht den eigenen) und ihn langsam für sich selbst lesen und meditieren. Es ist gar nicht wichtig, wer diesen Text geschrieben hat. Ich komme dann mit den Erfahrungen eines anderen in Berührung. Und vielleicht erinnert mich die Erfahrung des anderen an eigene Erlebnisse, die ich längst verdrängt habe oder für die ich selbst keine Worte gefunden habe. Dann können Sie sich über den Text, den Sie gelesen haben, austauschen und darüber, wie es Ihnen selbst beim Schreiben gegangen ist.

Sie werden erleben, wie sich die Stimmung in Ihrer Familie, in Ihrem Miteinander verwandelt, wie Sie auf einmal neue Ideen bekommen, was Sie miteinander tun, welche Probleme Sie anpacken und welche Projekte Sie starten möchten. Ich wünsche Ihnen, dass die Freude, die da in jedem Einzelnen aufkommt, zu einer Klammer wird, die Sie miteinander fester verbindet, und zu einer Quelle von Fruchtbarkeit, zu einer Quelle, die Ihnen Lust am Leben schenkt und in Ihnen neue Kraft weckt, gemeinsam nach außen zu wirken und so auch anderen eine Freude zu machen. Ich wünsche Ihnen, dass Sie auch mitten in den Problemen, die Sie bedrängen, mit der Freude in Berührung kommen, die auf dem Grunde Ihres Herzens bereit liegt, um Ihren Leib und Ihre Seele mehr und mehr zu durchdringen. Wenn die Freude dann aus Ihren Augen heraus leuchtet, wird sie auch zu einer Quelle von Lebendigkeit und Fröhlichkeit werden für die Menschen, denen Sie begegnen.

Anmerkungen

1 Anselm Grün/Wunibald Müller, Was macht Menschen krank, was macht sie gesund? Münsterschwarzach 1997.
2 Otto Michel, Freude, in: RAC VIII, Stuttgart 1972, 365.
3 Alfons Auer, LThK 362.
4 Erich Fromm, Psychoanalyse und Ethik, Zürich 1954, 198ff.
5 Verena Kast, Freude, Inspiration, Hoffnung, München 1997, 16.
6 Ebd 16f.
7 Ebd 22.
8 Ebd 53.
9 Ebd 54.
10 Ebd 55.
11 Ebd 57.
12 Vgl. John Bradshaw, Das Kind in uns, München 1992, 342ff.
13 Die schönsten Märchen der Weltliteratur, hrg. v. Hans-Jörg Uther, München 1996, 117.
14 Ebd 121.
15 Ebd 92f.
16 Ebd 97.
17 Bernhard Sieland, Emotion, in: Handbuch der Psychologie für die Seelsorge, hrsg. Jürgen Biattner, Düsseldorf 1992, 124.
18 Ebd 114.
19 Ebd 134.
20 Norbert Lohfink, Kohelet. Die Neue Echter Bibel, Würzburg 1980, 6.
21 Hildegard Strickerschmidt, Hl. Hildegard. Heilung an Leib und Seele, Augsburg 1993, 81.
22 Ebd 46.
23 Ebd 27.
24 Ebd 82.
25 Ebd 49.
26 Alexander Schmemann, Aus der Freude leben, Olten 1974, 25.
27 Philipp Lersch, Aufbau der Person, München 1964, 237.
28 Herbert Benson, Heilung durch Glauben, München 1997, 217.
29 Ebd 29ff.
30 Heinz-Rolf Lückert, Begabung, Intelligenz, Kreativität, in: Die Psychologie des 20. Jahrhunderts XI, Zürich 1980, 467.
31 Johannes XXIII, Brevier des Herzens, Frankfurt 1967, 39.
32 Erhart Kästner, Die Stundentrommel vom Heiligen Berg Athos, Wiesbaden 1956, 122f.

33 Nicolas Hermann, Die wahre Freude, Zürich 1969.
34 Johannes Chrysostomus, Säulenhomilien 18,1-2, zit. nach: Texte der Kirchenväter III, hrg. v. Alfons Heilmann, München 1964, 297.
35 Ebd 18,4, zit. ebd 306.
36 Otto Michel, Freude 366.
37 Kurt Meissner, Über die Freude. Bemerkungen zu einer Philosophie der Zustimmung zur Welt, Hamburg 1992, 26.
38 Ernst Bloch, Prinzip Hoffnung, Frankfurt 1959, 1252.
39 Augustinus, PL 36, 283.

Selbstwert entwickeln – Ohnmacht meistern

Spirituelle Wege zum inneren Raum

Die Selbsterfahrung des heutigen Menschen

Die Menschen, denen ich als Seelsorger begegne, kreisen häufig um die beiden Pole: fehlendes Selbstwertgefühl und Ohnmachtsgefühl. Es sind nicht nur junge Menschen, die unter mangelndem Selbstvertrauen leiden und sich danach sehnen, ein starkes Selbstwertgefühl zu entwickeln. Auch von Leuten, die gerade in der Lebensmitte sind, höre ich oft, wie sie darunter leiden, kein Selbstwertgefühl zu haben. Sie trauen sich nicht, ihre eigene Meinung zu vertreten, wenn andere selbstbewusst auftreten. Sie trauen sich selbst nichts zu. Andere können es besser, so meinen sie. Vor allem Mütter, deren Kinder gerade aus dem Haus gegangen sind, merken auf einmal, wie ihr mühsam aufgebautes Selbstvertrauen zusammenstürzt. Sie haben sich von ihren Kindern her definiert. Jetzt werden sie mit sich selbst konfrontiert und haben das Gefühl, dass sie aus sich heraus gar nichts sind. Auch ältere Menschen sprechen oft davon, dass sie eine ganz geringe Meinung von sich selber haben. Im Alter erinnern sie sich daran, dass sie als Kinder nicht ernst genommen worden sind und man nie nach ihrer Meinung gefragt hat. Jetzt, wo sie keine Leistung mehr vorweisen können, fühlen sie sich wertlos.

Junge Menschen haben große Zweifel, ob sie überhaupt wertvoll sind. Sie leiden darunter, dass sie nicht ernst genommen werden, dass sie Hemmungen haben, nicht so cool sind, wie sie das gerne sein möchten. Sie ärgern sich, wenn sie rot werden, sobald sie einer auf Themen anspricht, die ihnen unangenehm sind. Und vor allem haben sie Angst, dass sie vielleicht gar nicht liebenswert sein könnten. Junge Männer fühlen sich in Gegenwart von Frauen gehemmt, weil sie unsicher sind, ob sie von ihnen akzeptiert werden. Wenn sie sehen, dass andere eine Freundin haben, halten sie sich für minderwertig, weil sie noch alleine sind und weil kein Mädchen auf sie zugeht. Mädchen haben Angst, von Männern nicht ernst genommen, lächerlich gemacht zu werden, weil sie dem Schönheitsideal nicht entsprechen. So verwenden sie alle Energie darauf, so auszusehen, wie sie glauben, dass es die Männer erwarten.

Auch Ohnmachtsgefühle werden in den Seelsorgegesprächen immer wieder thematisiert. Da fühlt sich ein junger Mann ohnmächtig, eine Entscheidung über seine Zukunft zu treffen. Andere erfahren ihre Ohnmacht im Kampf mit sich selbst. Sie kommen einfach nicht weiter. Sie leiden immer wieder am eigenen Versagen, aber sie können daran nichts ändern. Junge Frauen leiden darunter, dass sie ihr Essproblem nicht in den Griff bekommen. Junge Männer fühlen sich ohnmächtig, mit ihrer Sexualität so umzugehen, wie es ihren Vorstellungen und Idealen entspricht. Andere ärgern sich darüber, dass sie sich immer wieder blamieren, vor andern unsicher sind und manchmal Fehler machen, ohne etwas dagegen unternehmen zu können.

Oft haben Ohnmachtsgefühle ihre Ursache in den äußeren Verhältnissen, etwa in der Situation des Arbeitsmarktes oder der gesellschaftlichen und politischen Wirklichkeit. Wer nach seinem Studium 40 oder 50 Bewerbungen geschrieben hat, der fühlt sich ohnmächtig im Hinblick auf seine Zukunft. Er hat das Gefühl, er könne machen, was er wolle, es habe doch keinen Zweck. Gegen die grausame Realität könne er nicht anrennen. Wer sich als Schüler für den Umweltschutz eingesetzt hat, resigniert häufig mit dem Gefühl, es habe doch alles keinen Sinn. Die Gesellschaft tritt die Natur nach wie vor mit Füßen. Ein anderer fühlt sich ohnmächtig, seine gescheiterte Ehe zu retten oder in einer verfahrenen Beziehung etwas zu ändern. Viele Ohnmachtsgefühle stammen aus der Kindheit. Da fühlte sich ein Kind ohnmächtig, die Spannungen zwischen den Eltern zu mildern und Streitereien zu befrieden. Da fühlten Kinder oft eine ohnmächtige Wut, wenn sie ungerechterweise bestraft wurden. Die gleiche Ohnmacht erleben sie heute im Umgang mit Vorgesetzten und Autoritäten und in Konfliktsituationen in der Familie, in der Gemeinde, in der Firma.

Eltern fühlen sich ohnmächtig ihren erwachsenen Kindern gegenüber, die ganz andere Wege gehen, als sie sich das gedacht haben. Sie finden keinen Zugang mehr zu ihnen. Alte wie Junge fühlen sich ohnmächtig angesichts einer Welt, in der so vieles schief läuft, auf die sie aber keinen Einfluss haben, weil sie von andern bestimmt wird, von mächtigen Gruppen und von anonymen Kräften, die nicht zu fassen sind.

Selbstvertrauen, selbstbewusst, selbstsicher

Im Umkreis von Selbstwertgefühlen und Ohnmachtsgefühlen gibt es im Deutschen viele ähnliche Begriffe. Da sprechen wir von Selbstvertrauen, Selbstbewusstsein, Selbstsicherheit. Die Begriffe hängen alle irgendwie miteinander zusammen, bedeuten aber doch auch jeweils etwas anderes. In Gesprächen höre ich oft, jemand könne nicht selbstbewusst auftreten, er habe kein Selbstvertrauen, er sei nicht selbstsicher. Selbstbewusst ist einer, der sich seiner bewusst ist, der weiß, wer er ist und was in ihm steckt. Als selbstsicher bezeichnet man einen, der sicher auftreten kann und sich durch nichts und niemanden verunsichern lässt. Manchmal kann das Selbstbewusstsein auch zur Schau gestellt werden. Da stellt einer sein Selbst bewusst heraus. Selbstbewusst kann ein Mensch auch auftreten, wenn er ein geringes Selbstwertgefühl hat. Er verdeckt dann sein schwaches Selbstwertgefühl mit selbstbewusstem und selbstsicherem Verhalten.

Selbstwertgefühl ist das Wissen um den eigenen Wert, um die eigene Würde, um die Einmaligkeit als Person. Es ist das Gespür für mein Selbst, für mein wahres Wesen, für das Bild, das Gott sich von mir gemacht hat.

Selbstvertrauen meint mehr den Aspekt, dass sich jemand etwas zutraut, seinen eigenen Gefühlen traut und auf Gott vertraut, der ihn trägt und annimmt. Selbstwertgefühl und Selbstvertrauen bedingen einander. Weil ich weiß, dass ich als Mensch einen unantastbaren göttlichen Wert habe, darf ich mich annehmen, wie ich bin, darf ich darauf vertrauen, dass ich gut bin, darf ich mich trauen, so aufzutreten, wie ich bin. Das muss nicht unbedingt selbstsicher sein. Ich kann in einer fremden Umgebung vielleicht unsicher wirken, aber ich gestehe mir das ein. Dann habe ich trotzdem Selbstvertrauen und Selbstwertgefühl. Ich bin wertvoll auch noch in meiner Unsicherheit und in meinen Hemmungen. Während der Selbstbewusste sich keine Schwäche leisten darf, erlaubt mir das Selbstvertrauen, auch schwach zu sein. Das Selbstwertgefühl bläht sich nicht auf, es ist vielmehr das Gefühl für den eigenen Wert in allen Schwächen und Grenzen.

Ohnmacht, ohne Macht, ohne Möglichkeit

Das deutsche Wort Ohnmacht kann einmal die Bewusstlosigkeit und Besinnungslosigkeit bedeuten, die aufgrund eines Schwächeanfalls auftritt. Wenn die Not so groß wird, dass man sie nicht mehr aushält, reagiert der Körper oft mit »Ohnmacht«. Der Mensch wird bewusstlos, um nicht mehr mitansehen zu müssen, was man ihm da zumutet. Zum andern meint Ohnmacht das Gefühl der eigenen Machtlosigkeit. Macht kommt von mögen, vermögen. Ohne Macht zu sein heißt dann, ohne Möglichkeit, ohne Einfluss, ohne Vermögen sein. Der Ohnmächtige vermag nichts zu bewirken, er hat keine Möglichkeit, etwas zu ändern, etwas zu gestalten. Das Gefühl der Ohnmacht gehört wesentlich zum Menschen. Der Mensch hat Macht und Ohnmacht zugleich. Er hat Macht, diese Welt und sich selbst zu beherrschen. Aber er ist auch ohnmächtig, sich selbst in den Griff zu bekommen, ohnmächtig Gott gegenüber.

Gegenüber diesem notwendig zur menschlichen Existenz gehörenden Ohnmachtsgefühl sprechen wir heute von Ohnmachtsgefühlen, wenn sich ein Mensch seinem Leben, den Menschen in seiner Umgebung oder der Welt insgesamt gegenüber ohnmächtig fühlt. Das Ohnmachtsgefühl hängt oft mit mangelndem Selbstwertgefühl zusammen, aber es ist nicht damit identisch. Manchmal gehen Ohnmachtsgefühl und mangelndes Selbstwertgefühl parallel, wenn sich einer ohnmächtig fühlt seinen eigenen Fehlern gegenüber, wenn er sich machtlos fühlt, sich selbst zu ändern. Aber es gibt auch viele, die durchaus ein gesundes Selbstvertrauen haben und dennoch unter Ohnmachtsgefühlen leiden. Sie fühlen sich in vielen Bereichen ihres Lebens ohnmächtig. Sie fühlen sich machtlos als Lehrer, weil sie gegen die mangelnde Erziehung durch die Eltern bei den Kindern kaum etwas erreichen können. Sie fühlen sich ohnmächtig als Pfarrer, weil immer weniger in den Gottesdienst kommen, obwohl sie sich alle Mühe geben, ihn phantasievoll zu gestalten, weil sie trotz aller Anstrengung in der Seelsorge kaum Erfolg sehen. Sie fühlen sich ohnmächtig angesichts der ungerechten Verhältnisse in unserer Welt, angesichts der weltweiten Not, angesichts der Welle der Gewalt, angesichts einer festgefahrenen Bürokratie, angesichts sinnloser Kriege. Kaum einer kann diese Ohnmachtsgefühle gut aushalten. Manche reagieren depressiv oder sie flüchten sich in Resignation, andere werden aggressiv, sie schlagen um sich, um die eigene Ohnmacht nicht mehr spüren zu müssen. Oder sie streben nach Macht, um der eigenen Ohnmacht zu entrinnen.

Im Folgenden soll es darum gehen, wie wir mit unseren Ohnmachtsgefühlen umgehen können, die zu unserer menschlichen Existenz gehören, ohne davon bestimmt und gelähmt zu werden. Und ich möchte als Seelsorger die Wege beschreiben, wie wir ein gesundes Selbstwertgefühl entwickeln können. Dabei geht es mir nicht um die rein psychologische Ebene, sondern von vorneherein um die spirituelle Dimension. Ich frage als Mönch, der aus dem Glauben lebt und der den Glauben als Hilfe erlebt, sich selbst als wertvoll zu fühlen, der aus dem Vertrauen zu Gott auch Selbstvertrauen gewinnt. Ich hoffe darauf, dass ich im Glauben einen Weg finde, mich meiner Ohnmacht zu stellen und kreativ damit umzugehen. Bevor ich jedoch im Glauben eine Hilfe erfahren kann, mit meinen Ohnmachtsgefühlen umzugehen und ein gutes Selbstwertgefühl zu entwickeln, muss ich mich der Realität meiner Ohnmacht und meines mangelnden Selbstwertgefühles stellen. Die spirituelle Dimension darf die psychologische Ebene nicht einfach überspringen.

Vielmehr finde ich nur durch sie hindurch zu Gott. Der Weg zu Gott führt nicht an unserer psychischen Wirklichkeit vorbei. Das wäre »spiritual bypassing«, spirituelle Abkürzung, wie die Amerikaner das religiöse Überspringen der Realität nennen. Es gibt keine spirituelle Abkürzung, die es uns ersparen könnte, uns der psychischen Realität unseres Lebens zu stellen. Christus ist hinabgestiegen zu uns Menschen, damit wir den Mut finden, in die eigene Wirklichkeit hinabzusteigen. Nur so können wir aufsteigen zu Gott.

I
Selbstwert entwickeln

Auf dem Hintergrund psychologischer Aussagen möchte ich die Entstehung des Selbstwertgefühls und die Gründe für mangelndes Selbstvertrauen darlegen. Und ich möchte einen Weg aufzeigen, wie Selbstvertrauen wachsen kann. Dabei geht es mir immer um einen Weg, der die Erfahrung der Psychologie und der Spiritualität miteinander verbindet. Es ist immer das gleiche Selbst, das lernen muss, sich zu behaupten, und das vor Gott steht als einmalige Person, das ein Grundvertrauen ins Leben hat und das Gott vertraut.

Der Aufbau eines guten Selbstwertgefühls

Ganz gleich, wie unsere Kindheit verlaufen ist, jeder von uns hat die Aufgabe, ein gesundes Selbstwertgefühl zu entwickeln. Die Voraussetzungen, unter denen wir uns dieser Aufgabe zu stellen haben, sind natürlich verschieden. Der eine hat von seiner Kindheit her immer schon genügend Vertrauen in das Leben und Vertrauen zu sich selbst mitbekommen. Der andere wurde als Kind eher klein gemacht und entwertet. Er hat es wesentlich schwerer mit seiner Aufgabe. Aber auch er kann dazu kommen, ja zu sich und seiner Geschichte zu sagen, sich auszusöhnen mit seinen Stärken und Schwächen und so sein einmaliges Selbst zu entdecken und dazu auch vor den andern zu stehen.

Urvertrauen

Entscheidend ist die Erfahrung des Urvertrauens, das das Kleinkind von der Mutter her erfährt. Wenn die Mutter Vertrauen ausstrahlt, dann wächst auch im Kind ein starkes Vertrauen. Wenn die Mutter jedoch unsicher ist, wenn sie Angst hat, dass sie etwas bei der Kindererziehung nicht richtig machen könnte, dann wird auch das Kind unsicher. Es übernimmt in der ersten Phase einfach, was es von der Mutter her erfährt. Dabei nimmt das Kind nicht nur wahr, was die Mutter tut, sondern auch wie sie es tut. Es spürt, ob es ihr gut geht oder schlecht, ob sie sich sicher fühlt oder unsicher, ob sie es gerne wickelt oder unwillig, ob da Wohlwollen ist oder Aggression. Aus all diesen Wahrnehmungen wächst im Kind Sicherheit oder Unsicherheit, das Gespür für den eigenen Selbstwert.

Der Begriff des »Urvertrauens« stammt von Erik Erikson.[1] Urvertrauen ist das Gefühl, sich auf die Eltern, aber auch auf sich selbst verlassen zu dürfen. Wer dieses Urvertrauen von seinen Eltern und im Kreis seiner Familie erworben hat, sieht die Welt um sich herum mit Augen des Vertrauens. Er wagt sein Leben, er hat Lust, seine Fähigkeiten auszuprobieren. Sein Grundgefühl ist getragen von einem tiefen Vertrauen in die Verlässlichkeit von Menschen, ja in die Verlässlichkeit des Seins schlechthin. Letztlich hat dieses Urvertrauen auch eine religiöse Komponente. In der Verlässlichkeit der Menschen leuchtet etwas auf von der Treue Gottes, der zu uns steht, auf den wir uns verlassen dürfen.

Erikson meint, dass eine Kindererziehung, die der Religion und der Tradition verpflichtet ist, »das Urvertrauen des Kindes in die Verlässlichkeit der Welt stärkt«.[2] Der Glaube verlängert das Urvertrauen des Kindes von den Menschen und der Welt bis zu Gott hin, dem Urgrund allen Seins. Wenn ein Kind zu wenig Urvertrauen entwickelt, wird es übermäßig selbstkritisch. Es zweifelt an sich selbst, an seinen Fähigkeiten und an seinem Angenommensein durch die Menschen. Das Vertrauen in das Leben ist die Bedingung, dass das Kind zur »Ich-Identität« findet.

Ich-Identität meint das Gefühl, dass ich alle Bereiche meines Lebens akzeptiert und in das Ich integriert habe, dass ich den roten Faden in meinem Leben sehe und die innere Einheit meines Seins gefunden habe. Eine starke Ich-Identität gibt dem Kind Sicherheit gegenüber seinen Trieben und schützt es vor einem grausamen Gewissen, mit dem sich Menschen ohne Urvertrauen martern. Wer seine Ich-Identität gefunden hat, ist fähig zur Intimität und schließlich zur Generativität, zur Fruchtbarkeit, die sich entweder in Kindern oder aber in einer schöpferischen Leistung ausdrückt. Das Ziel der menschlichen Entwicklung ist nach Erikson die Integrität. Wer zur Integrität gelangt ist, ist eins mit sich geworden, einverstanden mit seiner Lebensgeschichte, der hat ein starkes Selbstwertgefühl, ein Gefühl für seine einzigartige Würde entwickelt.

Eriksons Beobachtungen haben auch für uns Christen eine bleibende Bedeutung. Auch für die religiöse Erziehung muss das Vertrauen in den verlässlichen Gott zur Grundlage allen Sprechens von Gott werden. Wenn Gott aber als der ständige Aufpasser und Beobachter vermittelt wird, wird statt des Urvertrauens die Urangst zum Grundgefühl des Kindes. In allem fühlt es sich kontrolliert, eingeengt, beobachtet und beurteilt. Es genügt aber nicht, wenn wir nur von dem Gott des Vertrauens sprechen. Gott muss durch unsere Vertrauen erweckende Ausstrahlung hindurch erfahrbar werden als der letzte Grund allen Vertrauens. Eriksons Gedanken könnten zu einem Kriterium des richtigen Sprechens über Gott und über den Menschen werden. Wenn wir vom Kind vor allem verlangen, dass es brav ist und Gottes Gebote und unsere Vorschriften erfüllt, werden wir es zu einem angepassten und langweiligen Menschen erziehen. Das Bild des Menschen, wie Gott ihn will, ist geprägt von Integrität und Generativität, von Ganzheit und Fruchtbarkeit. Der Mensch, der die innere Einheit seines Lebens entdeckt hat, der vor Lebendigkeit sprudelt, der immer neue Ideen hat, um den herum etwas entsteht, das auch für andere Bedeutung hat, entspricht Gottes Willen.

Einzigartigkeit und Einmaligkeit

Beim Selbstwertgefühl geht es nicht nur darum, sich selbst, der Welt und Gott zu vertrauen, sondern seine Einmaligkeit zu entdecken. Jeder Mensch stellt ein einmaliges Bild dar, das Gott sich allein von ihm gemacht hat. Thomas von Aquin meint, dass jeder von uns auf einzigartige Weise Gott in dieser Welt ausdrücke. Die Welt wäre ärmer, wenn nicht jeder von uns auf seine einmalige Weise Gott zum Ausdruck bringen würde. Romano Guardini spricht in seinen Lebenserinnerungen davon, dass Gott über jeden Menschen ein Urwort spricht, das nur diesem einen Menschen gilt. Jeder Mensch ist ein Fleisch gewordenes Wort Gottes. Und unsere Aufgabe besteht darin, dieses einmalige Wort Gottes in unserem Leben vernehmbar zu machen. Selbstwertgefühl meint das Gespür für dieses einzigartige Bild Gottes, das ich bin, für das einmalige Wort, das Gott nur in mir spricht. Ich trete dann vielleicht gar nicht selbstbewusst und selbstsicher auf. Aber ich spüre das Geheimnis meiner einmaligen Existenz. Ich verzichte darauf, mich mit anderen zu vergleichen und meine Stärken herauszustellen. Meine Einmaligkeit ist unabhängig von allen Vorzügen, die ich anpreisen könnte. Sie besteht darin, dass ich von Gott geformt worden bin. Der Psalmist hat diese beglückende Erfahrung so ausgedrückt: »Du hast mein Inneres geschaffen, mich gewoben im Schoß meiner Mutter. Ich danke dir, dass du mich so wunderbar gestaltet hast« (Ps 139,13f).

Dass das Gefühl für seine Einmaligkeit für die Entstehung eines guten Selbstwertgefühls wichtig ist, hat vor allem John Bradshaw dargestellt. Ein Kind entwickelt ein starkes Selbstwertgefühl, wenn es in seiner Einmaligkeit von den Eltern ernst genommen wird, wenn seine Gefühle geachtet werden, wenn es vor ihnen sein darf, wie es ist. Wenn das nicht der Fall ist, dann reagiert das Kind mit Misstrauen, dann fühlt es sich innerlich verletzt und muss sich verschließen. In der Einmaligkeit des Kindes liegt seine Ähnlichkeit mit Gott, der sich ja als der ICH BIN geoffenbart hat. Wenn ein Kind mit seinen einmaligen Gefühlen und mit seiner besonderen Kostbarkeit nicht beachtet wird, so ist das für Bradshaw eine spirituelle Verletzung. Sie ist dafür verantwortlich, »wenn aus uns unselbständige, schamerfüllte erwachsene Kinder werden. Die Geschichte des Niedergangs eines jeden Mannes und einer jeden Frau handelt davon, dass ein wunderbares, wertvolles, besonderes und kostbares Kind sein Gefühl für das ›Ich bin, wer ich bin‹ verloren hat.«[3]

Die Jugendlichen, die an mangelndem Selbstwertgefühl leiden, erzählen mir immer wieder, dass die Eltern ihre Einmaligkeit nicht geachtet haben. Sie haben sich nicht die Mühe gemacht, sich in sie hineinzufühlen. Sie haben es nach den eigenen Maßstäben beurteilt. Wenn das Kind etwas ausprobieren wollte, hörte es: »Du bist zu klein dafür. Das kannst du nicht. Du bist zu dumm. Du kapierst das nie.« Solche negativen Botschaften würgen jedes Selbstwertgefühl ab. Das Kind übernimmt die Botschaft der Eltern und verinnerlicht sie. Es hat den Eindruck, dass es zu nichts tauge, dass es zu langsam sei, dass andere das besser können usw. So kann kein Gefühl für die eigene Besonderheit wachsen. Die Urteile der Eltern werten einen so radikal ab, dass man sich höchstens im negativen Sinn einmalig fühlt. Man fühlt sich dann als der letzte Dreck, als der Dümmste, als der Schlimmste. Wenn es schon nicht die Einmaligkeit ist, die Gott mir geschenkt hat, dann muss ich mich wenigstens in meiner Schlechtigkeit für einzigartig halten.

Der volle Pott

Virginia Satir, eine amerikanische Familientherapeutin, bringt in ihrem Buch »Selbstwert und Kommunikation« ein schönes Bild für das Selbstwertgefühl.[4] Sie nimmt den großen Eisenpott, der auf ihrer Farm steht und je nach Jahreszeit voll mit Seife, mit Eintopf oder mit Dünger ist, als Bild für das Selbstwertgefühl. Wenn jemand sagt: »In meinem Pott ist heute viel«, wissen alle, dass er gerade voller Energie und Selbstwertgefühl ist. »Lass mich in Ruhe, mein Pott leckt«, sagt den andern, dass heute mit mir nicht viel los ist. In unserem Recollectiohaus haben die Gäste, die für drei Monate bei uns sind, um in der therapeutischen und geistlichen Begleitung ihre inneren Quellen zu entdecken, das Bild des Pottes schnell übernommen. Da hat der eine dem andern zugerufen, dass sein Pott heute übervoll sei. Oder da haben sie übereinander im Bild des Pottes gesprochen. Von dem einen sagte man, der habe heute wohl einen durchlöcherten Eimer als Pott, von einem andern, er hätte einen Pott wie einen Betonmischer. Die Gäste konnten im Bild des Pottes ausdrücken, wie es ihnen gerade ging.

Das Selbstwertgefühl ist nicht angeboren. Es wird in der Familie gelernt. Es liegt an den Botschaften, die ein Kind von den Eltern empfängt, ob es sich angenommen und wertvoll fühlt. Das Kind nimmt den Ausdruck im Gesicht der Eltern wahr und erkennt daran, ob die Eltern es achten oder nicht, ob sie von seinem Wert überzeugt sind oder nicht. Damit ein gutes Selbstwertgefühl entstehen kann, braucht es eine Atmosphäre der Offenheit. Man spricht offen miteinander und akzeptiert, wenn einer einen Fehler macht. Grund für mangelnden Selbstwert ist oft eine verschleierte Kommunikation, in der nicht klar wird, wo man dran ist.

Es ist aber nie zu spät, das Selbstwertgefühl zu erlernen und zu stärken. Man kann jederzeit die mangelnde Kommunikation durch eine positive ersetzen und so immer wieder neue Erfahrungen machen, die einem helfen, seinen leeren Pott zu füllen. Die Gäste in unserem Recollectiohaus haben sich gegenseitig durch neue Formen des Miteinanderredens geholfen, einen vollen Pott zu bekommen. Die Ebene der Kommunikation ist offensichtlich sehr wichtig für die Entstehung des Selbstwertgefühls. Es genügt nicht, wenn eine Familie nur fromm ist, aber unfähig, miteinander zu reden. Frömmigkeit allein schafft noch kein Selbstwertgefühl. Es braucht auch die menschliche Voraussetzung gelungener Kommunikation, damit wir uns voreinander und vor Gott für wertvoll halten.

Die Annahme des Schattens

Ein gesundes Selbstwertgefühl muss nicht unbedingt darin bestehen, dass man sicher auftreten kann. Entscheidend ist, dass einer zu sich selbst ja sagen kann. Ich hielt vor vielen Jahren einmal einen Kurs für Psychologen. Der eine erzählte bei seiner Ankunft, dass er ganz durcheinander sei, weil ihn das Fahren so anstrenge. Ich hatte gedacht, dass sich Psychologen vor allem durch große Selbstsicherheit auszeichnen würden. Aber da wurde mir klar, dass nur der wirklich ein gutes Selbstwertgefühl hat, der sich auch mit seinen Schwächen und Schattenseiten aussöhnen kann. Wer vor andern seine Fehler zugeben kann, wer zu sich steht, wenn er sich vor andern blamiert, der hat wirklich ein gutes Selbstwertgefühl. Er kann sich selbst so annehmen, wie er ist, auch mit seinen weniger angenehmen Seiten.

Nach C. G. Jung gehört zur Selbstannahme auch die Annahme des eigenen Schattens. Der Mensch lebt immer zwischen zwei Polen, zwischen Angst und Vertrauen, zwischen Verstand und Gefühl, zwischen Liebe und Aggression, zwischen Disziplin und Disziplinlosigkeit. Manche, die sich so selbstbewusst nach außen geben, sind nur mit einem Pol in Berührung. So argumentiert der Verstandesmensch selbstsicher, aber er kann keine Gefühle zeigen. Sobald die Sprache auf die Gefühlsebene kommt, gerät er in Panik, oder aber er verschließt sich. Er hat kein wirkliches Selbstwertgefühl. Er fühlt sich nur einseitig. Wer nur einen Pol bewusst lebt, verdrängt den andern in den Schatten. Von dort aus wird er sich negativ auswirken. So äußert sich das verdrängte Gefühl als Sentimentalität. Oder die verdrängte Disziplinlosigkeit führt dazu, dass ein Mensch in einem Bereich seines Lebens völlig die Kontrolle verliert. Der Schatten kann sich auch in empfindlichen Reaktionen äußern, sobald jemand die eigenen Schwachstellen anspricht. Da gerät dann einer, der nach außen hin selbstbewusst auftritt, auf einmal außer sich. Seine zur Schau gestellte Selbstsicherheit bricht jäh zusammen. Wer dagegen seinen Schatten angenommen hat, der kann gelassen reagieren, wenn er sich nach außen hin blamiert oder in das Feuer der Kritik gerät. Er weiß um sich, er hat sich ausgesöhnt mit seinen Höhen und Tiefen. So wundert ihn nichts mehr, was man über ihn sagt. Es kann ihn nicht so leicht erschüttern, weil das Fundament, auf dem er steht, zwei Beine hat, beide Pole, die er in sich zugelassen hat.

Für C. G. Jung geht der Weg zum gesunden Selbstwertgefühl über die Annahme des Schattens, die Integration von anima und animus und über das Zulassen des Gottesbildes, das sich in der menschlichen Seele in Bildern und Symbolen ausdrückt. Jung spricht von Selbstwerdung und nicht von Ichwerdung. Das Selbst ist etwas anderes als das Ich. Das Ich ist nur bewusst. Es ist der bewusste Kern, von dem aus ich mich entscheide. Das tritt deutlich nach außen, wenn ich sage: »Ich will das jetzt. Ich entscheide mich jetzt so. Ich gehe jetzt dahin. Ich habe keine Lust.« Das Ich will imponieren. Wir halten uns oft genug am Ich fest. Um zum Selbst zu gelangen, muss ich das kleine Ich loslassen. Ich muss in meine eigene Tiefe steigen und den wahren Personkern entdecken. Oft aber fällt es den Menschen nicht leicht, »von ihrer Höhe herunterzusteigen und unten auch zu bleiben. Man fürchtet einen sozialen Prestigeverlust in erster Linie, und in zweiter Linie eine Einbuße des moralischen Selbstbewusstseins, wenn man sich seine eigene Schwäche gestehen müsste.«[5] Wir müssen zuerst in die eigene Tiefe steigen, bevor wir dort auf das Gottesbild stoßen, das im Grunde unserer Seele bereitliegt. Nur der kann sein Selbst finden, der die Gottesbilder in sich zulässt. Und nur, wer zu diesem inneren Kern, zu seinem wahren Selbst, gefunden hat, hat ein echtes Selbstwertgefühl.

Wer in Berührung ist mit seinem Selbst, der ist unabhängig von der Meinung der andern. Er findet zu sich selbst, zu seiner eigenen Würde. Und er wird fähig, bei sich zu bleiben, es bei sich auszuhalten. Die Reise in das eigene Innere ist so faszinierend, dass man Lob und Tadel von außen nicht mehr für so wichtig hält. Jung sagt das in einem Brief an einen deutschen Adressaten so: »Der Wert eines Menschen drückt sich in letzter Linie nie aus in der Beziehung zum andern Menschen, sondern er besteht in sich selbst. Deshalb dürfen wir auch nie unser Selbstgefühl oder unsere Selbstachtung vom Verhalten eines anderen Menschen abhängig machen, wie sehr wir auch menschlich dadurch in Mitleidenschaft gezogen werden können.«[6] Selbstwerdung heißt, zu seinem wahren Selbst kommen und dadurch unabhängig werden vom Urteil der Menschen.

Zum Selbstwertgefühl gehört für Jung auch die Aussöhnung mit der eigenen Lebensgeschichte. Letztlich hat es keinen Sinn, immer wieder in seiner Vergangenheit herumzuwühlen und dort die Gründe für mangelndes Selbstvertrauen zu finden. Irgendwann einmal muss jeder die Verantwortung für sein Leben übernehmen. Er muss seine Vergangenheit als das Material annehmen, das zu formen er bereit ist. Man kann aus Holz eine schöne Figur schnitzen, aus Stein etwas Bewundernswertes hauen und aus Ton etwas Wertvolles formen. Aber ich muss das Holz wie Holz bearbeiten und den Stein als Stein. Sonst kann ich keine Figur daraus gestalten. Unsere Vergangenheit ist das Material, das uns zur Verfügung steht. Wir können mit unserer Vergangenheit, ganz gleich, ob sie Holz oder Stein oder Ton ist, eine schöne Gestalt formen. Aber wir müssen uns auf das Material einlassen. Wir müssen uns aussöhnen mit unserer Lebensgeschichte. Dann kann sie für uns wertvoll werden. Ich sage den Menschen, die ich begleite, immer wieder: »Deine Geschichte ist dein Kapital. Wenn du dich aussöhnst mit deinem Lebensweg, dann kann er gerade auch mit seinen schwierigen Wegstrecken Frucht bringen für viele.«

Wenn ich die Verantwortung für mein Leben übernehme, höre ich auf, bei andern die Schuld für meine Misere zu suchen. Die Verantwortung wird mir die Augen öffnen für die Möglichkeiten, die allein ich habe, für das einmalige Bild, das Gott sich nur von mir gemacht hat. Dazu muss ich aber Abschied nehmen von allzu hohen Idealen, mit denen ich mich vielleicht identifiziere. Es geht nicht darum, perfekt und fehlerlos zu werden, sondern ganz, eins mit sich selbst, mit allen Gegensätzen, die in mir sind. Ein gesundes Selbstwertgefühl zu haben bedeutet für C. G. Jung, dass ich ein Gespür habe für das Helle und Dunkle in mir, für die Höhen und Tiefen, für das Gute und das Böse, für das Göttliche und für das Menschliche. Es besteht in der Ahnung, dass Gott in mir auf einmalige Weise geboren werden will. Das Selbst ist letztlich das Bild Gottes in mir, das einzigartige Bild, das Gott sich nur von mir gemacht hat.

Das spirituelle Selbst

Schon für C. G. Jung ist das Selbst mehr als das Ergebnis unserer Lebensgeschichte. Wer wir in Wirklichkeit sind, so sagt heute die Transpersonale Psychologie, das entdecken wir erst, wenn wir unsere vielen Identifikationen aufheben. Wir identifizieren uns oft mit den Meinungen unserer Eltern, wir definieren uns von Erfolg und Leistung, von Anerkennung und Bestätigung, von Zuwendung und Beziehungen her. Solange wir uns mit unseren Gefühlen und Bedürfnissen, mit unserer Krankheit oder Gesundheit identifizieren, sind wir davon abhängig und werden blind für die eigentliche Wirklichkeit des wahren Selbst. Wir müssen die Identifikation mit Menschen, mit Rollen, mit unserer Arbeit und Leistung aufgeben, um zu entdecken, wer wir eigentlich sind. Wir müssen uns disidentifizieren, um unser spirituelles Selbst zu finden.

Die Transpersonale Psychologie hat die Übung der Disidentifikation entwickelt. Ich beobachte meine Gedanken, Gefühle, Leidenschaften und sage mir dann vor: »Ich spüre meinen Ärger, ich beobachte ihn. Aber ich bin nicht mit meinem Ärger identisch. Ich bin nicht mein Ärger. In mir ist ein Punkt, der den Ärger beobachten kann, der selbst nicht mehr vom Ärger bestimmt wird. Es ist der unbeobachtete Zeuge, das wahre Selbst.« Roberto Assagioli, ein italienischer Psychiater, hat diese Disidentifikationsübung entwickelt. Zuerst soll man seinen Körper spüren und sich dann bewusst machen, dass er wandelbar ist. Vom Körper soll man dann zum spirituellen Selbst zurückgehen, zum Zentrum reinen Bewusstseins, das den veränderlichen Körper beobachtet und selbst konstant und unveränderlich bleibt. Das macht unsere wahre Identität aus. Dieses spirituelle Selbst nennt Assagioli auch »ein Zentrum reiner Selbst-Bewusstheit und Selbst-Verwirklichung«.[7]

Wir sind also mehr als das Ich, das sich behaupten möchte, das sicher und selbstbewusst auftritt. Das spirituelle Selbst ist die innere Heimat, in der wir ganz bei uns sind, in der wir entdecken, dass unser wahres Selbst von Gott geformt worden ist. Es ist das einmalige und unverwechselbare Bild, das Gott sich von uns gemacht hat. Es geht also nicht darum, nur selbstsicher und selbstbewusst aufzutreten. Wir sind mehr als das, was wir nach außen hin leben, ob wir da sicher oder unsicher sind, ob wir da stark oder schwach erscheinen. Daher ist es unsere Aufgabe, die eigene Selbsteinschätzung loszulassen. Es ist nicht wichtig, wie ich mich selber einschätze, ob ich mich als besser und stärker beurteile als die andern. Ich entdecke mein Selbst nicht, indem ich die Wunden meiner Kindheit betrachte und meine Ängste analysiere, die von meinem mangelnden Selbstvertrauen herrühren. Entscheidend ist, dass ich das Geheimnis meines wahren Selbst entdecke. Für den transpersonalen Psychologen Bugental liegt unser Problem darin, dass wir unser Selbst immer außen suchen, in äußerer Bestätigung, in äußeren Erfolgen, in äußerer Sicherheit. Wir können es aber nur innen finden, in der inneren Welt unserer Seele, in unserer wahren Heimat: »Unsere Heimat liegt innen. Und dort sind wir souverän. Solange wir diese uralte Wahrheit nicht neu entdecken, und zwar jeder für sich und auf seine Weise, sind wir dazu verdammt, umherzuirren und Trost dort zu suchen, wo es keinen gibt – in der Außenwelt.«[8] Es ist also zu wenig, nach außen hin ein starkes Selbstbewusstsein zu entwickeln, gut aufzutreten, Kritik wegzustecken und mit Widerständen gut umzugehen. Dann erscheinen wir zwar nach außen hin selbstsicher und selbstbewusst. Aber unser wahres Selbst haben wir nicht entdeckt. So ist dieses Selbstbewusstsein auf Sand gebaut. Wir sind nicht wirklich in Berührung mit unserem wahren Selbst.

Mein wahres Selbst ist mehr als das Ergebnis meiner Lebensgeschichte, mehr als das Ergebnis meiner Erziehung und meiner

Arbeit an mir selbst. Es ist etwas Gottunmittelbares, ein Geheimnis, weil Gott selbst sich darin auf einmalige Weise ausdrückt. Es ist das ursprüngliche Bild, das Gott sich von mir gemacht hat. Es ist das einzigartige Wort Gottes, das in mir Fleisch werden will. Es ist das Urwort Gottes, von dem Romano Guardini sagt, dass es einzig und allein diesen einen Menschen meint. Das Wort, das durch uns vernehmbar werden soll in der Welt. Das spirituelle Selbst ist dieses einmalige und unverwechselbare Wort Gottes, das in mir sichtbar und hörbar werden möchte.

Es gibt viele Bilder für das Selbstwertgefühl, Bilder, wie sie die verschiedenen Psychologen entworfen haben. Wir könnten aber auch die Bilder anschauen, wie sie die Bibel für ein gesundes Selbstwertgefühl wählt. Da ist das Bild des Baumes, der aus dem kleinen unscheinbaren Senfkorn entsteht (Mt 13,31f). Der Baum ragt hoch empor, er treibt seine Wurzeln tief in die Erde hinein. Er ist das Bild für einen Menschen, der zu sich steht, der sich nicht so leicht umwerfen lässt. Er ist fest gegründet in Gott. Nun kann sich jemand an ihn anlehnen, in seinem Schatten Schutz suchen und Heimat. Da ist das Bild vom Schatz im Acker (Mt 13,44f). Der kostbare Schatz steht für unser Selbst. Er ist mitten im Acker, mitten im Dreck. Wir müssen die Erde aufgraben, um unser wahres Selbst zu finden. Da ist das Bild von der kostbaren Perle (Mt 13,45f). Die Perle wächst in der Wunde der Auster. Mitten in unseren Wunden können wir unser Selbst finden, das Bild, das Gott sich von uns gemacht hat. Die Wunde zerbricht all die Bilder, die wir uns übergestülpt haben und mit denen wir unser wahres Selbst verdecken.

Mit diesen Bildern will uns die Bibel zeigen, wer wir eigentlich sind, dass unser Selbst ein Geheimnis ist, in dem Gott selbst sich zeigt, in dem wir Anteil haben an Gott. Und sie will uns zeigen, dass wir mehr sind als unsere Lebensgeschichte und die Vergangenheit, die uns geprägt hat. Das wird etwa im Bild des Baumstumpfs deutlich, aus dem ein Reis hervorwächst. Aus dem Abgehauenen, Abgerissenen, Verwundeten, Gescheiterten wächst ein neues Reis hervor. Das Selbst ist nicht etwas, das wir festhalten können. Es wird gerade dann sichtbar, wenn etwas in unserem Leben abgehauen und abgeschnitten wird. Das ist die tröstliche Botschaft der Bibel, dass dieses Selbst aus den Scherben unseres Lebens neu erstehen kann, dass es gerade dort, wo alles unfruchtbar erscheint, aufblüht und für andere zum Segen wird (vgl. Jes 11,1). Das ist ein tröstliches Bild, das unser Selbst nicht mit äußerem Erfolg und äußerer Sicherheit verwechselt, sondern mitten im Scheitern, mitten in den Verletzungen und Verwundungen ein von Gott geformtes Selbst entdeckt, das jede äußere Verwüstung und Zerstörung übersteht, weil es aus Gottes Hand kommt.

Bilder für mangelndes Selbstwertgefühl

In die Seelsorge kommen immer mehr Menschen mit mangelndem Selbstwertgefühl. Häufig erklären die Ratsuchenden ihre Probleme damit, dass sie eben kein Selbstvertrauen hätten, dass sie nur ein geringes Selbstwertgefühl besäßen. Manchmal habe ich den Eindruck, dass die Leute froh sind, die Ursache für ihre Probleme in mangelndem Selbstwertgefühl gefunden zu haben. Die Frage ist aber, wie man ein besseres Selbstwertgefühl erreichen kann, wie man an sich arbeiten kann, um sicherer zu werden. Ich möchte einige Bilder solch schwachen Selbstvertrauens schildern, da Bilder oft mehr aussagen als psychologische Theorien und Modelle. Ich möchte mich wieder auf biblische Bilder beschränken.

Der Kleine

Beim Reden über Arbeitskollegen oder Freunde hört man oft die Erklärung, der andere sei so eigenartig, weil er Minderwertigkeitskomplexe habe. Jeder Hobbypsychologe kennt das Wort, das Alfred Adler in seiner Individualpsychologie geprägt hat.[9]

Häufig werden die Minderwertigkeitskomplexe dadurch kompensiert, dass man besonders auffällt. Beim einen verstecken sich die Minderwertigkeitsgefühle hinter einem arroganten Verhalten. Man baut sich eine Fassade von Selbstsicherheit auf, trägt seine Nase hoch und schaut auf die andern herab. Oft ist das ein Zeichen dafür, dass hinter der Fassade kein ansehnliches Bauwerk steckt, sondern nur eine dürftige Hütte. Die möchte man jedoch hinter seiner arroganten Fassade verstecken. Beim andern geschieht die Kompensation, indem man mit seinem Geld oder seinen Fähigkeiten angibt.

Die Zachäusgeschichte ist eine typische Geschichte für den Minderwertigkeitskomplex und den Versuch, ihn zu kompensieren (Lk 19,1–10). Von Zachäus, dem Oberzöllner, heißt es, dass er klein von Gestalt war. Das ist wohl ein Bild für einen Menschen, der sich klein fühlt und sich daher erst recht groß machen muss. Zachäus versucht, seine Minderwertigkeitsgefühle zu kompensieren, indem er möglichst viel Geld verdient. Als oberster Zollpächter treibt er gnadenlos Geld ein. Wenn er der reichste Mann wäre, so denkt er wohl, dann würde er endlich von allen geachtet und geschätzt. Aber das Gegenteil ist der Fall. Je mehr er seine Minderwertigkeit durch Geld zu kompensieren sucht, desto mehr wird er von allen abgelehnt. Er wird von den Frommen als Sünder ausgegrenzt. Er gerät in den Teufelskreis, der für viele Menschen, die »klein von Gestalt« sind, typisch ist. Man möchte seine Minderwertigkeit kompensieren, indem man auffällt, indem man der Beste in der Klasse wird oder indem man immer mehr Reichtum anhäuft. Man möchte endlich bei den andern etwas gelten und übertreibt beim Schildern seiner Fähigkeiten und Erlebnisse. Aber je mehr man seine Geltung und sein Genie herausstellt, desto mehr wird man abgelehnt. Wir reagieren ja meistens ähnlich, wenn einer in unserer Gemeinde, in unserer Firma, in der Familie immer angibt. Unwillkürlich wächst da in uns ein Gefühl von Ablehnung. Der Slogan »Wer angibt, hat mehr vom Leben« stimmt nicht. Wer angibt, wer seine Minderwertigkeit kompensiert, wird abgelehnt und hat somit immer weniger vom Leben.

Jesus heilt das mangelnde Selbstwertgefühl des Zachäus, indem er ihn einfach anschaut und sich selber bei ihm zum Essen einlädt. Er verurteilt ihn nicht, macht ihm keine Vorhaltungen, sondern nimmt ihn vorbehaltlos an. Diese Erfahrung, ohne Bedingung angenommen zu werden, verwandelt den reichen und geizigen Zöllner. Jetzt tut er mehr als die Frommen, die ihn verurteilen. Jetzt gibt er die Hälfte seines Vermögens den Armen. Jetzt braucht er sich selbst nicht mehr groß herauszustellen. Jetzt sucht er die Gemeinschaft mit den Menschen, teilt mit ihnen seine Habe und sein Leben. So fühlt er sich als Mensch unter Menschen. Ja, in seinem Hause sammeln sich alle Zöllner und Sünder und halten Mahl mit Jesus, der ihnen Gottes Barmherzigkeit und Menschenfreundlichkeit erweist.

Die Heilung des Minderwertigkeitsgefühls geht für Alfred Adler allein durch das Gemeinschaftsgefühl. Das hat Lukas in seiner Zachäusgeschichte genauso gesehen. Nicht das Kreisen um sich selbst, nicht die Suche nach Anerkennung und Geltung führt zu einem besseren Selbstwertgefühl, sondern die Bereitschaft, sich auf andere Menschen einzulassen, mit ihnen sein Leben zu teilen. Im geglückten Miteinander erlebe ich mich als wertvoll, als akzeptiertes Glied der menschlichen Gemeinschaft.

Der Gelähmte

Jesus heilt einen Gelähmten, den vier Leute durch das Dach des Hauses direkt vor seine Füße legen (Mk 2,1–12). Jesus erkennt, dass die Lähmung nicht nur äußerlich ist, sondern von einer inneren Haltung bestimmt. Deshalb vergibt er ihm zuerst die Sünden. Zuerst muss der Gelähmte seine innere Haltung ändern, bevor er auch körperlich aufstehen kann. Menschen, die unter mangelndem Selbstwertgefühl leiden, fühlen sich oft gelähmt. Sie fühlen sich in Gegenwart von bestimmten Menschen blockiert. Da können sie nicht aus sich heraus. Da trauen sie sich nicht, ihre eigene Meinung zu sagen. Sie geben andern so viel

Macht, dass sie in ihrer Nähe voller Hemmungen sind. Oder sie trauen sich nicht, in einer Gruppe etwas zu sagen. Sie haben Angst, es könnte nicht so gut sein, die andern könnten darüber lachen. Der Gelähmte ist nicht bei sich. Er schaut ständig auf die andern, was die wohl denken könnten, wie er wohl auf sie wirkt. Oft genug bilden sie sich dann ein, dass die andern sich über sie Gedanken machen, dass sie über sie lachen und schlecht über sie reden. Sie beziehen alles, was sie bei andern Menschen sehen, sofort auf sich. Das lähmt sie.

Eine Frau kommt in die Kirche und fühlt sich von allen beobachtet. Sie möchte am liebsten hinauslaufen, um den Blicken der andern zu entgehen. In Wirklichkeit schauen die andern gar nicht auf sie. Es ist ein häufiges Phänomen, dass Menschen ohne Selbstvertrauen meinen, die andern würden sie ständig beobachten, die andern würden über sie reden. Da fährt jemand in der S-Bahn und glaubt, die Jugendlichen nebendran würden sich über ihn lustig machen. In Wirklichkeit haben sie miteinander viel zu lachen. Wer nicht in sich steht, der bezieht alles auf sich. Die andern reden über mich, sie beobachten mich, sie sehen, wie unsicher ich bin. Sie denken nach über mich, sie verfolgen mich. Ich habe das selbst erlebt, als ich nach der Priesterweihe und meiner Promotion in Theologie nochmals anfing, Betriebswirtschaft zu studieren. Da war ich völlig verunsichert in meiner Rolle, und auch persönlich ging es mir nicht gut. Da war es mir immer unangenehm, in der Straßenbahn zur Uni zu fahren. Ich dachte immer, die andern würden mich anstarren. Ich war nicht bei mir. Die einzige Hilfe war, mich in mein Skriptum zu vertiefen und mich so von den andern abzulenken. Mir half da nicht weiter, mir einzureden, dass die mich doch nicht beobachten. Ich musste mir vielmehr vorsagen: »Und wenn sie mich beobachten, dann ist es eben ihr Problem. Ich bin ich.« Das half allmählich, mich unabhängiger von den andern zu machen.

Bei einer Frau äußert sich ihr geringes Selbstwertgefühl darin, dass sie sich ständig von ihrem Mann kontrolliert fühlt. Als ich sie fragte, ob ihr Mann sie wirklich kontrollieren wolle oder ob sie sich das nur einbilde, musste sie zugeben, dass sie eben jede Frage des Mannes schon als Kontrollieren oder als Kritik verstehe. Weil sie kein Selbstvertrauen hat, erlebt sie jedes Wort ihres Mannes als Ablehnung. Dann fühlt sie sich gelähmt. Sie hat den Eindruck, dass ihr Mann sie nicht ernst nehme. In Wirklichkeit nimmt sie sich selbst nicht ernst. Sie traut sich nichts zu. Sie leidet darunter, dass Menschen sie nicht ernst nehmen. In Wirklichkeit aber schätzen die andern sie sehr. Nur weil sie sich selbst nicht schätzt, hat sie den Eindruck, alle andern würden sie nicht wertschätzen. Weil sie sich selbst nicht ernst nimmt, fühlt sie sich von den andern nicht ernst genommen. Wenn beide Ehepartner wenig Selbstwertgefühl haben, können sie meistens nicht sachlich streiten. Jeder fühlt sich durch die Bemerkung des andern angegriffen und muss sich gleich verteidigen und rechtfertigen. Jede kleine Kritik zieht ihnen schon den Boden unter den Füßen weg, und so müssen sie sich krampfhaft behaupten. Jeder hat Angst zu verlieren und muss daher ständig den andern verletzen. So entsteht ein heilloses Durcheinander, ein ewiger Grabenkampf, obwohl beide Partner sich nach wie vor lieben.

Jesus heilt den Gelähmten, indem er ihn einfach auffordert: »Steh auf, nimm deine Tragbahre und geh nach Hause!« (Mk 2,11). Er hindert mit diesem Befehl den Gelähmten daran, um sich selbst zu kreisen, sich Gedanken zu machen, ob er wohl richtig gehen und zu sich stehen könne. Alle diese Grübeleien hindern ihn nur, aufzustehen. Als ich einmal für Psychologen einen Kurs über tiefenpsychologische Schriftauslegung hielt, waren sie begeistert über die konfrontierende Therapiemethode Jesu. Einer meinte, die anerkannt wichtigste Aufgabe der Psychologie sei, den andern zu verstehen. Aber er spüre, dass Verstehen allein zu wenig sei. Da sehne er sich nach der konfrontierenden Methode Jesu. Durch die Konfrontation desillusioniert Jesus den Kranken. Er lässt ihm keinen Ausweg mehr, sich der eigenen Wahrheit zu stellen. Er kann sich nichts mehr vormachen. Jetzt bleibt ihm nichts anderes übrig, als aufzustehen. Das Bett als Zeichen seiner Krankheit muss er unter den Arm nehmen und spazieren tragen. Wir alle würden gerne unsere Hemmungen und Unsicherheiten loswerden. Wir ärgern uns über unsere Lähmungen und würden gerne aufstehen. Aber wir stehen nur auf, wenn wir auch sicher sind, dass uns die andern unsere Schwächen und Hemmungen nicht mehr anmerken. Jesus aber fordert uns auf, unsere Hemmungen anzunehmen, sie gleichsam unter den Arm zu nehmen, spielerisch mit ihnen umzugehen, anstatt uns von ihnen lähmen zu lassen. Das Bett, das wir unter dem Arm tragen, erinnert uns und die andern daran, dass wir immer noch unsicher und gehemmt sind. Aber wir lassen uns davon nicht mehr ans Bett fesseln. Wir stehen dazu und tragen es mit uns herum, ohne uns davon bestimmen zu lassen.

Der Vergleicher

Im 5. Kapitel des Johannesevangeliums sieht der Kranke die Ursache seiner Krankheit darin, dass er zu kurz gekommen ist. Die andern sind schneller. Sie haben jemanden, der sie in den Teich trägt, sobald das Wasser aufwallt. Das Vergleichen ist häufig Ausdruck mangelnden Selbstwertgefühls. Wer sich ständig mit andern vergleicht, hat kein Gespür für sich selbst, für den eigenen Wert, für sein Leben. Er definiert sich nur im Vergleich mit andern. Und da schneidet er immer schlechter ab. Es gibt immer Menschen, die schneller sind als ich, die begabter sind, die beliebter sind, die besser aussehen als ich. Solange ich mich mit andern vergleiche, bin ich nicht bei mir. Ich spüre mich nicht.

Eine Frau geht gerne in einen Frauenkreis. Aber oft fühlt sie sich dort unwohl. Sie vergleicht sich mit den andern. Die andern haben studiert, sie nicht. Die andern können besser reden als sie. Was werden sie denken, wenn sie so ungeschickt daherredet? Sie zergrübelt sich beim Gespräch den Kopf darüber, was die andern besser können als sie, wo sie selber benachteiligt ist. Jesus heilt den Vergleicher, indem er ihm das Grübeln verbietet. Er sieht ihn erst an und gibt ihm damit Ansehen. Er erkennt seinen Zustand, und er fragt ihn: »Willst du gesund werden?« (Joh 5,6). Er konfrontiert ihn mit sich selbst, mit dem eigenen Willen. Statt sich mit den andern zu vergleichen, soll er sich selber fragen, was er denn eigentlich mit seinem Leben wolle. Jesus schneidet dem Vergleicher jede Ausrede ab. Es ist nicht wichtig, was die andern tun und sagen, wie sie beschaffen sind, ob sie besser oder schneller sind. Es kommt nur darauf an, was ich selbst mit meinem Leben mache, ob ich für mich selbst die Verantwortung übernehme. Als der Kranke mit seinem Vergleichen der Frage Jesu ausweichen möchte, befiehlt er ihm ähnlich wie in der vorigen Geschichte: »Steh auf, nimm deine Bahre und geh!« (Joh 5,8). Du kannst aufstehen, du kannst gehen. Lass das Vergleichen, lass das Jammern, lass das Weinen! Steh auf, stell dich, richte dich auf, sei aufrecht! Du kannst gehen. Es geht schon.

Der Angsthase

Im Gleichnis von den Talenten geht es auch um das Vergleichen. Da hat der dritte Knecht das Gefühl, dass er zu kurz gekommen sei. Aber in dieser Geschichte wird noch ein anderer Aspekt mangelnden Selbstwertgefühls beschrieben: die Angst. Der dritte Diener entschuldigt sich beim Herrn dafür, dass er sein Talent vergraben hat: »Herr, ich wusste, dass du ein strenger Mann bist; du erntest, wo du nicht gesät hast, und sammelst, wo du nicht ausgestreut hast; weil ich Angst hatte, habe ich dein Geld in der Erde versteckt. Hier hast du es wieder« (Mt 25,24f). Die Angst vor dem Herrn ist der Grund, dass der Diener sein Talent vergräbt, dass er am Leben vorbeilebt. Er hat Angst, ihm könne bei der Abrechnung etwas fehlen, er könne beim Spekulieren etwas verlieren. Die Angst führt ihn dazu, sich abzusichern. Er möchte auf jeden Fall vermeiden, einen Fehler zu machen. Er möchte auf Nummer sicher gehen. Und die Angst treibt ihn dazu an, sich und sein Leben zu kontrollieren. Er gräbt das Talent ein, um es zu kontrollieren. Aber es ist ein Grundgesetz des Lebens, dass der, der alles kontrollieren will, irgendwann die Kontrolle über sein Leben verliert. So ein Leben aus der Angst wird schließlich zum Heulen und Zähneknirschen. Der dritte Knecht hat Angst vor Gott. Viele Menschen sind in ihrem Selbstwertgefühl verletzt worden, weil ihnen ein Gott gepredigt worden ist, der Angst einflößt. Das Selbstbild hängt sehr stark vom Gottesbild ab. Das Gottesbild ist das stärkste archetypische Bild in uns. Es hat die größte Wirkung auf unser Selbsterleben und Selbstbild. Wer als Kind beim Denken an Gott gleich Angst bekommt, weil der Gott, der ihm verkündet worden ist, Angst macht, der muss sich vergraben, er muss versuchen, alles zu kontrollieren. Sein Selbstbild wird katastrophal. Er hat nicht nur Angst vor Gott, sondern vor allem, was ihn bedroht. Er hat Angst vor dem Tod, Angst vor Versagen, Angst, sich vor andern zu blamieren. Jesus will mit dem Gleichnis von den Talenten zeigen, dass so ein Mensch, der ein angstmachendes Gottesbild hat, keine Chance hat. Ihm wird alles genommen. Selbst das, was er hat, wird ihm noch weggenommen (Mt 25,29). Indem Jesus die Konsequenz der Angst beschreibt, will er uns einladen, den Weg des Vertrauens zu gehen, unser Leben zu wagen, uns selbst aufs Spiel zu setzen. Es kommt nicht darauf an, dass wir unsere Talente vermehren, sondern dass wir unser Leben wagen.

Wenn jemand in der Kindheit Gott als Buchhaltergott oder als Willkürgott erfahren hat, wenn er ihn als strengen und strafenden Richter sieht, dann kann sich kein Gespür für den eigenen Wert entwickeln. Vor dem Buchhaltergott, der alles aufschreibt, was ich tue, habe ich keine Chance, mich als wertvoll zu erleben. Da fühle ich mich ständig beurteilt und verurteilt. Vielen Männern und Frauen wurde in ihrer Kindheit ein Gott verkündet, der ihnen nicht gönnt, dass sie sich am Leben freuen, der sie unterdrückt und erniedrigt, der sie richtet, statt aufzurichten. Ein grausames Gottesbild führt immer auch zu einem katastrophalen Selbstbild. Das Bild des strafenden Gottes wird oft verinnerlicht in einem grausamen Gewissen, das sich selbst quält, das sich selbst bestraft und sich ständig entwertet und abwertet.

Im grausamen Gewissen übt das verinnerlichte Gottesbild seine destruktive Macht aus, ohne dass man sich dagegen wehren kann. Die Angst vor Gott führt zu einer Angst vor sich selbst, vor den Abgründen der eigenen Seele. Man traut sich nicht, in sich selbst hineinzuschauen und zu allem, was in einem ist, ja zu sagen.

Die Verletzungen durch das Gottesbild sind offensichtlich bei Männern und Frauen verschieden. Männer werden in ihrem Selbstwertgefühl beeinträchtigt durch einen Gott, der nur Demütige belohnt, vor dem wir nur Empfangende, aber keine Mitschöpfer sein dürfen, vor dem wir uns immer nur als Sünder fühlen dürfen, indem unsere Stärke von vornherein madig gemacht wird. Viele Frauen wurden verletzt durch ein einseitig männliches Gottesbild und durch eine rein rationale Theologie, die unbewusst mit dem Gefühl auch die Frau abwertet. In katholischen Kreisen erfahren die Frauen den Ausschluss vom Priesteramt oft als Entwertung. In pietistischen Kreisen haben Frauen manchmal den Eindruck, dass sie ihr Frausein verleugnen und nur als asexuelles Neutrum auftreten dürfen. In solcher Umgebung tut sich eine Frau schwer, sich als wertvoll zu erleben und ein gesundes Selbstwertgefühl zu entwickeln.

Der Bucklige

Am schlimmsten hat die Frömmigkeit die Menschen mit einem falschen Demutsbegriff entwertet. So verstehen manche Demut als Selbsterniedrigung, Selbstentwertung und Selbstzerstörung. Man darf auf das Gute, das Gott einem geschenkt hat, nicht stolz sein. Schon den berechtigten Stolz auf das, was in uns ist, lehnt man als Hochmut vor Gott ab. Wenn Jesus sagt »Wer sich selbst erniedrigt, wird erhöht werden« (Lk 14,11), dann hat das den Sinn: Wer den Mut hat, hinabzusteigen in die eigene Realität, in die Dunkelheit seiner Seele, der wird aufsteigen zu Gott. Wer den Mut hat, seine Erdhaftigkeit anzunehmen (humilitas = Demut, kommt von humus, Erde), der versteht auch, wer Gott ist, der kommt Gott näher. Insofern ist Demut etwas ganz Modernes. Sie bezeichnet den Mut, in die eigene Realität, in den Schatten seiner selbst hinabzusteigen, um gerade so zu Gott aufzusteigen. Wir aber haben Demut oft missverstanden als bucklige Haltung, in der wir uns selber klein machen und entwerten, in der wir uns selber nichts zutrauen und uns dafür entschuldigen, dass wir überhaupt da sind. Mit dieser missverstandenen Demut haben wir die Botschaft Jesu verfälscht und viele Christen dazu geführt, sich selbst zu erniedrigen und zu entwerten, alles Große in sich sofort als Stolz zu verdächtigen und so Gottes Herrlichkeit im Menschen zu verleugnen.

Ein falscher Demutsbegriff hat die Menschen gebeugt. Jesus will aber nicht den gebeugten und gekrümmten, sondern den aufrechten Menschen. Das schildert uns Lukas in der berühmten Geschichte von der Heilung der Frau mit dem gekrümmten Rücken (Lk 13,10–17). Da ist eine Frau seit 18 Jahren krank. »Ihr Rücken war verkrümmt, und sie konnte nicht mehr aufrecht gehen« (Lk 13,11). Der gekrümmte Rücken offenbart ihr geringes Selbstwertgefühl. Sie kann sich dem Leben nicht aufrecht stellen. Sie kann nicht zu ihrer Würde stehen. Sie ist von der Last des Lebens erdrückt worden. Vielleicht haben andere sie unterdrückt, sodass sie nicht dagegen ankonnte. Vielleicht hat ihr jemand das Rückgrat gebrochen. Vielleicht hat sie alle ihre verdrängten Gefühle in den Rücken verbannt. Der konnte die Last nichtzugelassener Gefühle nicht mehr tragen. Jesus richtet die Frau auf, indem er sie anschaut, sie zu sich ruft und ihr all das Positive zusagt, das er in ihr sieht. Und er berührt sie zärtlich. Er sagt nicht einfach: »Kopf hoch«, sondern er berührt die Frau, damit sie selber in Berührung kommt mit der Kraft und der Würde, die in ihr ist. Von Jesu Liebe berührt, richtet sie sich sofort auf und lobt Gott. Jetzt spürt sie ihre unantastbare Würde als Frau und fängt mitten in der Synagoge an, Gott zu preisen. Jesus will den aufrechten Menschen, während der Synagogenvorsteher, der auch kein Rückgrat hat und sich stattdessen hinter der rigiden Norm verschanzt, die Menschen unter das Joch des Gesetzes beugen möchte.

Jesus richtet die Frau am Sabbat auf, und zwar in der Synagoge beim Gottesdienst. Damit zeigt er, wie er unsern Gottesdienst verstanden wissen möchte. Wir feiern nicht in seinem Namen Gottesdienst, wenn wir den Menschen Lasten aufbürden, wenn wir ihnen ein schlechtes Gewissen einimpfen und sie auffordern, als Sünder sich vor Gott zu beugen und sich klein zu machen. Im Sinne Jesu ist nur ein Gottesdienst, in dem Menschen sich aufrichten, in dem sie ihre unantastbare göttliche Würde entdecken. Die Botschaft von dem Gott, der uns seine göttliche Würde schenkt, richtet die Menschen auf und stärkt damit ihr Selbstwertgefühl.

Manchmal mache ich bei Kursen die Übung, dass wir zuerst aufrecht stehen und so die Verbindung zwischen Himmel und Erde spüren. Dann lassen wir erst den Kopf fallen und dann die Schultern. Das engt ein und schneidet den Atemfluss ab. Dann gehen wir gekrümmt durch den Raum. Man sieht nur den engen Horizont um seine Füße. Das Gesicht verfinstert sich immer mehr, die Stimmung sackt ab. Dann richte ich den ersten auf, indem ich seinen Rücken streichle. Wenn ich lange genug mit meinen Händen den Rücken massiere, dann richtet sich der Gebeugte von alleine auf. Ich habe ihn durch meine Behandlung nicht gedemütigt, sondern indem ich ihn berührt habe, kam er selbst in Berührung mit der eigenen Kraft.

Für mich ist die Heilung der gekrümmten Frau ein Bild für unser Christsein. Wir sind Jünger und Jüngerinnen Christi, wenn wir unsere unantastbare Würde spüren. Wir glauben an Christi Auferstehung, wenn wir aufrecht durch die Welt schreiten. Wir sind mehr als unser Alltag mit seinen Sorgen und Mühen. Wir sind Söhne und Töchter Gottes. In der Liturgie spielen wir uns immer wieder in diese Würde der Kinder Gottes hinein, etwa indem wir in einer Prozession aufrecht schreiten oder mit ausgebreiteten Armen Gott loben. Wir beziehen unsern Selbstwert nicht durch unsere Leistung, sondern durch unsere Würde, die uns von Gott geschenkt wurde. Jesus wollte uns nicht zuerst als Sünder sehen, sondern in erster Linie als Söhne und Töchter Gottes, die Anteil haben am göttlichen Leben.

Daher widerspricht das ständige Kreisen um die Sünde dem Geist Jesu. In manchen kirchlichen Kreisen wird der Mensch erst ganz schlecht gemacht, damit er sich dann in das Erbarmen Gottes hinein flüchtet. Jedes Selbstwertgefühl wird misstrauisch gesehen. Der Mensch muss erst gebrochen werden in seinem Selbstwert, damit er dann von Gott dankbar die Vergebung seiner Sünden annimmt. Natürlich sind wir in einer gewissen Weise vor Gott alle Sünder. Aber die frohe Botschaft Jesu ist, dass wir von Gott angenommen sind, dass wir sein dürfen, wie wir sind, dass wir bedingungslos angenommen sind. Das richtet uns auf. Die katholische Kirche feiert das Aufrichten der gekrümmten Frau in einem eigenen Fest. Es ist das Fest der ohne Erbsünde empfangenen Maria. In Maria feiern wir unsere eigene Erlösung. In uns, so sagt dieses Fest, ist ein Raum, zu dem die Sünde keinen Zutritt hat. Dort, wo Christus in uns ist, sind wir von der Sünde ausgenommen, dort hat die Sünde keine Chance. Dort sind wir in Berührung mit dem wahren Selbst, das von der Sünde nicht infiziert ist. Das Fest feiert, was der Epheserbrief von uns allen sagt: In Christus hat Gott, der Vater, »uns erwählt vor der Erschaffung der Welt, damit wir heilig und untadelig leben vor Gott; er hat uns aus Liebe im Voraus dazu bestimmt, seine Söhne zu werden durch Jesus Christus und nach seinem gnädigen Willen zu ihm zu gelangen, zum Lob seiner herrlichen Gnade« (Eph 1,4–6).

Jesus will uns nicht in erster Linie sagen, dass wir Sünder sind, sondern dass wir Söhne und Töchter Gottes sind, dass Gott uns dazu erwählt hat, dass er in uns wohnen möchte, dass der Reichtum seiner Gnade, seiner Liebe, seiner Zärtlichkeit in uns sei (vgl. Joh 14,23 und Eph 1,7f). Die frühen Christen haben Gott immer wieder dafür gedankt, dass er sie durch die Auferstehung seines Sohnes aufgerichtet und ihnen eine göttliche Würde geschenkt hat. Nicht der gebeugte und erniedrigte, sondern der aufgerichtete, aufrechte Christ hat verstanden, was Jesus Christus uns durch seine Menschwerdung, seinen Tod und seine Auferstehung geschenkt hat.

Der Angepasste

Ein anderes Bild für mangelndes Selbstwertgefühl zeigt uns die Heilung des Mannes mit der verdorrten Hand. Er steht für den Menschen, der sich angepasst hat, der nichts mehr wagt. Mit den Händen berühren wir einander zärtlich. Mit den Händen packen wir etwas an, gestalten wir, sind wir kreativ. Dem Mann in dieser Geschichte (Mk 3,1–6) ist die Hand verdorrt. Er geht kein Risiko mehr ein. Oft genug trauen sich Menschen mit wenig Selbstwertgefühl nicht, die eigene Meinung zu sagen. Sie passen sich lieber an. Sie schauen in einer Gesprächsrunde zuerst einmal, was die herrschende Meinung ist. Dann vertreten sie die gleiche Ansicht. Sie trauen sich nicht, nein zu sagen, wenn jemand sie um etwas bittet. Sie möchten bei allen beliebt sein. Aber weil sie es jedem recht machen wollen, bleiben sie farblos und finden letztlich niemanden, der wirklich ihr Freund sein will. Vor lauter Rechtmachenwollen verlieren sie selber das Recht auf wirkliches Leben.

Der Grund dieses angepassten Verhaltens ist, dass ich meinen Selbstwert allein von der Bestätigung und Zuwendung der andern empfange. Ich muss mir die Akzeptanz durch andere Menschen erkaufen. Ich habe als Kind nie erfahren, dass ich um meiner selbst willen angenommen worden bin. Ich bin immer nur unter der Bedingung akzeptiert worden, dass ich brav bin und mich anpasse. So versuche ich, mich anzupassen und mich bei allen beliebt zu machen. Frielingsdorf meint, wer nie bedingungsloses Angenommensein erfahren habe, entwickele Strategien des Überlebens, Strategien, sich die Akzeptanz zu erarbeiten durch Leistung oder durch Anpassung. Aber das ist eben kein Leben, sondern nur ein Überleben.[10] Solche Menschen leben immer in der Spannung, ob sie nun von den andern akzeptiert werden. Weil sie sich selbst nicht annehmen, kreisen sie immer nur darum, von andern angenommen zu werden, um so ihre Daseinsberechtigung zu erfahren. Und sie haben immer Angst, doch abgelehnt zu werden. Sie beziehen alles, was sie sehen, auf sich. Sie meinen, die andern würden über sie reden und über sie lachen. Weil sie sich selbst nicht annehmen, glauben sie, alle andern würden sie auch nicht annehmen. Und doch ist ihre tiefste Sehnsucht, endlich einmal akzeptiert zu werden, endlich einmal in den Augen der andern als wertvoll erachtet zu werden. So ein Ausschauhalten nach Bestätigung ist wirklich Leben auf reduziertem Niveau. Immer muss man sich nach den andern richten. Man hat Angst, die eigene Meinung zu sagen, weil sie lächerlich gemacht werden könnte.

Jesus heilt den angepassten Mann, indem er ihn herausfordert: »Steh auf und stell dich in die Mitte!« (Mk 3,3). Jetzt kann er sich nicht mehr anpassen, jetzt muss er sich vor allen seiner eigenen Wahrheit stellen. Jetzt muss er zu sich stehen. Ja, jetzt wird er von allen Umstehenden kritisch gemustert. Denn die Pharisäer beobachten genau, ob Jesus ihn am Sabbat heilen und damit ein Gebot übertreten wird. Jesus passt sich nicht an. Er tut das, was er für richtig hält. Und er steht zu seiner Haltung, zu seinem Glauben, dass für Gott der Mensch wichtiger ist als das Einhalten von Geboten. Er sieht jeden einzelnen der Pharisäer an, die kein Selbstwertgefühl haben, sondern sich hinter der gemeinsamen Norm verschanzen. Jesus schaut jeden an »voll Zorn und Trauer«. Im Zorn wehrt er sich gegen ihre Herzenshärte. Er distanziert sich von ihnen und tut das, was für ihn stimmt. In der Trauer aber lässt er jeden an sich heran, versteht ihn und trauert über seine Verstocktheit, über das mangelnde Leben. Jesus hat ein starkes Selbstwertgefühl. Er weiß, was er will. Und er tut das, obwohl sich alle gegen ihn wenden. Er hat es nicht nötig, sich bei den Menschen beliebt zu machen. Er tut das, was er von Gott her spürt, und wird gerade so den Menschen gerecht.

Der Arrogante

Oft verbirgt sich ein mangelndes Selbstwertgefühl hinter der Fassade von Arroganz und Überheblichkeit. Man fühlt sich besser als die andern, entwertet sie, um sich selbst aufzuwerten. Man gibt sich selbstsicher und selbstbewusst. Aber das alles ist nur Schein. Man ist blind für die eigene Realität. Man sieht die blinden Flecken nicht, sondern hält sich für fehlerlos und vollkommen. Oft geben solche Menschen an mit ihren Vorzügen und Leistungen. Sie stellen sich vor den andern heraus. Vielen imponiert das. Die Einsichtigen dagegen berührt es peinlich, wenn es einer nötig hat, sich so auf das Podest zu stellen. Die Bibel schildert solche Menschen im Bild des Blinden. Der Blinde weigert sich, die eigene Realität anzuschauen, weil sie ihm unangenehm ist, weil sie unter seiner Würde ist. So verschließt er die Augen vor der eigenen Wirklichkeit, um an der Illusion der eigenen Größe weiterhin festhalten zu können.

Jesus heilt den Blindgeborenen, den, der von Geburt an die Augen verschlossen hat vor der eigenen Realität, indem er auf die Erde spuckt, mit dem Speichel einen Teig macht und dem Blinden auf die Augen streicht (Joh 9,6). Jesus konfrontiert ihn also mit der Erde, dem humus. Seine Überheblichkeit heilt er durch Demut, humilitas. Es braucht Mut, die eigene Erdhaftigkeit und Menschlichkeit anzunehmen und sich damit auszusöhnen, dass man von der Erde genommen ist. Jesus schmiert dem Blindgeborenen Dreck in die Augen, um ihm zu sagen: »Du kannst nur dann wirklich sehen, wenn du bereit bist, auch den Dreck in dir wahrzunehmen und dich damit auszusöhnen.« Aber Jesus haut dem Blinden nicht die Wahrheit um die Ohren. Er streicht liebevoll diesen Brei aus Erde und Speichel über die Augen. Speichel ist etwas Mütterliches. Nur weil Jesus dem Blinden mütterlich und zärtlich begegnet, kann der seine Augen öffnen und seine eigene Wirklichkeit anschauen. Die humilitas (Demut) heilt die hybris (Hochmut). Humilitas hat nicht nur mit humus, mit der Erde zu tun, sondern auch mit Humor. Um sich selber annehmen zu können, braucht es Humor. Die Arroganten und Überheblichen sind meistens recht humorlos. Wehe, wenn jemand an ihrem Sockel kratzt! Jesus heilt den Blinden, indem er humorvoll mit ihm umgeht und es ihm so ermöglicht, sich mit seiner Menschlichkeit auszusöhnen und sich mit Humor selber anzunehmen.

Das waren einige Bilder für mangelndes Selbstwertgefühl, wie sie uns die Bibel beschreibt. Man könnte alle Heilungsgeschichten betrachten und jeweils in den Kranken Menschen sehen, die wenig Selbstwertgefühl haben. Da ist der Aussätzige, der sich selber nicht ausstehen kann. Weil er sich selbst nicht annimmt, fühlt er sich von allen abgelehnt, ausgegrenzt (Mk 1,40–45). Da ist die blutflüssige Frau, die sich verausgabt, nur um etwas Zuwendung zu bekommen, und der es dabei immer schlechter geht, die immer mehr Blut verliert, immer schwächer wird (Mk 5,25–34). Da ist die Tochter des Jairus, die sich nicht zu leben traut, die nicht erwachsen werden will, die nicht wagt, aufzustehen gegenüber ihren Eltern (Mk 5,21–24.35–43). Da ist der Taubstumme, der verstummt ist aus Angst, er würde mit dem, was er sagt, abgelehnt und lächerlich gemacht, der seine Ohren verschlossen hat, aus Angst, er könne Negatives über sich hören (Mk 7,31–37). Da ist der besessene Junge, der seine Gefühle nicht ausdrücken kann und daher von seinen Aggressionen hin- und hergezerrt wird, weil sein Vater nicht an ihn glaubt (Mk 9,14–29). Da ist der Jüngling von Nain, der junge Mann, der leben möchte und nicht leben kann (Lk 7,11–17). In der Begegnung mit Jesus bekommen diese Menschen den Mut, zu sich zu stehen, sich selbst anzunehmen, sich aufzurichten und ihren wahren Wert zu entdecken. Jesus vermittelt ihnen, dass sie wertvoll und einzigartig sind durch die Worte, die er zu ihnen sagt, durch seinen Blick, mit dem er sie liebevoll anschaut, und durch die zärtliche Berührung. Und er zeigt uns damit Wege auf, wie wir einander helfen können, unsern Selbstwert zu entdecken und an ihn zu glauben.

Wege zu einem gesunden Selbstwertgefühl

Es gibt viele Wege, ein gesundes Selbstwertgefühl zu entwickeln. Da gibt es psychologische Wege, wie sie heute in vielen Ratgeberbüchern beschrieben sind. Da gibt es die Wege, wie sie die Bibel uns aufzeigt. In der Bibel können wir eine eigene Therapie Jesu entdecken, wie er Menschen zu einem gesunden Selbstwertgefühl verhilft. Ich möchte nur ein paar Wege kurz aufzeigen, die mir wichtig erscheinen. Sie verbinden immer schon die psychologische und die spirituelle Ebene.

Die Annahme seiner selbst

Es kommt nicht darauf an, dass wir nach außen hin sicher auftreten können, sondern dass wir ein Gespür für unseren unantastbaren Wert bekommen und uns in unserer Einmaligkeit selbst annehmen. Dass wir uns selber annehmen müssen, das rät uns heute jeder, das wissen wir längst selber. Die Frage ist, wie das geht, sich selbst anzunehmen. Zunächst muss man sich von den Illusionen befreien, die wir uns über uns selbst machen. Wir müssen uns von den Tagträumen verabschieden, in denen wir uns als die größten und schönsten Menschen ausphantasieren. Annahme seiner selbst hat etwas mit Demut zu tun, mit humilitas, mit dem Mut, seine eigene Menschlichkeit anzunehmen. Viele raten Leuten mit mangelndem Selbstwertgefühl, dass sie ihre Stärken anschauen sollen. Das kann durchaus richtig sein. Aber wenn dahinter die Vorstellung steckt, dass nur die Starken wertvoll sind, dann führt so ein Rat nicht weiter. Entscheidend ist, dass ich mich mit allem, was in mir ist, annehme, nicht nur mit meinen Stärken, sondern auch mit meinen Schwächen. Für mich hat nur der ein gesundes Selbstwertgefühl, der sich auch erlaubt, schwach zu sein, der mit Humor seine eigenen Schwächen anschauen kann.

Aber es ist oft ein langer Weg, sich mit all dem auszusöhnen, was wir in uns entdecken. Je intensiver wir mit andern zusammenleben, desto stärker entdecken wir unsere Schattenseiten, die verdrängten Bedürfnisse, die unterdrückten Gefühle. Ein Ehepaar, das seine Ehe auf dem gemeinsamen Glauben aufbauen wollte, ist schon nach einem halben Jahr enttäuscht, dass sie so viel streiten, dass da in jedem so viel Bosheit steckt. Der Glaube war für sie auch ein Weg, der eigenen Wirklichkeit aus dem Weg zu gehen. Sie mussten erst langsam lernen, in aller Demut auch die Schattenseiten in sich anzunehmen, die Lust, zu verletzen, die Rachegefühle und die Bosheit, zu der sie fähig waren. Wir können nie sagen, dass wir uns angenommen haben. Es ist ein lebenslanger Prozess. Immer wieder entdecken wir Seiten in uns, die uns ärgern und über die wir enttäuscht sind. Je älter ich werde, desto leiser spreche ich von der Annahme meiner selbst. Als ich ins Kloster eingetreten bin, habe ich gedacht, alle meine negativen Seiten durch Gebet und Askese zu überwinden. Aber dann meldeten sie sich immer wieder zu Wort. Jetzt habe ich die Illusion aufgegeben, dass ich werden kann, wie ich es gerne möchte. Jetzt versuche ich, in aller Demut Ja zu sagen zu dem, was ist, in der Gewissheit, dass ich so, wie ich bin, von Gott angenommen bin. Wenn ich mich wieder einmal darüber ärgere, dass ich so infantil reagiert habe, dann sage ich mir vor: »Das bin ich halt immer noch. Das darf auch sein.« Dann spüre ich mitten in meiner Enttäuschung doch einen inneren Frieden und eine Gelassenheit, das Gefühl, dass alles sein darf, dass alles gut ist, wie es ist. Und ich weiß mich dann in Gottes liebender Hand.

Sich selber annehmen heißt, sich mit seiner Lebensgeschichte auszusöhnen. Viele jammern, dass sie eine so schwere Kindheit hatten, in der sie sehr verletzt worden sind. In der Begleitung von schwer verwundeten Menschen tut es oft weh, gemeinsam die Wunden anzuschauen. Manche fühlen sich dann unter Leistungsdruck, sie müssten all diese Wunden aufarbeiten. Ich versuche, den verletzten Menschen zu vermitteln, dass ihre Lebensgeschichte auch das Kapital ist, mit dem sie wuchern können. Wenn sie sich aussöhnen mit ihren Wunden, dann können sie zu Quellen des Lebens werden. Dann kann sie gerade ihre Wunde befähigen, andere zu verstehen und zu begleiten. Oft entdeckt jemand dann erst seine eigentliche Berufung, spürt, was er auf dem Hintergrund seiner Lebensgeschichte für ein Charisma hat. Wenn es jemand fertig bringt, sich mit seiner Geschichte auszusöhnen, dann wird er auch erkennen, dass alles einen Sinn hatte. Auch das Schwere war nicht sinnlos. Es befähigt ihn jetzt, auf andere Weise zu leben, sensibler, intensiver, dankbarer und offener für die Menschen. Die Wunden werden, sobald ich mich mit ihnen aussöhne, zu Quellen des Segens für mich und für andere.

Um sich selber annehmen zu können, muss man das Vergleichen lassen. Solange ich mich mit andern vergleiche, bin ich immer im Nachteil. Es gibt immer irgendwelche Begabungen, die andere haben und ich nicht. Wenn ich vergleiche, bin ich nicht bei mir, da lebe ich immer nur im Vergleich zu andern. Es kommt aber darauf an, bei mir zu sein, mich anzunehmen, mich gerne zu haben. Wenn jemand wenig Selbstwertgefühl hat, wird er aber vergleichen, ob er will oder nicht. Eine Frau weiß längst, dass sie nicht vergleichen soll. Aber sobald sie in eine Gruppe kommt, geht das Vergleichen an. Es hat dann keinen Zweck, nur die eigenen Stärken zu sehen, um sich so innerlich aufzuwerten. Denn dann ist sie ja immer noch am Vergleichen. Es hilft auch wenig, die andern zu entwerten, dass das alles nur Schein sei, was sie darstellen. Dann werte ich die andern ab, um mich aufzuwerten. Und ich bleibe wieder im Vergleichen stecken. Hilfreicher ist es, vom Kopf, der vergleicht, zum Herzen zu gelangen, das fühlt. Die Frau hat einen Weg gefunden, vom Vergleichen loszukommen. Sie versucht, ihren Atem zu spüren, die Hände zu fühlen, bei sich zu sein. Dann fühlt sie sich wohl und dann kann sie etwas sagen, wenn sie möchte. Dann steht sie nicht mehr unter dem Druck, unbedingt auch etwas beitragen zu müssen, um bei den andern gut abzuschneiden. Solange sie am Vergleichen war, fühlte sie sich unwohl. Die andern bestimmten ihre Stimmung. Jetzt, da sie bei sich ist, da sie sich selbst spürt, kann sie auch die andern spüren und Gemeinschaft mit ihnen erfahren.

Bei sich sein

Selbstvertrauen kann auch heißen, bei sich zu sein, in sich selbst zu sein, sich bei sich selbst wohl zu fühlen, unabhängig zu sein von den andern. Viele können kein Selbstwertgefühl aufbauen, weil sie andern Menschen Macht über sich geben. Sie sind nicht bei sich, sondern immer bei den andern. Sie ruhen nicht in sich selbst, sondern beziehen ihr Selbstwertgefühl einzig und allein von den andern, von ihrem Wohlwollen, ihrem Lob, ihrer Bestätigung. Sie können sich nicht abgrenzen. Sie beziehen alles auf sich, werden von jeder spitzen Bemerkung verletzt. Solchen Menschen rate ich, mit ihren Aggressionen in Berührung zu kommen. Durch die Aggression kann ich mich von andern abgrenzen. Die Aggression ist der Impuls, mich vom andern zu distanzieren, um so bei mir sein zu können. Manchmal muss man den, der einen verletzt hat, erst einmal aus sich hinauswerfen. Solange ich von einem andern Menschen besetzt bin, kann ich nicht bei mir sein, kann ich kein Selbstwertgefühl entwickeln. Ich werde von andern gelebt, anstatt selbst zu leben.

Bei sich sein, das kann verschieden aussehen. Ich bin bei mir, wenn ich ein Gespür für mich habe, wenn ich meinen eigenen Gefühlen traue, wenn ich in mir selbst ruhe. Ich bin nicht von der Stimmung der andern abhängig, sondern ich bin in Kontakt mit den eigenen Gefühlen.

Ich bin bei mir, wenn ich mich im Leib fühle. Wenn ich beispielsweise einen Waldlauf mache und dabei durch die körperliche Anstrengung ins Schwitzen komme, dann bin ich bei mir. Dann bin ich in meinem Leib. Ich fühle meinen Leib und fühle mich darin wohl. Dann komme ich gar nicht auf die Idee, meinen Selbstwert anzuzweifeln. Weil ich fühle, bin ich. Ich muss meinen Wert nicht in äußeren Leistungen beweisen. Ich fühle mich. Das tut mir gut. So wie ich fühle, fühlt sonst niemand. Ich bin einmalig. Ich bin ich selbst. Das ist keine Erkenntnis, sondern eine Erfahrung, die mir von alleine Selbstwert vermittelt. Viele Menschen suchen die Ursache ihrer Probleme bei den andern. Sie müssten stattdessen lernen, bei sich zu sein, den eigenen Grund zu entdecken und ein Gespür für sich selbst zu entwickeln, für ihre Gefühle und für ihren Leib.

Der Weg über den Leib

Ein wichtiger Weg, zu sich selbst zu kommen und bei sich zu sein, ist der Weg über den Leib. In den siebziger Jahren war ich mit einigen Mitbrüdern öfter in Rütte bei Graf Dürckheim. Von ihm lernten wir, uns im Leib zu spüren, den Leib als Weg zum Selbstvertrauen, aber auch zu größerer Offenheit Gott gegenüber zu verstehen und uns darin zu üben. Für Dürckheim war der Leib ein Instrument menschlicher Selbstwerdung. Der Leib ist ein Barometer, der anzeigt, wie es um den Menschen steht. Einem unsicheren Menschen sieht man am Leib an, dass er kein Selbstvertrauen hat. Man sieht es z. B. daran, dass er sich festhält, er die Arme nicht frei hängen lässt, sondern sogar im Gehen verschränkt hält, um an sich selber Halt zu finden. Oder man spürt es an den hochgezogenen Schultern, dass einer voller Angst steckt. So unsichere Menschen haben ihren Mittelpunkt im Brustbereich. Sie stehen nicht zu sich. Sie müssen sich krampfhaft nach außen als stark und unbezwingbar darstellen. In Wirklichkeit haben sie keinen Stand. Man braucht sie nur anzutippen, dann fallen sie um. Am Stehen kann ich spüren, ob ich Selbstvertrauen habe. Aber der Leib ist nicht nur Barometer, sondern auch Instrument menschlicher Selbstwerdung. Ich kann über den Leib und im Leib auch innere Haltungen einüben. Ich kann also durch das Stehen Stehvermögen, Selbstvertrauen einüben.

Ich kann mir z. B. vorstellen, dass ich wie ein Baum fest dastehe, dass meine Wurzeln sich tief in den Boden einwurzeln. Ich stehe gut da, wenn ich geerdet bin. Geerdet bin ich, wenn der Schwerpunkt zwischen Ferse und Fußballen zu stehen kommt. Ich kann das erreichen, wenn ich etwas mit den Knien wippe. Ich stehe dann locker wie ein Baum, nicht wie ein Betonpfeiler. Dann kann ich mir vorstellen, wie der Atem beim Ausatmen durch die Fußsohlen in den Boden strömt und beim Einatmen von der Erde bis über den Scheitel zum Himmel hin. Ich bin dann wie ein Baum, der unten fest verwurzelt ist und oben seine Krone zum Himmel hin öffnet. Wenn ich lange so stehe, dann kann Selbstvertrauen wachsen. Ich kann mir dann Sätze vorsagen wie: »Ich habe Stehvermögen. Ich stehe mit beiden Füßen auf dem Boden. Ich habe einen Standpunkt. Ich kann etwas durchstehen. Ich kann für mich, für etwas einstehen. Ich stehe zu mir, ich stehe in mir.« Oder ich kann in einem solchen Stehen biblische Worte wiederholen: »Wirf deine Sorgen auf den Herrn. Er hält dich aufrecht« (Ps 55,23). Oder: »Ich habe den Herrn beständig vor Augen. Er steht mir zur Rechten. Ich wanke nicht« (Ps 16,8). Ich erlebe an mir immer wieder, dass der Weg über den Kopf allein mir kein Selbstvertrauen vermitteln kann. Übungen im Leib können mir helfen, dass das Selbstvertrauen immer mehr in mir wächst. Natürlich ist auch das kein Trick, der mir ein für alle Mal Selbstvertrauen schenkt. Ich muss es immer wieder üben.

Dürckheim sprach davon, dass wir im Hara stehen sollen. Hara ist der Unterbauch. Wenn ich im Unterbauch meinen Schwerpunkt habe, dann stehe ich fest. Dann kann mich kaum einer so leicht umwerfen. Im Hara stehen heißt nicht, sich mit Gewalt in den Boden einrammen, damit einen keiner umstoßen kann. Hara ist vielmehr eine Haltung der Durchlässigkeit. Ich halte mich nicht an mir selbst fest, sondern ich bin offen für Gott oder für das Sein, wie Dürckheim es nennt, für das Wesen. In dieser Offenheit fühle ich eine tiefe Sicherheit. Weil ich offen bin für etwas Größeres, muss ich mich nicht krampfhaft an mir festhalten, sondern spüre ein Gehaltensein von Gott.

Wenn ich bei einem Vortrag bewusst im Hara stehe, dann werde ich ruhiger und klarer. Viele halten sich beim Vortrag am Rednerpult fest, oder sie wechseln von einem Fuß auf den andern. Aber das drückt nicht nur Unsicherheit aus, es verstärkt sie auch noch. Sich bewusst im Hara hinzustellen ist eine Einübung in das Vertrauen und in die Durchlässigkeit. Es geht nicht darum, dass ich durch meinen Vortrag imponiere, sondern dass da etwas Größeres durch mich hindurchströmt, dass letztlich Gott durch mich die Menschen anspricht. Viele meinen, da könne man halt nichts machen, wenn man zu wenig Selbstvertrauen mitbekommen habe. Doch wir sind dem nicht einfach ausgeliefert. Wir können uns durch den Leib langsam in mehr Selbstvertrauen hineinüben. Natürlich geht der Prozess der Verwandlung im Leib langsam. Und es braucht viel Geduld. Vor allem aber lässt sich der Leib nicht austricksen. Ich kann ihn nicht dazu benutzen, einfach nur mehr Selbstvertrauen zu entwickeln. Der Leib zwingt mich zur Ehrlichkeit. Hara heißt durchlässig sein für das Größere, für Gott. Wahres Selbstvertrauen wächst durch den Leib nur dann, wenn ich es aufgebe, meine Ansprüche und Maßstäbe aufrechtzuerhalten. Ich muss bereit sein, mich selbst loszulassen, mich Gott anzuvertrauen, der allein mir wahren Halt und Selbstwert schenkt.

Der Weg des Glaubens

Die Frage nach dem Selbstwert ist für mich letztlich immer auch eine religiöse Frage. Der Glaube will uns zeigen, wer wir eigentlich sind, woher wir unseren wahren Wert beziehen. Aber es genügt nicht, den Menschen nur zu sagen, sie sollten auf Gott vertrauen, dann würden sie auch Selbstvertrauen finden. Die Frage ist, wie wir das Vertrauen auf Gott lernen können. Ein Appell zum Vertrauen schafft noch kein Vertrauen. Oft geraten fromme Menschen in den Teufelskreis, dass sie die Schuld für ihr mangelndes Gottvertrauen in ihrem zu geringen Beten sehen, dass sie sich deshalb Vorwürfe machen und dann versuchen, immer mehr zu beten, damit das Vertrauen auf Gott endlich wachse. Doch sie können beten, so viel sie wollen. Immer wieder erleben sie Situationen, in denen ihnen das Selbstvertrauen fehlt. So schrauben sie die Spirale von Gebet und Selbstvorwürfen immer enger und kommen doch keinen Schritt voran.

Das Vertrauen zu Gott lässt sich auch durch Beten nicht erzwingen. Wir können es lernen, indem wir uns das Vertrauen vor

Augen halten, das Gott zu uns hat, und uns in das Vertrauen zu Gott einüben. Es ist immer auch Gnade, wenn in uns auf einmal ein tiefes Vertrauen zu Gott entsteht und durch das Vertrauen zu Gott ein neues Selbstvertrauen. Eine Hilfe ist für mich dabei, einfach so zu tun, als ob ich Vertrauen hätte. Ich kann mir z. B. Vertrauensworte aus der Bibel vorsagen und dann ausprobieren, wie es mir damit geht, wenn ich so tue, als ob sie stimmen. Wenn ich mir immer wieder Psalm 118 vorsage: »Der Herr ist mit mir, ich fürchte mich nicht, was können Menschen mir antun?«, dann kann ich durch solche Worte mit dem Vertrauen in Berührung kommen, das schon in mir ist. C. G. Jung meint, wir hätten immer beide Pole in uns, Angst und Vertrauen. Es gibt keinen Menschen, der nur Angst hat, und keinen, der nur vertraut. Aber oft genug sind wir fixiert auf unsere Angst. Wenn wir mit Vertrauensworten aus der Schrift umgehen, entdecken wir in uns das Vertrauen auf dem Grund unserer Seele. Und so kann es in uns wachsen, sodass es uns mehr und mehr prägt. Wenn ich Psalm 23 meditiere: »Der Herr ist mein Hirt, nichts wird mir fehlen«, dann ahne ich ja, dass das nicht reine Einbildung ist. Natürlich zweifle ich auch daran, ob das nicht zu schön ist, um wahr zu sein. In der Meditation tue ich so, als ob dieser Satz stimmt. Dann kann in mir ein Gefühl von Freiheit und Unabhängigkeit von den Menschen wachsen. Ich ahne, dass Gott mir genügt, dass er mir gibt, was ich brauche, dass er mir meinen wahren Wert schenkt.

Die Grundtatsache unseres Glaubens ist, dass wir von Gott bedingungslos angenommen sind. In der Taufe hat Gott über uns das Wort gesagt: »Du bist mein geliebter Sohn, meine geliebte Tochter, an dir habe ich mein Gefallen« (vgl. Mk 1,11). Wenn ich aus dieser Wirklichkeit heraus lebe, dann fallen viele Selbstzweifel weg, dann verstummen die negativen Botschaften, die ich oft genug gehört habe: »Du taugst nichts. Du schaffst das nie. Du bist zu dumm dafür.« Die Frage ist, wie wir so aus der Wirklichkeit des Glaubens leben können, dass sie uns mehr prägt als die Selbstentwertungen, Selbstbeschuldigungen und Selbstbeschimpfungen, aus denen wir sonst leben. Für mich sind wichtige Wege die Meditation biblischer Texte und das bewusste Feiern unserer christlichen Feste.

Die Meditation biblischer Texte

In Einzelexerzitien gebe ich Menschen, die an mangelndem Selbstvertrauen leiden, immer wieder Texte aus der Bibel, die ihnen helfen sollen, Vertrauen zu schöpfen und ihren Selbstwert zu entdecken. Sowohl das Alte wie das Neue Testament künden uns auf jeder Seite, dass wir einen unantastbaren Wert haben. Wenn wir an unsere göttliche Würde glauben könnten, dann hätten wir ein gesundes Selbstwertgefühl, dann wären wir unabhängig von der Meinung der andern. Ein Text, der uns helfen kann, auf Gottes Schutz zu vertrauen und aus diesem Vertrauen heraus unseren Wert zu erkennen, ist Jesaja 43: »Fürchte dich nicht, denn ich habe dich ausgelöst, ich habe dich beim Namen gerufen, du gehörst mir. Wenn du durchs Wasser schreitest, bin ich bei dir, wenn durch Ströme, dann reißen sie dich nicht fort. Wenn du durchs Feuer gehst, wirst du nicht versengt, keine Flamme wird dich verbrennen ... Weil du in meinen Augen teuer und wertvoll bist und weil ich dich liebe, gebe ich für dich ganze Länder und für dein Leben ganze Völker« (Jes 43,2–4). Ich schaue diese Worte nicht nur mit dem Verstand an, sondern lasse sie ins Herz fallen. Ich spüre ihrer Wirklichkeit nach: »Wenn das stimmt, wie fühle ich mich dann? Wenn das meine tiefste Wirklichkeit ist, wie erlebe ich mich dann?« Ich muss mir die Worte oft wiederholen und mir vorsagen: »Das ist die eigentliche Wirklichkeit, wirklicher als das Gefühl, das du gerade hast, wirklicher als deine eigene Selbsteinschätzung.« Dann kann es sein, dass ich auf einmal das Vertrauen in mir spüre, dass Gott bei mir ist und dass ich einen unantastbaren Wert habe, dass ich so wertvoll bin für Gott, dass er ganze Länder für mich hingibt. Weder das Wasser, all das Drohende und Gefährliche in meinem Unbewussten, kann mich überschwemmen, noch das Feuer meiner Leidenschaften und Triebe mich verbrennen. Ich brauche keine Angst zu haben vor den Bedrohungen von außen wie von innen. Er ist bei mir.

Ich mache immer wieder die Erfahrung, dass die Meditation solcher Worte Menschen ohne Selbstvertrauen hilft, den eigenen Wert zu entdecken. Ich erlebe immer wieder Menschen, die sich beschimpfen, dass sie kein Vertrauen zu Gott und zu sich selbst hätten. Sie hätten doch eigentlich keinen Grund, Angst zu haben, weil Gott sie doch trage. Solche Appelle an das Vertrauen schaden nur. Sie können die Angst nicht vertreiben. Alle Sätze mit »eigentlich sollte ich ...« bewirken höchstens ein schlechtes Gewissen, weil ich ja voller Angst bin, obwohl ich eigentlich keinen Grund hätte. Es hat keinen Zweck, sich mit dem Willen zum Vertrauen zu zwingen oder sich nur vom Verstand her einzureden, dass man genügend Gründe zum Vertrauen habe. Das Vertrauen muss wachsen. Es muss auch das Unbewusste durchdringen und prägen. Es kann wachsen, wenn ich die Worte Gottes schmecke und kaue, wenn ich sie immer tiefer in mich hineinfallen lasse. Dann verwandeln sie mich allmählich, dann schaffen sie in mir mehr und mehr Vertrauen und Zuversicht.

Auch Jes 54 gebe ich gerne zur Meditation: »Freu dich, du Unfruchtbare, die nie gebar; du, die nie in Wehen lag, brich in Jubel aus und jauchze! Denn die Einsame hat jetzt viel mehr Söhne als die Vermählte, spricht der Herr. Mach den Raum deines Zeltes weit, spann deine Zelttücher aus, ohne zu sparen. Mach die Stricke lang und die Pflöcke fest!« (Jes 54,1f). Vielleicht fühle ich mich unfruchtbar und einsam. Ich habe das Gefühl, dass mit mir nichts los ist, dass ich bisher umsonst gelebt habe, dass alles so wertlos ist. Wenn in so eine Gefühlslage hinein diese Worte Gottes fallen, dann hören oft die Selbstvorwürfe und Selbstentwertungen auf. Das Unfruchtbare darf ja sein, ich darf mich manchmal einsam und verlassen fühlen. Gerade mir als dem Einsamen und Verlassenen gilt diese Verheißung, dass mein Leben reiche Frucht bringt. Den Raum meines Zeltes weit zu machen, das heißt, dass ich die innere Weite zulasse, dass ich nicht zu klein von mir denke. Mein Zelt hat für viele

Platz. Mein Herz hat eine unendliche Weite. Ich darf mich Gott gegenüber öffnen, der mir weiten Raum verschafft. Und ich darf die Menschen einladen, in meinem Zelt Platz zu nehmen. Von Gott her habe ich ein wunderbares Zelt, ein Zelt, in dem Gott selbst Wohnung genommen hat. Ich brauche mich nicht zu verstecken. Ich glaube an meine innere Schönheit und darf die Menschen einladen, sich gemeinsam mit mir über die Herrlichkeit zu freuen, die Gott mir geschenkt hat.

In der Meditation der biblischen Worte will ich nichts erzwingen, auch kein Selbstvertrauen. Moralische Appelle, ich müsste vertrauen, weil Gott mir das zugesagt hat, nützen nicht viel. Sie schaffen nur ein schlechtes Gewissen, dass ich immer noch nicht genügend glaube. Die Meditation ist ein sanfterer Weg. Ich lasse in den Worten der Bibel Gott selbst an mir wirken. Ich halte mich und mein mangelndes Selbstwertgefühl Gott hin, damit er es mit seinem Wort, mit seinem Geist, mit seiner Liebe durchdringe. Es geht in den Exerzitien nicht darum, seine Probleme zu lösen, sondern sich von Gott verwandeln zu lassen. Aber wenn jemand gespürt hat, wer er von Gott her ist, dann wird er auch anders mit seinen alltäglichen Problemen umgehen. Dann muss er sich nicht zu Selbstvertrauen zwingen, dann weiß er um seine tiefste Wirklichkeit, um seine göttliche Würde, um das einmalige Bild, das Gott sich von ihm gemacht hat.

Das Feiern christlicher Feste

Die Feste des Kirchenjahres meditieren auf eigene Weise die Botschaft der Bibel. In den Festen feiern wir unser eigenes Leben, so wie es Gott durch Jesus Christus »wunderbar geschaffen und noch wunderbarer erneuert hat« (Gebet vom Weihnachtsfest). Wir feiern unser Leben, weil es wert ist, gefeiert zu werden. In der Liturgie spielen wir uns in unsere erlöste Existenz hinein. Und indem wir uns in das heilige Spiel der Liturgie einlassen, können wir erahnen, wer wir in Wirklichkeit sind. Da kann in uns das Gefühl für unsere einmalige Würde wachsen. Ich möchte das am Beispiel einiger Feste aufzeigen.

An Weihnachten feiern wir die Gottesgeburt in unserem Herzen. Gott wird als Kind in uns geboren. Wir sind nicht durch unsere Vergangenheit festgelegt, Gott setzt mit uns einen neuen Anfang. Er bringt uns in Berührung mit dem unverfälschten Bild, das er sich von uns gemacht hat. Weil ich nicht an meinen Wert glauben kann, weil ich mich ständig selber entwerte, kommt in der Geburt Christi Gott selbst zu mir, um mir die Botschaft zu sagen: »So etwas Schönes wie dich gibt es nur einmal.« An Weihnachten feiern wir die göttliche Schönheit, die uns in dem Kind von Bethlehem aufgestrahlt ist und uns in jedem Menschenantlitz aufscheint.

Es sind drei Bilder, in denen uns das Geheimnis unserer erlösten Existenz an Weihnachten dargestellt wird. Da ist einmal die Geburt Christi in meinem Stall. In meiner Dunkelheit leuchtet das Licht Gottes auf und verwandelt das Chaos in meinem Herzen. Das feiern wir in der Heiligen Nacht. Ich muss Gott nichts vorweisen. Ich brauche ihm nur meinen Stall hinzuhalten. Dann wird er ihn erleuchten. An Epiphanie geht es um die Erscheinung der Herrlichkeit Gottes in meinem Fleische. Wir haben einmal in unserem Gästehaus zu diesem Fest einen Kurs gehalten, in dem wir uns nur in diese Wirklichkeit einüben wollten: Erscheinung der Herrlichkeit Gottes in meinem Leib. Wie erlebe ich mich, wenn das stimmt, wenn das meine tiefste Wirklichkeit ist? Es war erstaunlich, wie die Gäste durch das Sichhineinspielen in das Festgeheimnis schöner und durchsichtiger wurden und ein neues Selbstwertgefühl bekamen.

Das dritte Bild feiern wir im Fest der Taufe Jesu, mit dem die Weihnachtszeit abschließt. Mitten in den Fluten des Jordans stehend, öffnet sich der Himmel über Jesus und Gott sagt zu ihm: »Du bist mein geliebter Sohn, an dir habe ich Gefallen gefunden« (Mk 1,11). Die Fluten des Jordans sind von der Schuld all der Sünder voll, die sich darin von Johannes haben taufen lassen. Mitten in meiner Schuld stehend, öffnet sich über mir der Himmel. Mein Leben wird weit, es reicht hinein bis in den göttlichen Bereich des Himmels. Und aus dem Himmel heraus spricht Gott das Urwort meiner unantastbaren Würde: »Du bist mein geliebter Sohn, meine geliebte Tochter. Du gefällst mir.« Sohn und Tochter Gottes zu sein, das gibt mir meinen göttlichen Wert. Ich höre auf, mich von meinen Eltern her zu definieren, mich von den Botschaften bestimmen zu lassen, die ich von ihnen gehört habe. Ich beziehe meinen Wert nicht von andern Menschen her, nicht vom Vater und von der Mutter, von ihrer Zuwendung und Bestätigung, sondern von Gott her. Meinen wahren Wert erhalte ich nicht dadurch, dass Menschen mich loben und zu mir stehen, sondern dadurch, dass Gott mich wunderbar geschaffen hat. Aus Gott geboren zu sein, das schenkt mir Freiheit gegenüber den Erwartungen und Beurteilungen der Menschen. Jesus Christus, der Sohn Gottes, ist Mensch geworden, damit ich Gottes Sohn werde, damit ich vergöttlicht werde, wie die griechischen Kirchenväter sagen.

Das Bild, das Gott sich von jedem Einzelnen von uns gemacht hat, die göttliche Würde, die er uns in Jesus Christus geschenkt hat, wird im Kirchenjahr mehr und mehr entfaltet. In der Fastenzeit trainieren wir uns in die innere Freiheit ein, dass wir nicht abhängig sind von unseren Gewohnheiten. Dieses Training will unser Selbstwertgefühl stärken. Wir werden nicht von außen bestimmt, sondern wir formen unser Leben selbst. Fasten will den Leib durchsichtiger machen auf Gott hin. Es führt zu einem intensiveren Leben. Wir nehmen uns selbst und die Welt um uns herum bewusster wahr. Wir werden wacher und wachsamer durch das Fasten. Fasten, so meint Augustinus, will unsern Leib für die Auferstehung vorbereiten.

An Ostern feiern wir nicht nur die Auferstehung Jesu, sondern unsere eigene Auferstehung. In unsere Abtei kommen jedes Jahr etwa 250 junge Leute, um mit uns Ostern zu feiern. Sie spüren, dass es um ihre Auferstehung geht, darum, dass Gott in der Auferstehung Jesu auch ihre Fesseln gesprengt hat, dass er den Stein weggewälzt hat, der auf ihnen liegt und sie blockiert, dass er sie aus ihrem Grab heraufführen möchte zum Leben. Sie feiern den Aufstand des Lebens gegen den Tod. Sie stehen im

Singen und Tanzen auf gegen alle Mächte, die in uns das Leben behindern. Sie stehen auf, um aufrecht den Sieg des Lebens über den Tod, den Sieg der Liebe über den Hass zu feiern. Sie lassen sich von Christus aufrichten aus dem Grab ihrer Angst und Hoffnungslosigkeit, um aufrecht ihre Würde als erlöste und befreite Menschen zu feiern. Viele Jugendliche haben mir erzählt, dass sie die intensive Feier von Ostern wirklich aufgerichtet hat, dass sie sich nun mehr zugetraut haben, dass sie sich selber als wertvoller erlebt haben.

An Pfingsten wird das Aufgerichtetwerden von Ostern vollendet. Der Heilige Geist ist es, der die furchtsamen Apostel aufstehen lässt, um vor aller Welt die Botschaft von der Auferstehung Jesu zu verkünden. Der Geist verwandelt die ängstlichen Apostel in Männer voller Selbstvertrauen. Sie trauen sich, zu sich zu stehen, zu dem, was sie in sich spüren, zu dem Feuer, das in ihnen brennt, zu den Gefühlen der Begeisterung. Ich erlebe viele junge Menschen, die ihren eigenen Gefühlen nicht trauen. Vor allem lassen sie sich leicht verunsichern, wenn andere ihnen ein schlechtes Gewissen einimpfen und sie im Namen christlicher Moral auffordern, radikaler ihren Glauben zu leben. Der Heilige Geist spricht zu uns in leisen Impulsen. Auf diese inneren Impulse zu hören, dem eigenen Gefühl zu trauen und sich nicht von Moralisten verängstigen zu lassen, dazu will uns die Feier von Pfingsten ermutigen. Der Heilige Geist ist in uns, er spricht zu uns. Er ist nicht der Fremde, der uns zu etwas zwingt, sondern der uns vertraute Geist, der uns in Berührung bringt mit dem ursprünglichen Bild Gottes in uns. Wenn wir im Gebet still werden, können wir diesen Geist oft hören. Er erschreckt uns nicht, sondern er führt uns in die Wahrheit, die frei macht. Er zeigt uns, wer wir eigentlich sind. Wer dem Geist in sich traut, der wird den Ungeist entlarven, der ihn oft umgibt. Er wird mehr und mehr in das Bild hineinwachsen, das Gott sich von ihm gemacht hat.

Die vielen Feste des Kirchenjahres wollen entfalten, wer wir durch Jesus Christus von Gott her sind. Es sind Bilder unserer Erlösung, Bilder unserer göttlichen Würde. Das gilt auch von den vielen Heiligenfesten, die zeigen, wie jeder auf seine einmalige Weise Gott ausdrückt und in dieser Welt sichtbar werden lässt. Das gilt von den Marienfesten, die immer optimistische Feste sind, Feste, die gerade den Frauen Mut machen wollen, zu ihrer Würde zu stehen. Leider ist Maria von manchen kirchlichen Kreisen dazu missbraucht worden, den Frauen ein schlechtes Gewissen einzuimpfen. Man hat Maria auf einen so hohen Sockel gestellt, dass sich alle andern Frauen minderwertig vorkommen mussten. Aber das ist nicht der Sinn der Marienfeste. In Maria feiern wir unsere eigene Erlösung, feiern wir, was Gott an uns in Jesus Christus getan hat. Da ist etwa das Fest Mariä Verkündigung. Es zeigt Maria als Urbild des Glaubens, als mutige Frau, die sich – entgegen allen Erwartungen der Umwelt – allein stehend auf Gott einlässt. Während Israel immer wieder von Gott abgefallen ist, stellt sie sich stellvertretend für das Volk Gott zur Verfügung, mit dem stolzen Wort, das voller Selbstvertrauen ist: »Ich bin die Magd des Herrn; mir geschehe, wie du es gesagt hast« (Lk 1,38). Die Frau aus dem unbedeutenden Nazareth wagt es, stellvertretend für das Volk zu sprechen und sich Gott anzubieten. Die Liturgie besingt dieses Geheimnis der Frau, die Gott dazu erwählt hat, seinen Sohn zu gebären, in wunderschönen Bildern. In diesen Bildern scheint immer auch unsere Würde und Schönheit auf, unsere Berufung, dass Gott auch in uns geboren werden will. Gegenüber der amtskirchlichen Sicht der Frau hat die Liturgie immer eine unerhört mutige Theologie vertreten. Sie hat in den Marienfesten die Frau in den Mittelpunkt gestellt, die Frau, durch die Christus geboren wird, durch die das Heil in die Welt kommt. Die feministische Theologie ist heute dabei, die liturgische Sicht Marias und der Würde der Frau neu zu entdecken.

Die Erfahrung des Paulus

Paulus schreibt in seinen Briefen immer wieder, dass Christus uns befreit hat von aller Abhängigkeit von den Menschen und ihrer Meinung: »Alle, die sich vom Geist Gottes leiten lassen, sind Söhne Gottes. Denn ihr habt nicht einen Geist empfangen, der euch zu Sklaven macht, sodass ihr euch immer noch fürchten müsstet, sondern ihr habt den Geist empfangen, der euch zu Söhnen macht, den Geist, in dem wir rufen: Abba, Vater!« (Röm 8,14f). Sohn und Tochter Gottes zu sein, das ist für Paulus vor allem eine Befreiung von der Versklavung durch Menschen. Der Sklave ist in der Gewalt von Menschen und muss sich vor ihnen fürchten. Sklave ist ein Bild für den, der andern über sich Macht gibt. Er macht sein Selbstwertgefühl von andern Menschen abhängig. Wenn sie sich ihm zuwenden, fühlt er sich gut. Wenn sie sich abwenden, bricht für ihn eine Welt zusammen. Ich gebe einem andern Macht über mich, wenn ich mich von seinen Launen abhängig mache. Es gibt Menschen, deren Gefühl völlig von denen abhängt, mit denen sie zusammenleben. Wenn der andere schimpft, sind sie geknickt. Wenn er mit einem depressiven Gesicht herumläuft, werden sie traurig oder fühlen sich schuldig. Wir sind Söhne und Töchter Gottes und nicht Sklaven der Menschen. Wir dürfen uns nicht total in die Hände eines anderen Menschen begeben. Wir dürfen andern keine Macht über uns geben. Wer Macht über mich hat, vor dem muss ich mich fürchten. Ich muss ständig in der Angst leben, dass er seine Macht missbraucht, dass er mich verletzt und kränkt. Söhne und Töchter Gottes zu sein ist für Paulus das Gegenteil von Angst. Gott schenkt uns unseren wahren Wert, einen Wert, den uns kein Mensch rauben kann. Andere können uns zwar verletzen, aber es gibt in uns eine unantastbare Würde, die uns niemand nehmen kann.

Menschen, die enttäuscht sind über ihre eigenen Schwächen und Fehler, kann die Erfahrung des heiligen Paulus helfen, der von sich sagt: »Wenn ich schwach bin, dann bin ich stark« (2 Kor 12,10). Selbstvertrauen heißt nicht, dass wir immer stark sind, dass wir über allen Problemen stehen, dass wir uns selbst in den Griff bekommen. Es zeigt sich vielmehr darin, dass wir mitten in unserer Schwachheit zu uns stehen, weil wir an die Gnade Gottes glauben, die uns mitten in unserer Schwäche aufrichtet. Wer sein Selbstwertgefühl davon abhängig macht, dass er immer stark ist, dass er alle seine Ideale erfüllt, wird durch die Erfahrung des Versagens und der Schwäche zerbrechen. Wer sich jedoch auch erlaubt, schwach zu sein, gewinnt an innerer Stärke. Sein Selbstwertgefühl wird auch durch Enttäuschungen nicht zerstört, weil er sich auch darin von Gott gehalten weiß. Er bezieht seinen Wert aus dem Glauben des heiligen Paulus, der von sich sagt: »Ich bin gewiss: Weder Tod noch Leben, weder Engel noch Mächte, weder Gegenwärtiges noch Zukünftiges, weder Gewalten der Höhe oder Tiefe noch irgendeine andere Kreatur können uns scheiden von der Liebe Gottes, die in Christus Jesus ist, unserem Herrn« (Röm 8,38f).

Die Botschaft von der Versöhnung

Eine zentrale Botschaft der Bibel ist die der Versöhnung. Wenn Paulus schreibt: »Wir bitten an Christi Statt: Lasst euch mit Gott versöhnen!« (2 Kor 5,20), dann bezieht sich das sowohl auf die Versöhnung miteinander als auch auf die Versöhnung mit sich selbst. Jesus will den in sich zerrissenen Menschen mit sich selbst versöhnen, indem er ihm zusagt, dass Gott ihn trotz seiner Schuld annimmt. Wenn Gott ihm aber vergibt, soll er aufhören, sich selbst zu beschuldigen. Der Glaube an die Vergebung durch Gott muss sich darin ausdrücken, dass er sich nun auch selbst vergibt. Es hat keinen Zweck mehr, sich weiter zu beschuldigen und mit Schuldgefühlen zu zerfleischen. Die Vergebung, die Christus den Menschen nicht nur gepredigt, sondern auch durch seine eigene Person vermittelt hat, ermöglicht es uns, uns mit uns und unserer Vergangenheit auszusöhnen. Ich brauche die Augen nicht mehr zu verschließen vor meiner Schuld. Denn ich weiß, dass sie vergeben ist, dass sie mich nicht mehr von Gott trennt und auch nicht mehr von mir selbst und von den anderen Menschen. Schuld heißt Spaltung. Der Mensch, der sich schuldig fühlt, fühlt sich innerlich gespalten. Sein Selbstwertgefühl ist getrübt. Er hat die Beziehung zu sich und seinem wahren Kern verloren.

Wenn Jesus einem Menschen Gottes Vergebung zusagt, dann ermutigt er ihn, zu sich zu stehen und neu zu beginnen. Den Gelähmten, dem er die Sünde vergibt, fordert er auf: »Steh auf, nimm dein Bett und geh!« Er soll sich von seiner Vergangenheit nicht lähmen lassen. Allein die Tatsache, dass er Schuld auf sich geladen hat, darf kein Grund sein, das Leben zu verweigern. Der ehebrüchigen Frau traut er zu, neu anzufangen. Er sagt zu ihr: »Auch ich verurteile dich nicht. Geh und sündige von jetzt an nicht mehr!« (Joh 8,11). Die Vergebung ermöglicht zugleich einen neuen Anfang. Jesus fordert die Frau heraus und er stärkt ihr schwaches Ich. Er erniedrigt sie nicht, indem er ihr moralische Vorhaltungen macht oder ihr die Last des Gesetzes aufbürdet, sondern er richtet sie auf, indem er ihr etwas zutraut. Sie ist in Sünde gefallen nicht aus reiner Lust, sondern weil sie nicht nein sagen konnte, weil sie nicht klar war, weil sie nicht in sich ruhte. Jetzt spricht Jesus ihr Ich an. »Du kannst auch anders leben. Du hast Kraft. Versuche ein anderes Leben. Du wirst sehen, dass es dir gut tut.« Jesus fordert keine Unterwerfung von der Frau, sondern er richtet sie auf, indem er sich an die Kraft wendet, die in ihr ist, und an die Würde, die sie eigentlich leben möchte.

Selbstvertrauen können wir in andern hervorlocken, indem wir ihnen etwas zutrauen. Das zeigt auch die Begegnung Jesu mit der Sünderin in Lk 7. Nachdem Jesus ihr die Sünden vergeben hat, sagt er zu ihr: »Dein Glaube hat dir geholfen. Geh in Frieden!« (Lk 7,50). Jesus lobt ihren Glauben. Er verstärkt das Positive, das die Frau getan hat, und bringt sie so mit ihrer guten Kraft in Berührung. Und er traut ihr zu: »Geh in Frieden! Zerfleische dich nicht mehr mit Schuldgefühlen. Es ist gut, was du getan hast. Jetzt kannst du in Frieden gehen, in Frieden mit dir selbst, in Frieden mit den Menschen. Du musst dich nicht mehr entschuldigen, dass du überhaupt da bist. Du bist wertvoll. Du hast Frieden, du hast volles und erfülltes Leben in dir. Lebe es nun!«

Was Jesus hier mit der Sünderin und der Ehebrecherin tut, das haben die frühen Mönche in ihrer Begleitung verwirklicht. Sie haben den Schülern, die sie um Rat fragten, etwas zugemutet und zugetraut. So mutet ein Altvater einem Schüler zu, dass er ein ganzes Jahr lang nichts redet. Dem andern traut er zu, dass er nur jeden zweiten Tag isst. Indem der Abbas dem Schüler etwas zutraut, stärkt er sein Selbstwertgefühl. Der Schüler entdeckt, wozu er fähig ist, er wächst daran und er bekommt Lust am Leben. Für mich ist diese Methode auch heute noch Richtschnur. Es genügt mir nicht, nur ein non-direktives Gespräch zu führen, den andern nur zu bestätigen. Ich spüre auch, dass ich ihn manchmal herausfordern muss, damit er sich ausstreckt und seine eigenen Fähigkeiten entdeckt, dass in ihm die Kraft wächst. Ich gebe dem Exerzitanten oft eine Übung auf. Ich traue ihm z.B. zu, dass er eine halbe Stunde laut mit Gott redet, dass er Gott alles sagt, was in ihm an Gefühlen und Gedanken da ist. Oder ich trage ihm auf, einen Brief zu schreiben. Er soll sich vorstellen, kurz vor seinem Tod möchte er noch einmal jemandem schreiben, was er alles in seinem Leben vermitteln wollte, was seine Leitidee war. Manche sträuben sich gegen solche Aufgaben. Aber wenn sie sich dann einlassen, tut es ihnen gut. Natürlich geht es nicht darum, jemandem etwas überzustülpen. Insofern hat die non-direktive Methode sicher ihre Berechtigung, wenn sie den Menschen selbst entdecken lässt, was in ihm steckt, dass er selbst die Lösungen finden muss. Aber ich bin immer skeptisch, wenn man eine Methode zum Allheilmittel erklärt. Meine Erfahrung sagt mir, dass auch der andere Pol wichtig ist: die aktive Herausforderung, um das Selbstwertgefühl des andern zu stärken.

Herausforderung ist keine Entmündigung, kein Ratschlag, der für den andern oft genug ein Schlag ins Gesicht ist, sondern ein Vorschlag, wie er sich in seine Freiheit und Würde einüben kann, wie er sich trainieren kann, um seine Kräfte zu entdecken und zu entfalten. Jesus fordert die Menschen heraus, weil er an das Gute in ihnen glaubt. Wenn ich in der Seelsorge jemanden herausfordere und ihm etwas zumute, dann deshalb, weil ich an den Heiligen Geist glaube, der in diesem Menschen wirkt und der in ihm neue und ungeahnte Möglichkeiten hervorlocken möchte. Jesus bringt die Menschen, die er so konfrontierend anspricht, in Berührung mit der Kraft des Geistes, die in ihnen wirkt. Er öffnet ihnen die Augen dafür, dass Gott mit ihnen mehr vorhat, als sich mit dem Bekannten zufrieden zu geben. Jesus weckt die Menschen auf, er öffnet sie für das Wirken des Geistes in ihnen und er bringt sie in Berührung mit dem ursprünglichen und einmaligen Bild, das Gott sich von ihnen gemacht hat.

Der mystische Weg

Ein weiterer Weg zu einem gesunden Selbstwertgefühl ist der mystische Weg. Die Mystik ist – ähnlich wie die Transpersonale Psychologie – überzeugt, dass in uns ein Raum ist, zu dem die andern Menschen keinen Zutritt haben, zu dem die Überlegungen des eigenen Über-Ichs keinen Zugang haben. Es ist der Raum der Stille, in dem Gott selbst in uns wohnt. Dort, wo Gott in uns wohnt, haben die Menschen keine Macht über uns. Die Mystiker glauben, dass dieser Raum der Stille in jedem von uns ist. Viele spüren diesen Raum jedoch nicht, weil sie von ihm abgeschnitten sind durch eine Schicht von Schutt und Geröll, durch eine Schicht voller Sorgen und Probleme, voller Gedanken und Pläne, die sich zwischen ihr Bewusstsein und ihr Selbst gelegt hat.

Der Weg zu diesem inneren Ort des Schweigens geht über das Gebet und über die Meditation. Im Mönchtum hat man die Methode des Einwortgebetes entwickelt. Man verbindet mit dem Atem ein Wort aus der Schrift, etwa das Wort: »Siehe, ich bin bei dir« oder das Jesusgebet: »Herr Jesus Christus, Sohn Gottes, erbarme dich meiner.« Ich lenke meine Aufmerksamkeit auf den Atem und binde das Wort an den Atem. Dann lasse ich mich beim Ausatmen von dem Wort in den inneren Raum der Stille führen, in dem Gott in mir wohnt. Isaak von Ninive meint, das Wort, das ich meditiere, werde mir die Türe zum wortlosen Geheimnis Gottes aufschließen, eben zu dem Haus der Stille, zu dem allein Gott Zutritt hat. Wenn ich meditiere, dann spüre ich nicht jedes Mal diesen Raum der Stille. Oft ist es nur eine kurze Ahnung, dass da in mir etwas ganz anderes ist, dass da Gott selbst in mir wohnt. Aber schon diese kurze Ahnung bringt etwas in mir in Bewegung. Ich erlebe mich anders. Ich berühre mein wahres Sein, ich komme in meine Tiefe. Ich spüre eine tiefe Stille, von der Friede ausgeht.

Manchmal hilft es mir schon, wenn ich mir den Ort der Stille in mir nur vorstelle, wenn ich etwa die Bilder zulasse, mit denen die Bibel diesen inneren Raum der Stille beschreibt. Ich schaue diese Bilder nicht von außen an, sondern ich betrachte mich selbst durch diese Bilder. Im Johannesevangelium sagt Jesus von dem, der glaubt: »Aus seinem Inneren werden Ströme von lebendigem Wasser fließen« (Joh 7,38). In mir ist eine Quelle, die nie versiegt, die Quelle des Heiligen Geistes. Um sie zu erahnen, kann ich mir vorstellen, wie ich im Ausatmen die Schuttschichten durchdringe, die sich über diese Quelle gelegt haben, bis ich auf dem Grund der Seele etwas von dieser reinen Quelle erahne, die die trüben Wasser meiner dunklen Gefühle vertreibt und mich innerlich erfrischt. Oder ich kann das Bild des Allerheiligsten meditieren, zu dem nach dem Hebräerbrief nur der Hohe Priester Jesus Christus Zutritt hat. Wenn ich mir dieses biblische Bild einbilde, kann ich in Berührung kommen mit der Wirklichkeit, die es darstellt, mit Jesus Christus, der in mir wohnt. Dort, wo er in mir ist, kann der Lärm auf dem Tempelvorhof nicht hindringen, da haben die Heiden keinen Zutritt, da kann das Geschäftliche und Weltliche nicht hindringen, da dürfen auch die andern Priester nicht eintreten, da können mich nicht einmal meine eigenen Überlegungen und Pläne stören.

In diesem inneren Raum erahne ich auch, wer ich selber bin. Da komme ich in Berührung mit meinem wahren Selbst. Wo Gott in mir ist, da befreit er mich von der Macht der Menschen, von ihren Erwartungen und Ansprüchen, von ihren Urteilen und Maßstäben. Und da befreit er mich auch von den Bildern, die andere mir übergestülpt haben oder die ich mir selber von mir gemacht habe. Gott befreit mich zu mir selbst. Ich bin mehr als meine Lebensgeschichte. Ich bin ein einmaliges Bild Gottes. In mir ist ein unberührtes Bild, das Gott sich von mir gemacht hat, mein wahres Wesen, wie Gott es geformt hat. Der Weg der Meditation führt mich daher auch zu meinem wahren Selbst. Dort, wohin die Meinungen der anderen und wohin die eigenen Maßstäbe nicht hinreichen, dort darf ich ganz ich selber sein, dort erahne ich meine göttliche Würde, dort kann mir aufgehen, dass ich in meinem Innersten gottunmittelbar bin.

Ich erlebe immer wieder Menschen, die darunter leiden, dass andere sie bestimmen. Sie können kein Selbstvertrauen entwickeln, weil andere es ihnen nehmen. Da kritisiert sie ständig die Mitarbeiterin oder der Chef, da beeinflusst sie der launische Nachbar oder die unzufriedene Tante. Ich versuche den Ratsuchenden dann auf diesen Raum der Stille hinzuweisen, der schon in ihm ist. Er sollte sich vorstellen, dass da keiner Macht über ihn hat. Was der Nachbar über ihn denkt, erreicht diesen Ort nicht. Was die andern von ihm reden, ihre Kritik, ihre Ablehnung, ihre Ansprüche, ihre Erwartungen, all das hat dort keinen Zutritt. Auf der emotionalen Ebene bin ich zwar immer noch empfindlich und werde von der Kritik der andern getroffen. Aber dahinter ist dieser Raum der Stille, wo das nicht hindringen kann. Wenn ich mir das vorstelle, dann entsteht ein Gefühl von Freiheit. In diesem Raum der Stille kann ich aufatmen. Da werde ich nicht von andern bestimmt, auch nicht von meinen eigenen Erwartungen oder Terminen.

Ich habe einmal einen Kurs für Eheberater gehalten über Spiritualität und Beratung. Da versuchte ich den Psychologen zu vermitteln, dass Spiritualität in der Beratung nicht bedeutet, fromme Worte zu machen, sondern die Menschen an ihren wahren Kern, an ihre unantastbare Würde, an den Raum der Stille heranzuführen. Manche Berater hatten berichtet, dass es in einer verfahrenen Ehe oft unmöglich ist, durch bessere

Kommunikationsmethoden wirksam zu helfen. Da fühlt sich eine Frau so tief verletzt, dass ein Gespräch nicht mehr möglich ist. Da fühlt sich ein Mann so radikal abgelehnt, dass er kein Wort mehr zur Partnerin hin findet. Da kann es hilfreich sein, den Partner oder die Partnerin an diesen inneren Raum zu führen, zu dem der andere keinen Zutritt hat, zu dem die Verletzung und die Ablehnung nicht hindringen können, indem jeder seine unantastbare Würde entdeckt, den Raum, der unverletzt und heil ist. Schon die Ahnung von diesem inneren Ort kann mitten in der tiefsten Ablehnung und Verletzung ein neues Selbstwertgefühl vermitteln, eine Würde, die einem niemand zu rauben vermag.

Manchmal hilft es mir, die Menschen, die mich ständig beschäftigen, weil sie mich verletzen und kränken, aus mir hinauszuwerfen. Die Wut kann eine positive Kraft sein, die Menschen, die über uns Macht haben, aus uns hinauszuschleudern, damit der Raum der Stille wirklich nur von Gott erfüllt wird. Wir müssen manchen Menschen den Zutritt zu unserem Inneren verwehren, wir müssen ihnen inneres Hausverbot erteilen. Dort, wo Gott in uns wohnt, dort, wo wir bei Gott daheim sind, dort haben die andern kein Recht einzudringen. Zu mir kam eine Frau, die ständig von ihrer Chefin drangsaliert wurde. Beim Abendessen mit ihrem Mann war das einzige Thema die unmögliche Chefin, die ihr das Leben zur Hölle machte. Ich sagte ihr: »Die Ehre würde ich meiner Chefin nicht erweisen, dass ich selbst mein Abendessen noch von ihr stören ließe. Lass sie nicht in dein Haus hinein. So wichtig ist sie nicht.« Anstatt die Wut in uns hineinzufressen oder in der Wut zu explodieren, sollten wir die Wut dazu benutzen, uns von denen, die uns ständig beschäftigen, zu distanzieren, sie innerlich aus uns hinauszuwerfen. Manche meinen, das wäre nicht christlich. Christlich sei die Vergebung. Aber die Vergebung steht immer am Ende der Wut und nicht am Anfang. Solange der, der mich verletzt hat, noch in meinem Herzen ist, wäre Vergebung Masochismus. Ich würde mich selbst damit verletzen. Erst wenn ich mich von ihm distanziert habe, wenn ich ihn aus mir hinausgeworfen habe, kann ich ihm wirklich vergeben, im Wissen darum, dass er ja auch nur ein verletztes Kind ist.

Den andern aus mir hinauszuwerfen ist nur der erste Schritt, um den Raum der Stille in mir wahrzunehmen. Es verteidigt diesen inneren Raum gegenüber allen, die da gewaltsam eintreten möchten. Aber die Verteidigung allein genügt nicht. Ich muss in der Meditation mich innerlich von allem verabschieden, was mich sonst beschäftigt, von den Menschen, um die ich kreise, von meinen eigenen Gedanken und Plänen. Ich muss ganz still werden und dann in mich hineinhorchen und mir vorstellen: In mir ist ein Geheimnis, das mich übersteigt. Wenn ich in mich hineinhorche, stoße ich nicht nur auf meine eigene Geschichte und auf meine Probleme. Unterhalb dieser Ebene ist vielmehr ein Raum der Stille, ein Ort, in dem Gott, das Geheimnis, in mir wohnt. Und dort, wo Gott, das Geheimnis, in mir wohnt, kann ich wahrhaft daheim sein. Dort ahne ich einen tiefen Frieden in mir. Dort weiß ich, dass unterhalb des täglichen Trubels und des inneren Durcheinanders ein Raum der Stille ist. Für Evagrius Ponticus, den wichtigsten Mönchsschriftsteller des 4. Jahrhunderts, ist dieser Ort Gottes im Bild Jerusalems dargestellt. Jerusalem heißt »Schau des Friedens«. So gelangen wir in diesem Raum der Stille zur »Schau des Friedens, an dem einer in sich jenen Frieden schaut, der erhabener ist als jedes Verstehen und der unsere Herzen behütet«.[11]

Wenn ich mich auf den Ort der Stille in mir einlasse, dann wächst in mir das Gefühl von Freiheit und Vertrauen. Es ist dann kein zur Schau gestelltes Selbstvertrauen, sondern ein Vertrauen aus der inneren Freiheit heraus. Ich kämpfe dann nicht gegen andere, sondern ich genieße die Freiheit. Es gibt einen Raum in mir, über den niemand Macht hat, der Raum, in dem Gott in mir wohnt. Dort, wo Gott in mir wohnt, dort komme ich auch in Berührung mit meinem wahren Selbst. Dort bin ich ganz ich selbst. Dort ist mein Selbst geschützt. Dort wächst mein Selbstwertgefühl, und ich werde mehr und mehr eins mit mir selbst.

Alle religiösen Wege führen uns allmählich zum Gefühl unseres Selbstwertes. Es gibt jedoch keinen spirituellen Trick, sich schnell Selbstvertrauen und Selbstwert zu verschaffen. Es sind immer Übungswege, die uns weiterbringen. Ich muss das Wort Gottes immer wieder meditieren, bis es mein Herz verwandelt und die Angst daraus vertreibt. Ich muss im Gebet immer wieder in Berührung kommen mit dem Raum der Stille in mir, um mich unabhängig von der Meinung der andern und von den Maßstäben des eigenen Über-Ichs zu fühlen. Wenn ich treu und behutsam diesen Weg der Übung gehe, dann kann in mir ein gesundes Selbstwertgefühl wachsen. Ich bin nicht einfach dazu verdammt, mit dem geringen Selbstvertrauen zu leben, das ich als Kind mitbekommen habe. Das Selbstwertgefühl kann gelernt werden. Der Glaube ist eine geeignete Schule, in der wir Selbstvertrauen und Selbstwert erlernen können. Aber wie jede Schule braucht es Ausdauer und Übung. Und der Glaube darf die psychologische Wirklichkeit nicht überspringen. Als Glaubender muss ich mich aussöhnen mit meinen Verletzungen, die mein Selbstwertgefühl angekratzt haben. Als Glaubender muss ich auch all die Hilfen in Anspruch nehmen, die mir die Psychologie anbietet. Aber ich kann im Glauben darüber hinaus einen Weg finden, zu meinem wahren Selbst zu gelangen, zu dem Selbst, so wie Gott es geformt hat. Im Glauben übersteige ich die psychologische Ebene und entdecke in mir die transpersonale Ebene, den Raum in mir, in dem Gott in mir wohnt und in dem ich ganz ich selber bin. Wenn ich mit meinem wahren Selbst in Berührung bin, dann habe ich ein Selbstwertgefühl, das auch durch Versagen und Kränkungen nicht zunichte gemacht werden kann. Es ist ein Gefühl für meinen göttlichen Kern, über den diese Welt keine Macht hat.

II
Ohnmacht meistern

Es gibt gerade in unserer Zeit typische Ohnmachtsgefühle, die begründet sind durch die politischen und gesellschaftlichen Verhältnisse, die Ohnmacht gegenüber der Ungerechtigkeit in der Welt, die Ohnmacht gegenüber Terror und Krieg. Waren in den sechziger Jahren Optimismus und Zukunftshoffnung die Grundstimmung der Zeit, so haben Rückschläge in der wirtschaftlichen, politischen und gesellschaftlichen Entwicklung dem Traum vom unbegrenzten Fortschritt »ein abruptes Ende gesetzt. Vor allem in der jungen Generation ist das Vertrauen in die Zukunft und ihre Machbarkeit erschüttert. An seinen Platz tritt ein allgemeines Gefühl der Ohnmacht den scheinbar unüberwindlichen Sachzwängen gegenüber. Neigung zur Resignation und Rückzug in sich selbst sind die Folgen davon.«[12]

Die Erfahrung der eigenen Ohnmacht gehört wesentlich zum Menschen. Sigmund Freud hat sich eingehend mit der Erfahrung der kindlichen Ohnmacht und Hilflosigkeit beschäftigt. Das kleine Kind erfährt seine Abhängigkeit von der Mutter und von den Dingen der Außenwelt. Das »ruft peinigende Gefühle von Hilflosigkeit, Angst und Wut hervor«.[13] Nach der Phase, in der sich das Kind in Harmonie mit der Mutter und der Welt erlebt, folgt regelmäßig »die Erfahrung von Machtlosigkeit und schwer zu bewältigenden Affekten, wie sie sich in den Mythen vom Himmelssturz der Engel und von der Ausweisung aus dem Paradies niedergeschlagen haben«.[14] Die Aufgabe des Kindes besteht darin, auf »die Erfahrung der eigenen Ohnmacht, Abhängigkeit, Wertlosigkeit, Unterlegenheit«[15] mit der Entwicklung eines gesunden Selbstbewusstseins zu antworten. Wenn das Kind sich als hilflos gegenüber Menschen oder aber gegenüber seinen eigenen Trieben erlebt, reagiert es mit Angst. Von der kindlichen Entwicklung her hängen Ohnmachtsgefühle, Selbstwertgefühle und Selbstvertrauen eng zusammen. Das Kind erlebt sich notwendigerweise als ohnmächtig und hilflos. Zu seiner gesunden Entwicklung gehört es, Selbstwertgefühl zu entwickeln und die Angst, die die Erfahrung der Ohnmacht in ihm auslöst, durch Vertrauen zu überwinden.

Auch die Erfahrungen der Erwachsenen zeigen, dass mangelndes Selbstwertgefühl und Ohnmachtsgefühl zusammenhängen. Man fühlt sich zugleich wertlos und ohnmächtig gegenüber den anderen, die vieles besser können, die schneller sind. Man fühlt sich ohnmächtig, weil man sich selbst nicht zutraut, den Erfordernissen des Lebens gewachsen zu sein. Aber es gibt eine Reihe von Ohnmachtsgefühlen, die nicht aus einem mangelnden Selbstwertgefühl stammen.

Ohnmachtsgefühle

Ich kann in diesem Buch nicht alle Ohnmachtsgefühle ansprechen, die die Menschen heute plagen. Ich möchte nur drei Bereiche anschauen, in denen Ohnmachtsgefühle vor allem auftreten. Es sind die Ohnmacht mir selbst und meinen Leidenschaften gegenüber, die Ohnmacht gegenüber andern Menschen und dem, was von ihnen an Macht ausgeht, und die Ohnmacht gegenüber der Situation in der Welt.

Ohnmacht mir selbst gegenüber

Ich kann mich ohnmächtig fühlen meinen Fehlern und Schwächen gegenüber. Trotz aller Kämpfe und aller Versuche, an mir zu arbeiten, falle ich immer wieder in die gleichen Fehler zurück. Ich nehme mir immer wieder vor, nicht über andere zu reden. Aber alle meine Vorsätze bleiben erfolglos. Immer wieder geschieht es doch, dass ich über andere spreche. Viele Menschen leiden darunter, dass ihre Vorsätze nichts bringen. Bei jeder Beichte oder nach jeden Exerzitien nehmen sie sich fest vor, sich mehr Zeit für das Beten zu nehmen. Sie nehmen sich vor, mehr Disziplin zu üben und ihren Hauptfehler zu bekämpfen, z.B. ihren Jähzorn oder ihre Gereiztheit. Aber schon nach zwei Wochen merken sie, dass der Vorsatz wieder umsonst war und sich überhaupt nichts in ihnen geändert hat. Trotzdem nehmen sie sich das nächste Mal wieder vor, sich zu ändern, wieder erfolglos. Das hinterlässt ein Gefühl der Ohnmacht.

Manche fühlen sich ohnmächtig gegenüber ihrer Angst. Sie haben vieles über das Phänomen der Angst gelesen, sie haben eine Therapie gemacht und ihre Angst durchgesprochen. Aber trotzdem fühlen sie sich ohnmächtig, sobald die Angst auftaucht. Da nützen alle ihre Erkenntnisse nichts. Da werden sie einfach von der Angst gepackt. Oft hilft auch der Glaube nicht weiter. Sie wissen, dass sie in Gottes Hand sind. Aber sobald sie in ein Flugzeug steigen oder vor einer Operation stehen, nützen alle frommen Worte nichts, da scheint der Glaube machtlos zu sein gegenüber dieser oft irrationalen Angst. Die Angst beschleicht sie wie ein Tier. Der Kopf und das Herz scheinen ohnmächtig gegenüber diesem heimtückischen Tier der Angst.

Andere fühlen sich ohnmächtig gegenüber ihren Emotionen. Sie möchten nicht eifersüchtig sein. Aber sie können nichts dagegen tun. Die Eifersucht taucht einfach auf, sobald sich die eigene Frau mit einem andern Mann angeregt unterhält oder wenn der Freund mehr Zeit mit anderen verbringt. Alle Beteuerungen der Frau oder des Freundes, dass sie nur sie allein liebten, richten nichts aus. Die Eifersucht kommt einfach wieder, sobald eine ähnliche Situation auftritt. Andere fühlen sich ihren Trieben gegenüber ohnmächtig, etwa ihrer Sexualität oder ihrer Esssucht. Alle Willensanstrengungen nützen nichts. Sie werden immer wieder von ihren Trieben beherrscht. Sie können noch so gegen ihre Essprobleme angehen, immer wieder versagen sie. Das hinterlässt ein Gefühl von Ohnmacht und Resignation.

Eine Frau ärgert sich immer wieder, dass sie ihrer Depression hilflos ausgeliefert ist. Die Therapie hat nicht geholfen. Sobald jemand sie kritisiert, fällt sie wieder ins Loch. Und wenn sie im Loch steckt, helfen alle Gedanken nicht, die sie sich während ihrer Therapie über die Depression gemacht hat. Da hilft nicht, was sie an Worten oder Methoden dagegensetzen könnte. Sie weiß, dass es ihr gut tun würde, in ihrer Depression einen andern anzurufen oder sich körperlich zu betätigen, spazieren zu gehen, Rad zu fahren oder etwas Sinnvolles zu arbeiten. Aber das hilft ihr in diesem Augenblick nicht. Da ist alles weg. Da fühlt sie sich ohnmächtig, der Depression ausgeliefert wie einer fremden Macht. Oft genug kommt die Depression wie aus heiterem Himmel, ohne ersichtlichen Grund. Alle Vorsichtsmaßnahmen dagegen können sie nicht verhindern. Auch das hinterlässt ein Gefühl von Ohnmacht.

Psychisch Kranke fühlen sich oft ohnmächtig gegenüber ihrer Krankheit. Eine Frau leidet unter Waschzwang. Alle therapeutische Begleitung hat sie bisher nicht davon befreien können. Sie muss sich einfach waschen, sobald sie sich auf einen gepolsterten Stuhl setzt.

Aber wir brauchen gar nicht auf die Kranken zu sehen. Wir alle kennen irgendwelche Zwänge, denen wir machtlos ausgeliefert sind. Da leidet einer unter dem Zwang, abends nochmals nachzusehen, ob die Türe zugesperrt ist. Ein anderer muss sich vergewissern, dass alles auf seinem Schreibtisch am richtigen Ort liegt. Wir ärgern uns jedes Mal, wenn wir auf Kritik empfindlich reagieren. Und trotzdem können wir nichts ändern. Wenn die Sprache auf bestimmte Probleme kommt, fühlen wir uns getroffen. Wenn an unsere Wunde gerührt wird, schreien wir auf. So gibt es viele psychische Gegebenheiten, denen wir uns machtlos gegenübersehen. Viele leiden an sich, weil sie das Gefühl haben, dass sie gegen ihre Wunden nie ankommen, dass das Leben sie immer nur mehr verwundet.

Viele Ohnmachtsgefühle haben in der Kindheit ihre Ursache. Kinder fühlen sich ohnmächtig, wenn die Eltern vor ihnen streiten. Sie können sich noch so viel Mühe geben, den Streit zu schlichten, es hilft nicht weiter. Kinder fühlen sich ohnmächtig, wenn sie geschlagen werden. Gegen die oft brutale Gewalt der Erwachsenen ist das Kind machtlos. Da hat es keine Chance. Da entsteht oft eine ohnmächtige Wut, die dann dazu führt, dass man sich gegen jeden Schmerz verschließen muss, um überhaupt leben zu können. Wenn ein Kind ungerecht behandelt wird, kann es dagegen protestieren, aber oft genug bleibt der Protest wirkungslos. Das Kind bleibt dem Unrecht hilflos ausgesetzt. Wenn ein Kind abgelehnt wird, obwohl es sich alle Mühe gibt, die Zuwendung der Mutter zu erlangen, entsteht ein Gefühl von Ohnmacht. Als Kind hatten wir keine Chance, uns gegenüber den Eltern zu behaupten und unsere Bedürfnisse durchzusetzen. Oft taucht so ein Ohnmachtsgefühl auf, wenn wir als Erwachsene einem begegnen, der uns an die allmächtigen Eltern oder Lehrer erinnert, wenn wir uns unterlegen fühlen, wenn wir ungerecht behandelt werden. Ich habe eine Frau begleitet, die als Kind immer wieder zusehen musste, wie ihre Mutter dem geliebten Vater Eifersuchtsszenen machte und ihn auf übelste Weise beschimpfte. Sie selbst wurde von der Mutter als Hure verteufelt. Da fühlte sie sich ihrer Mutter gegenüber jedes Mal machtlos. Sie hatte keine Chance, den eigenen Wert zu entdecken. Immer wenn sie später auf Frauen traf, die ihrer Mutter glichen, fühlte sie sich gelähmt. Alle psychologischen Kenntnisse, die sie sich inzwischen erworben hatte, halfen ihr dann über ihre Gefühl von Ohnmacht nicht hinweg.

Gerade in Momenten tiefer Einsamkeit kann das kindliche Ohnmachtsgefühl wieder bewusst werden, dass wir allein auf uns gestellt sind und uns letztlich keiner versteht. Wir fühlen uns allein. Keiner versteht unsere Gefühle, keiner bemerkt unsere Wünsche. Immer dann, wenn Ohnmachtsgefühle gegenüber der realen Erfahrung unangemessen stark sind, sollten wir in unsere Kindheit schauen, ob da Erinnerungen hochkommen, wo wir uns ähnlich gefühlt haben. Die Erinnerung allein befreit uns noch nicht vom Ohnmachtsgefühl, aber sie kann eine Hilfe sein, uns damit auseinander zu setzen und es so zu überwinden. Zumindest können wir unsere Gefühle dann besser verstehen.

Wir werden uns nicht mehr selbst ablehnen, wenn Ohnmachtsgefühle in uns aufsteigen. Durch Verstehen und durch das Sprechen über unsere Ohnmacht kann sie sich verwandeln. Wenn wir wissen, woher unsere Ohnmachtsgefühle stammen, werden sie an Macht verlieren und wir können besser damit umgehen.

Ohnmacht andern Menschen gegenüber

Dann gibt es Ohnmachtsgefühle gegenüber andern Menschen. Auch sie haben oft ihre Ursache in kindlichen Erfahrungen. Eine Frau fühlt sich ihrer Mutter gegenüber ohnmächtig. Sie kann sich nicht gegen sie wehren. Wenn die Mutter sie kritisiert und sie an ihrer empfindlichen Stelle trifft, dann ist sie wie gelähmt. Alle Gespräche, die sie mit anderen über ihre Mutter geführt hat, in denen sie Strategien entwickelt hat, sich von ihrer Mutter abzugrenzen, helfen in diesem Augenblick nicht. Die Mutter hat ein feines Gespür, wo sie die Tochter treffen kann. Sie braucht ihr nur vorzuwerfen, dass sie so nie einen Mann findet, dann hat sie einfach Macht über sie. Und die Tochter kann sich dieser Macht nicht entziehen. Ein Mann ist seinem Vater gegenüber ohnmächtig. Der Vater kann alles, er ist intelligent und entwertet ständig, was der Sohn tut. Da kann der Sohn sich noch so anstrengen, er kann gegen seinen Vater nichts ausrichten. Er kann seinen Erwartungen nie entsprechen. Und vor allem kann er sich gegen seine Sticheleien und gegen seine entwertenden Urteile nicht wehren. Ein anderer kann sich gegenüber seinem Chef nicht behaupten. Wenn er losbrüllt, zuckt er zusammen und tut grollend doch, was der Chef will. Er nimmt sich immer wieder vor, zu sagen, wo seine Grenzen sind, was er übernehmen kann und was nicht. Aber immer wieder gibt er nach, wenn der Chef ihn laut anfährt.

Man kann sich auch gegenüber Menschen ohnmächtig fühlen, die einem nicht vorgesetzt sind, sondern mit einem auf der gleichen Stufe leben. Da ist eine Studentin ohnmächtig, wenn ihre Mitstudentin ihr ein schlechtes Gewissen einimpft, dass sie zu wenig studiert. Jemandem Schuldgefühle einzureden ist ein subtiles Machtmittel. Dagegen kann man sich kaum wehren. Denn keiner von uns ist ja ohne jede Schuld. Wir sind immer Menschen, die auch Schuld auf sich laden. Wenn mir nun jemand Schuldgefühle aufdrängt, sobald ich einmal meinen eigenen Willen durchsetze, dann kann ich mich dem kaum entziehen. Auch wenn ich mit dem Kopf noch so sehr weiß, dass ich richtig gehandelt habe, so nagt das Schuldgefühl doch an mir. Es ist wie ein Gift, das der andere mir einspritzt. Ich kann mich davon nicht befreien. Solche Schuldgefühle können uns vor allem die Eltern einimpfen. Wenn die kranke Mutter sagt: »Du bringst mich noch ins Grab, wenn du dich nicht um mich kümmerst. Ich bin so allein. Ist das der Dank für alles, was ich dir getan habe?«, dann kann sich die Tochter kaum dagegen verschließen. Da kommen sofort Schuldgefühle hoch. Die Mutter könnte ja sterben, dann würde sie sich vorwerfen, dass sie nicht genügend für sie getan habe. So fährt sie voller Aggressionen zur Mutter, um ihr zu helfen, und ärgert sich wieder, dass sie sich von den Schuldgefühlen bestimmen ließ.

Ohnmächtig fühlen sich Menschen, die unglücklich verliebt sind. Sie lieben ihren Partner oder ihre Partnerin und verstricken sich doch immer mehr in ein undurchschaubares Knäuel von Vorwürfen, Beschimpfungen, Beleidigungen und Wutausbrüchen. Sie möchten mit dem, den sie lieben, eine gute Beziehung leben, aber die Beziehung wird immer unerträglicher. Sie können machen, was sie wollen. Sie fühlen sich hilflos in der verfahrenen Beziehung. Sie können sich aber auch nicht vom Gefühl ihrer Liebe für den andern befreien. Sie fühlen sich vom Geliebten abhängig, sie geben ihm Macht über sich und sind doch selber machtlos, die Beziehung so zu gestalten, wie sie es gerne hätten. Eheberater erleben oft die Ohnmacht der Ehepartner, miteinander angemessen zu kommunizieren und ihre Konflikte kreativ zu lösen. Jeder Partner hat guten Willen, und trotzdem sind sie unfähig, miteinander gut zu reden. Jeder fühlt sich ohnmächtig seinen eigenen Gefühlen gegenüber und machtlos den Verletzungen und Kränkungen des andern ausgesetzt.

Ohnmacht gegenüber der Welt

Wenn wir heute von Ohnmachtsgefühlen sprechen, meinen wir vor allem die Gefühle unserer Welt gegenüber. Viele fühlen sich ohnmächtig gegenüber einer anonymen Bürokratie. Trotz aller Bemühungen von Politikern um eine menschenfreundliche Bürokratie begegnen wir doch immer wieder Fällen, wo die Bürokratie sich über jeden Menschenverstand hinwegsetzt, wo sie gerade die Verlierer tödlich trifft. Viele fühlen sich ohnmächtig, wenn die staatlichen Behörden unmenschliche Urteile fällen, wenn sie etwa Asylbewerber abschieben, von denen man sicher weiß, dass sie daheim gefoltert werden. Alle Versuche, die Behörden zu überzeugen, prallen an einer undurchdringlichen Gesetzesmauer ab. Man verschanzt sich hinter irgendwelchen Gesetzen und lässt das Herz zu Stein werden. Das Kirchenasyl ist ein Versuch, sich gegen dieses Ohnmachtsgefühl zu wehren. Für viele war es befreiend, dass die Kirche da einen Raum bietet, der uns davor schützt, in unseren Ohnmachtsgefühlen zu resignieren.

Viele fühlen sich ohnmächtig, wenn sie die Bilder aus Krisengebieten dieser Welt, von Hungerkatastrophen und Kriegsschauplätzen sehen. Sie versuchen, ihrer Ohnmacht Ausdruck zu geben, indem sie sich an die Politiker wenden. Aber da dringen sie nicht durch. Manche entlasten sich, indem sie Geld spenden. Aber es bleibt das Gefühl von Ohnmacht, dass da ganz in unserer Nähe irreale Dinge ablaufen, die man sich nie hätte träumen lassen. Man ist machtlos gegenüber einer Grausamkeit, die man längst vergangen wähnte. Man sieht das Elend, die schreienden Kinder, die verzweifelten Mütter, vergewaltigte Frauen, gefolterte Soldaten, zerschossene Menschen, Massengräber. Und man kann nichts dagegen tun. Das lähmt, das hinterlässt ein tiefes Ohnmachtsgefühl, oft genug Resignation, ja Depression. Man betet dagegen an, aber auch Gott scheint zu schweigen. Es ändert sich trotz aller Gebetsnächte nichts. Der Krieg wird trotz aller Friedensgebete fortgeführt. Und der Hunger geht trotzdem weiter.

Politiker, die sich einsetzen für die Dritte Welt, erfahren ihre Ohnmacht, den Völkern dort wirksam zu helfen. Missionare, die jahrzehntelang in Tanzania leben, wissen weniger als je zuvor, wie sie die Verhältnisse dort wirklich bessern und den Menschen dort auf Dauer wirksam helfen können. Sie fühlen sich ohnmächtig gegenüber den lähmenden Strukturen im eigenen Land, aber ebenso auch gegenüber der Verstrickung in die Zwänge des Welthandels, in die Schuldenlast, die sich immer mehr anhäuft, gegenüber dem aussichtslosen Kampf der armen Länder um ihren gerechten Anteil am großen Kuchen des Welteinkommens. Trotz aller Anstrengungen wird der Teil am Kuchen, den man sich mühsam erkämpft, immer kleiner. Und wenn nach langem Ringen endlich eine funktionierende Volkswirtschaft aufgebaut wurde, wird sie durch Stammesfehden wieder zerstört. Der Kampf um eine friedliche Entwicklung und um wirtschaftlichen Aufbau in Afrika scheint vergebens zu sein. Ja, manche Politiker haben sich damit abgefunden, dass Afrika ein sterbender Kontinent ist. Es ist fatal, wie sie ihre Ohnmacht, etwas zu verändern, mit fadenscheinigen Gründen zu rechtfertigen suchen.

Psychologen und Seelsorger analysieren die Zeitverhältnisse. Sie sehen, wie das Fernsehen immer mehr Kinder in ihrer Psyche zerstört, wie Computerspiele das Herz erstarren lassen, wie mangelnde Geborgenheit die Gewalt in der Gesellschaft anheizt. Sie entdecken Tendenzen in unserer Gesellschaft, die sie erschrecken. Aber sie fühlen sich ohnmächtig, etwas dagegen zu unternehmen. Ihre Warnungen sind wie Kassandrarufe, die keiner hören möchte. Keiner scheint zu merken, wie gefährlich manche Strömungen heute sind. Die Warnungen verhallen. Das Ohnmachtsgefühl, vergebens gegen die Zunahme der Gewalt in der Gesellschaft und des Fremdenhasses zu kämpfen, lähmt immer mehr. Man gibt den Kampf auf. Es hat ja doch keinen Zweck. Es will ja doch keiner hören. Die Leute wollen sich viel lieber von schönredenden Propheten einlullen lassen.

Eine Krankenschwester auf einer Sozialstation muss immer mehr Patienten pflegen, die mit einer Sonde ernährt werden und deren Leben so künstlich verlängert wird. Sie spürt, dass das doch nicht das Ziel des Lebens sein kann, einfach dahinzuvegetieren. Vor allem aber wird die Pflege immer härter. Doch alle gemeinsamen Versuche der Schwestern helfen nicht weiter. Die Ärzte haben das Sagen. Und wem sie eine Sonde verordnen – oft sogar gegen den Willen der Angehörigen –, der muss daheim künstlich weiter ernährt werden. Die Schwestern fühlen sich machtlos gegenüber den Ärzten, die mit ihren Maßnahmen viel Leid in die Familien hineintragen und die Arbeitsbedingungen der Schwestern erschweren. Alle Appelle an menschliche Vernunft fruchten nicht. So gibt es viele Situationen, in denen sich Menschen ohnmächtig fühlen, eine Entwicklung zu stoppen, bei der jeder sieht, dass sie in die falsche Richtung läuft.

In beiden Kirchen arbeiten die Pfarrer immer mehr, um die Glieder ihrer Pfarrgemeinden zu motivieren und eine lebendige Gemeinde aufzubauen. Aber ihre Anstrengungen bleiben wirkungslos. Immer weniger nehmen ihr Angebot an Vorträgen, Gesprächsrunden und Gottesdiensten in Anspruch. Manche Männer und Frauen in der Seelsorge resignieren. Sie haben den Eindruck, sie würden gegen einen Sandrutsch ankämpfen. Sie können machen, was sie wollen, es bröckelt immer mehr ab. Sie fühlen sich ohnmächtig gegenüber dem Zeitgeist, ohnmächtig gegenüber einer schleichenden Entchristlichung. Ähnlich fühlen sich viele Eltern, denen es ein Anliegen ist, ihre Kinder christlich zu erziehen. Gegen den Trend der Zeit können sie nicht gewinnen. So müssen sie machtlos zusehen, wie ihre Kinder nicht mehr in die Kirche gehen und nach anderen Wegen für sich suchen.

Folgen aus dem Ohnmachtsgefühl

Kein Mensch kann gut das Gefühl der Ohnmacht aushalten. So reagiert er auf verschiedene Weise, um dieses so negativ belastete Gefühl loszuwerden.

Wut und Gewalt

Da ist einmal die Reaktion der Wut. Wenn man sich einem Menschen gegenüber ohnmächtig fühlt, dann kommt oft eine blinde Wut in einem hoch. Am liebsten möchte man den andern kurz und klein schlagen. So ging es Dawson immer dann, wenn in ihm das Gefühl der Ohnmacht hochstieg, das er aus seiner Kindheit kannte, wenn sein Vater ihn geschlagen hatte. John Bradshaw erzählt von Dawson, dass er als Rausschmeißer in einer Nachtbar einem Mann, der ihn geärgert hatte, den Kiefer zerbrochen hat. Um die Angst vor dem Geschlagenwerden zu überwinden, identifizierte er sich in solchen Situationen mit seinem Vater. »Immer wenn ihn eine Situation an die brutalen Szenen seiner Kindheit erinnerte, wurden in ihm die alten Gefühle der Ohnmacht und der Angst geweckt. Dann verwandelte sich Dawson in seinen gewalttätigen Vater und verletzte andere in der gleichen Weise, wie sein Vater ihn verletzt hatte.«[16]

Das Phänomen der zunehmenden Gewalt in der Gesellschaft, der Gewalt in der Schule, der Gewalt der Rechtsradikalen, der Gewalt gegen Ausländer hat sicher viele Ursachen. Eine Ursache liegt in der Erziehung. Wenn ein Kind zu wenig beachtet wird, muss es auffallen, um Beachtung zu finden. Wenn einem Kind Gewalt angetan wird, indem es lächerlich gemacht oder geschlagen wird, wird es selbst Gewalt anwenden. Verletzte Kinder geben die Verletzungen weiter, die sie empfangen haben. Wenn wir die Verletzungen unserer Kindheit nicht aufarbeiten, sind wir dazu verdammt, andere zu verletzen. Manche Jugendliche haben ein so geringes Selbstwertgefühl, dass sie sich nur dann spüren, wenn sie gewalttätig sind. Ein Grund für die Gewalt ist sicher auch die Ohnmacht, etwas in dieser Gesellschaft ändern zu können. Die Gewalt nimmt ja vor allem dort zu, wo die Jugendlichen wenig berufliche Chancen haben, wo sie keinen Sinn finden und wo sie zu wenig beachtet werden. Die Gewalt ist dann Ausdruck der eigenen Schwäche, des Gefühls, unbedeutend und wertlos zu sein. Man will sich dann mit Gewalt zu Gehör bringen. Oft haben junge Menschen nicht gelernt, sich mit Worten zu wehren, dann ist die einzige Waffe die Gewalt. Andere haben keine Worte, um ihre Bedürfnisse auszudrücken, so bleibt ihnen nur, dass sie alles zusammenschlagen, um ihr Bedürfnis nach Zuwendung herauszuschreien. Wer seiner mächtig ist, der hat es nicht nötig, sich gewaltsam bemerkbar zu machen. Aber wer in sich und über sich selbst keine Macht hat, der muss die Macht nach außen zeigen, der muss andere erniedrigen, um an die eigene Größe glauben zu können, der muss anderen Gewalt antun, um sich mächtig zu fühlen.

Brutalität

Auch wenn einer sich ohnmächtig fühlt seinen eigenen Fehlern und Schwächen gegenüber, reagiert er oft genug mit Wut. Er wird wütend gegen sich selbst und versucht dann, mit sich selbst brutal umzugehen. Gerade Menschen, die ihre Ohnmacht gegenüber ihren Trieben spüren, führen oft einen grausamen Kampf gegen sich selbst. Da versucht einer, seine Sexualität mit Gewalt in Griff zu bekommen. Aber es gelingt ihm nicht. Sie regt sich dennoch immer wieder. Dann verlagert sich die Grausamkeit oft ins Gewissen. Er wird sich selbst ein unbarmherziger Richter, verurteilt sich wegen seiner sexuellen Phantasien und wird zugleich zum harten Moralapostel, der gegen alle schimpfen muss, die ihre Sexualität leben. Furrer, ein Schweizer Therapeut, meint, verdrängte Sexualität führe oft zur Brutalität. Sie zeigt sich oft bei Moralisten, die recht brutal den andern die Gebote einhämmern und jeden verurteilen, der ihnen nicht gerecht wird. Sie müssen ihren Blick ständig auf die andern richten und ausspionieren, wie sie ihre Sexualität leben, damit sie sie dann umso brutaler verurteilen und verfolgen können. In den USA hat eine puritanische Haltung dazu geführt, jeden, der in der Öffentlichkeit steht, auf sexuelle Übergriffe hin zu kontrollieren. Natürlich geschieht gerade in der Sexualität auch heute noch viel Gewalt. Die meisten Verletzungen finden sich im Bereich der Sexualität. Es ist erschreckend, wie viele Frauen als Kinder sexuell missbraucht worden sind. Es sind immer Männer, die mit ihrer Sexualität nicht gut umgehen können, die sie verdrängt haben und sie deshalb an den schwächeren Kindern ausleben müssen. Es gibt in bestürzendem Ausmaß den sexuellen Missbrauch, aber es gibt inzwischen auch schon den Missbrauch des Missbrauchs. Man bezichtigt auch unschuldige Männer des Missbrauchs. Gegen so einen Vorwurf kann man sich nie einwandfrei verteidigen, da ist man machtlos. Der Vorwurf ist schon eine Vorverurteilung. Im Missbrauch und im Missbrauch des Missbrauchs drückt sich in gleicher Weise die Ohnmacht gegenüber der eigenen und des anderen Sexualität aus.

Rigorismus

Ohnmachtsgefühle führen immer zum Rigorismus. Das gilt für die fundamentalistischen Moslems genauso wie für die gegen sich selbst wütenden christlichen Asketen. Die fundamentalistischen Moslems fühlen sich ohnmächtig gegenüber dem Einfluss der westlichen Zivilisation. So wollen sie mit Gewalt einen Damm dagegen errichten. Ähnlich ist es auch bei manchen fundamentalistischen Christen. Sie fühlen sich ohnmächtig, ihr christliches Ideal in aller Ruhe zu erfüllen. So müssen sie die Ohnmacht verdecken durch einen lärmenden Kampf gegen alle Unmoral der Gesellschaft. In der evangelischen Kirche sind es manche evangelikale Gruppen, die sehr unbarmherzig mit ihren Mitchristen umgehen und ihnen überall Abweichungen von der

Bibel und Unmoral vorwerfen. Im katholischen Bereich sind es militante Marienverehrer, die jeden beschimpfen, der versucht, Maria so zu beschreiben, wie es der Bibel und nicht ihren eigenen Vorstellungen entspricht. Die militanten Gruppen machen auch vor der kirchlichen Autorität nicht Halt. Kardinal Döpfner, im Herzen sicher ein eher konservativer Mann, der es verstand, die progressiven Richtungen in die Kirche einzubinden, war ein frommer Marienverehrer. Aber er zog eine Flut von Schmähbriefen auf sich, weil er es duldete, dass das Musical »Ave Eva« von Wilhelm Willms und Peter Janssens in der Abtei St. Bonifaz in München aufgeführt wurde. Selbst so persönlich fromme Menschen wie Kardinal Döpfner, Vorsitzender der deutschen Bischofskonferenz, werden dann in unflätiger Weise beschimpft, wenn sie den eigenen Vorstellungen nicht entsprechen.

Es ist schwierig, mit militanten Christen ins Gespräch zu kommen. Sie meinen es durchaus gut. Sie glauben, dass sie die Botschaft Jesu vertreten und für die reine Verkündigung kämpfen. Aber sie merken gar nicht, wie unchristlich ihr Kampf wird. Da werden die Gegner auf unflätige Weise beschimpft und mit nächtlichen Anrufen verfolgt. Die Frage ist, warum solche unbarmherzigen Christen nicht mit sich reden lassen. Offensichtlich sind sie voller Angst, jemand könnte sie an ihre eigene Ohnmacht erinnern, das zu leben, was sie gerne leben möchten. Diese Christen versuchen durchaus, christlich zu leben. Sie strengen sich an, die Gebote zu erfüllen. Aber sie können ihre Ohnmacht nicht aushalten, dass sie doch nie erreichen, was sie gerne möchten. Wenn wir in die Kirchengeschichte schauen, dann haben die größten Moralprediger nie das gelebt, was sie von aller Welt verlangten. Ihre Moralpredigt war offensichtlich der Versuch, der eigenen Ohnmacht auszuweichen, indem sie vehement für die Befolgung von Gottes Geboten eintraten. Sie hatten Angst vor dem eigenen Schatten, vor der Unmoral des eigenen Herzens, und sie flohen vor ihrer Angst, indem sie andere als unmoralisch angriffen. Weil sie den Teufel im eigenen Herzen fürchteten, mussten sie andere verteufeln. In ihrer Ohnmacht haben sie aber eine brutale Macht ausgeübt über die, denen sie ihre unmenschliche Moral gepredigt haben. In ihrer Angst vor dem eigenen Schatten haben sie andern Angst gemacht vor Schuld und Sünde.

Selbstbestrafung

Wut und Brutalität als Antwort auf das Ohnmachtsgefühl richten sich aber nicht nur gegen andere, sondern oft genug gegen sich selbst. Wer sich ohnmächtig fühlt, seine eigenen Ideale zu verwirklichen, der geht mit sich selbst oft sehr rigoros um. Er versucht, seine Triebe und Leidenschaften abzuschneiden. Er verbietet sich jede Freude. Er bestraft sich ständig, wenn er doch ein Gebot übertreten hat. Die Selbstbestrafung kann sich in einem Unfall oder in einer Krankheit ausdrücken oder aber in harten Verzichten, mit denen er auf sein Versagen reagiert. Die Grausamkeit verlagert sich dann häufig ins Gewissen. Unbarmherzig urteilt das Gewissen über die eigenen Fehler. Solche Menschen zerren sich selbst ständig vor den Richterstuhl des unbarmherzigen Über-Ichs. Sie glauben zwar an die Barmherzigkeit Gottes, aber mit sich selbst gehen sie sehr unbarmherzig um. Sie verurteilen sich wegen kleinster Fehler und üben einen seelischen Terror gegen sich aus. Sie wüten in einer finsteren Askese gegen sich selbst. Eine Frau isst immer wieder zu viel und bestraft sich dann jedes Mal mit Fasten. Sie kreist immer wieder um dieses Thema Essen und Fasten. Fasten ist ja ein bewährter Weg zur inneren Freiheit. Aber wenn ich faste, um mich für mein zu vieles Essen zu bestrafen, dann gehe ich hart und grausam mit mir um. Dann führt mich das Fasten nicht in die Freiheit, sondern macht mich nur aggressiv und unzufrieden.

Resignation und Verzweiflung

Eine andere Reaktion auf die Erfahrung der eigenen Ohnmacht ist die Resignation, die Verzweiflung. Immer wieder hat man versucht, seine Fehler zu überwinden, und immer wieder ist man enttäuscht worden. Die ständige Enttäuschung über mich selbst führt zur Resignation. Ich gebe den Kampf auf und lebe dann einfach nur noch so dahin, ohne große Ziele. Meine Ideale zerbrechen. Es hat ja doch alles keinen Zweck. Ich komme ja doch nicht weiter. Nach außen arbeite ich fleißig weiter und bin weiterhin erfolgreich. Aber die Grundmelodie meines Lebens ist die Verzweiflung. Ich stürze mich in die Arbeit, um dieser Verzweiflung nicht mehr zu begegnen. Aber sie schaut mich immer wieder an, sobald ich zur Ruhe komme und nichts mehr in der Hand habe, was ich gerade anpacken könnte. Resignation und Verzweiflung sind oft der Hintergrund, auf dem Menschen sich in die Arbeit oder ins Vergnügen stürzen, sie starren uns an durch lächelnde Reklamegesichter hindurch, sie begegnen uns in den Animateuren, die andere zur Fröhlichkeit antreiben sollen, und in den Gesichtern von Managern, die rund um die Uhr arbeiten, um ihrer inneren Leere davonzulaufen. Es sind Menschen, die es aufgegeben haben, weiter zu suchen und weiter zu kämpfen. Sie geben sich resigniert mit dem Vordergründigen zufrieden und spüren in sich doch den Stachel, dass es noch etwas ganz anderes gibt, dass Gott uns zu einem anderen Leben berufen hat.

Resignation und Verzweiflung begegnen uns auch auf gesellschaftlicher und politischer Ebene. Da geben Politiker und Wirtschaftler den Kampf für eine bessere Umwelt oder für mehr Gerechtigkeit in der Welt auf, weil sie keinen Erfolg sehen. Sie spüren, dass wir auf einem Pulverfass sitzen, aber sie verschließen die Augen davor und treiben ihr Tagesgeschäft weiter. Hinter manchen früher engagierten Politikern und Managern gähnt eine verzweifelte Leere, die überdeckt wird durch ständige Aktivität. Man ist ja immer unterwegs und kämpft für gute Zwecke. Aber den eigentlichen Kampf hat man aufgegeben. Man fühlt sich ohnmächtig, wirklich etwas in dieser Welt zu erreichen. Manchmal hat man das Gefühl, dass die großtönenden Worte der Politiker nur die Ohnmacht verdecken wollen, die sie längst gespürt und vor der sie resigniert aufgegeben haben.

Wenn man einen Politiker oder Wirtschaftler, der ununterbrochen arbeitet, kritisiert, reagiert er meistens sehr empfindlich. Da spürt man, dass er mit seinem vielen Arbeiten nur die innere Ohnmacht kaschiert, die unter der Oberfläche seiner Aktivitäten lauert und ihm Angst macht.

Wege zum Umgang mit der Ohnmacht

Menschliche Wege

Wir können der Ohnmacht nicht ausweichen, weil sie wesentlich zu unserer endlichen Existenz gehört. Aber wir können auf verschiedene Weise mit unserer Ohnmacht umgehen. Wir können resignierend oder aggressiv darauf reagieren, oder aber kreativ unsere Ohnmacht gestalten. Wenn wir aktiv auf unsere Ohnmacht antworten, dann kann sie für unser Leben fruchtbar werden. Dann kann sie uns anregen, das für uns selbst oder für unsere Welt zu tun, was uns möglich ist. Sie kann zu einer Quelle von Phantasie werden, diese Welt menschlicher zu gestalten. Wenn wir aktiv auf unsere Ohnmacht reagieren, können wir sie oft auch überwinden. Wir fühlen uns dann nicht mehr ohnmächtig, weil wir selbst die Initiative ergreifen und unser Möglichstes tun. Ich möchte einige Wege aufzeigen, wie wir auf unsere Ohnmacht gegenüber der Weltsituation und gegenüber uns selbst positiv antworten können.

Gemeinsame Wege

Ein Versuch, die gesellschaftliche Ohnmacht zu überwinden, sind die Bürgerinitiativen. Man schließt sich zusammen, um für ein Anliegen zu kämpfen. Alleine würde man ohnmächtig sein,

z. B. die ruhige Lage des eigenen Wohnviertels zu verteidigen. Gemeinsam kann man etwas erreichen. Da kann man die Politiker zwingen, nochmals neu nachzudenken und andere Möglichkeiten der Verkehrsführung zu überlegen. Bürgerinitiativen kämpfen manchmal gegen Beschlüsse der Politiker, die oft genug durch Fraktionszwang gebunden sind und wider besseres Wissen entscheiden müssen. Viele Initiativen kämpfen aber nicht gegen, sondern für etwas. Sie setzen sich z. B für die Kinderbetreuung im Wohnviertel ein oder für Nachbarschaftshilfe, für Krankenbesuche, für mehr Kinderspielplätze, für Straßenfeste usw. Solche Initiativen geben das Gefühl, dass man den Zwängen der Gesellschaft nicht einfach ausgesetzt ist, sondern mitten in dieser anonymen Welt Gemeinschaft stiften und das Zusammenleben gestalten kann.

Gemeinsame Wege aus der Ohnmacht sind ferner die Versuche, eine bessere Kommunikation zu schaffen. Firmen, Pfarrgemeinden, Familien, Klöster, alle diese Gruppen leiden oft unter mangelnder Kommunikation. Sobald man aber nicht mehr gut miteinander sprechen kann, gelingt nichts mehr. Die Firma arbeitet noch weiter so vor sich hin, aber sie gestaltet die Zukunft nicht mehr, sie hat keinen Einfluss mehr auf die Menschen, es gehen keine neuen Ideen von ihr aus. Das Gleiche gilt von Klöstern und Pfarreien. Wenn man nicht mehr gut miteinander reden kann, trocknet das Leben aus. Jeder arbeitet dann zwar noch ganz verbissen, aber es geht nichts mehr zusammen. Und es geht keine Kreativität mehr von der Gemeinschaft aus. Ein Weg aus dem resignierten Alltagstrott ist der Versuch neuer Kommunikationsmodelle. Da sprechen die Menschen über ihre Gefühle, über ihre Sehnsüchte, über die Möglichkeiten und Fähigkeiten, die in ihnen stecken. Und sie sprechen über ihre Ängste und über ihre Träume und Erwartungen für die Zukunft. Dann entsteht ein Potenzial von Macht, das der Ohnmacht entgegensteht und sie überwindet. Dann sieht man auf einmal der Zukunft hoffnungsvoll entgegen, dann hat man Lust daran, die Gemeinschaft und mit ihr ein Stück Welt zu gestalten und zu formen.

Persönliche Wege

Ein persönlicher Weg aus der Ohnmacht heraus kann darin bestehen, an sich selbst zu arbeiten. Die Arbeit an sich selbst hat die Tradition Askese genannt. Sie meint damit, dass wir unser Leben selber formen durch Verzichten, durch Disziplin und durch eine gesunde Ordnung. Askese heißt eigentlich Übung. Ich trainiere mich in neue Fertigkeiten, ich trainiere mich in die innere Freiheit hinein. Heute sind wir in Gefahr, uns wehleidig zu bedauern, dass wir ja an uns nichts ändern können und ohnmächtig zusehen müssen, wie wir durch unsere Erziehung geworden sind. Askese heißt eigentlich: Lust am Gestalten, Lust daran, an mir zu arbeiten, Neues in mir zu entdecken und zu formen. In der Askese bekomme ich ein Gespür für mich, ein Gespür, dass ich selber lebe und nicht gelebt werde. Ich werde meiner mächtig, anstatt ohnmächtig zuzusehen, wie ich von außen bestimmt oder von meinen Leidenschaften beherrscht werde. Ich bin meinen Fehlern und Schwächen nicht einfach ausgeliefert. Ich kann an mir arbeiten, ich kann manches verändern, ich kann mich von manchen Zwängen befreien. Allerdings werde ich in meiner Askese immer auch an Grenzen kommen, werde auf neue Weise meine Ohnmacht erfahren, dass ich nicht alles machen kann, was ich möchte, und mich auch durch Askese nicht total in die Hand bekomme. Aber dann wird diese Ohnmacht zum Ort der Erfahrung von Gnade und nicht zur Quelle von Resignation.

Wenn sich jemand seinen Ängsten oder seinen Leidenschaften gegenüber ohnmächtig fühlt, dann hilft oft eine therapeutische Begleitung. In der Therapie kann ich die Ursachen meiner Angst oder meines Jähzorns entdecken und mich mit den Wunden der Vergangenheit aussöhnen. Die Erkenntnis der Ursachen allein allerdings heilt mich noch nicht. Ich muss die Schmerzen nochmals zulassen, die ich als Kind erlebt habe, ich muss sie betrauern, um dann Abschied zu nehmen von den Reaktionsweisen der Kindheit. Langsam kann ich dann lernen, kreativ mit meiner Angst oder mit meinen Wunden umzugehen. Ich stehe meiner Angst nicht mehr ohnmächtig gegenüber, sondern kann auf sie angemessen reagieren. Ich spüre, dass sie einen Sinn hat, dass sie mich auf das rechte Maß hinweisen möchte. Therapie wird mich nie dazu führen, mich nie mehr ohnmächtig zu fühlen. Sie kann mir aber helfen, anders mit meiner Ohnmacht umzugehen, mich zuerst mit ihr auszusöhnen und dann die Möglichkeiten, die mir zur Verfügung stehen, auszuprobieren. C. G. Jung meint, es komme darauf an, dass ich irgendwann in meinem Leben die Verantwortung für mein Leben selbst in die Hand nehme, dass ich ja sage zu meiner Vergangenheit und sie als das Material verstehe, das es zu formen gilt. Wenn ich die Verantwortung für mein Leben übernehme, gehe ich aktiv um mit der Erfahrung der Ohnmacht. Ich weiß, dass ich nicht alles machen kann, was ich will. Aber ich kann doch manches in meinem Leben verwandeln. Dann werde ich nicht mehr von meinen Verletzungen bestimmt, sie werden vielmehr zu einer Quelle neuer Möglichkeiten. Viele bleiben heute im Jammern stecken, dass sie es so schlimm hätten, ohne danach zu suchen, wie ihre Wunden geheilt werden und wie sie neue Möglichkeiten in sich entdecken könnten.

Gesunde Rituale

Viele haben heute das Gefühl, dass sie von Sachzwängen bestimmt werden. Sie fühlen sich ohnmächtig diesen Zwängen gegenüber. Gesunde Rituale können uns helfen, unserem Leben eine Form zu geben, die uns gut tut. Wenn ich gesunde Rituale entwickle, Rituale, wie ich den Tag beginne oder beschließe, wie ich das Wochenende gestalte, dann habe ich das Gefühl, dass ich selber lebe, anstatt gelebt zu werden. Ich bin dieser Welt mit ihren Zwängen nicht ohnmächtig ausgesetzt. Ich kann meinem Leben selber eine Form geben, die mir Spaß macht. Nach Sigmund Freud haben die Rituale die Aufgabe, die Angst zu bannen. Formlosigkeit erzeugt Angst. Rituale helfen uns, diese Angst zu überwinden. Rituale sind Teil einer gesunden Lebenskultur. Die Kultur, die wir unserem Leben geben, befreit uns von dem Gefühl, von andern bestimmt zu werden. Wir können unsere Lebenskultur selber gestalten. Rituale und Lebenskultur stärken unser Gefühl der Identität und der Freiheit. Und sie vermitteln Lust am Leben. Ich habe Lust daran, meinem Leben eine schöne und gesunde Form zu geben. Ich fühle mich wohl in meinen Ritualen. Sie sind Ausdruck meiner Phantasie und meiner Freiheit. Ich stehe meinem Leben nicht ohnmächtig gegenüber, ich übernehme die Verantwortung für mein Leben und gestalte es so, dass es mir gut tut.

Sich von der Macht des anderen befreien

Viele Menschen fühlen sich ohnmächtig andern gegenüber. Sie können sich nicht wehren gegenüber dem Chef, dem Ehepartner, dem Arbeitskollegen, der sie verletzt. Sie sind machtlos den Sticheleien und Verwundungen ausgeliefert. Da kann die Wut ein wichtiges Medikament sein, das uns von der Ohnmacht Menschen gegenüber befreit. Die Wut ist die Kraft, mich vom andern zu distanzieren, den andern, der mich verletzt hat, aus mir hinauszuwerfen. Ein wichtiger Grundsatz im Umgang mit Menschen, die mich verletzen und bestimmen, ist: Der andere hat immer nur so viel Macht über mich, wie ich ihm gebe. Ich kann kaum verhindern, dass ich empfindlich reagiere, wenn mich einer kränkt. Aber ob ich den ganzen Tag Selbstgespräche führe und um meine Verletzung kreise, das ist meine Entscheidung. Ich kann nicht jedes Gefühl von Ärger unterdrücken. Aber ob ich mich in meinen Ärger hineinsteigere oder ob ich mich davon distanziere, das ist in meiner Hand. Der Ärger ist ja durchaus eine positive Kraft. Denn er treibt mich dazu an, etwas zu ändern. Ich kann eine Situation ändern, über die ich mich ärgere, indem ich etwas anders organisiere. Oder ich kann meine Beziehung zu dem ändern, der mich ärgert. Dann ist der Ärger die Kraft, mich vom andern zu distanzieren, ihn innerlich aus mir hinauszuwerfen, ihm ein inneres Hausverbot zu erteilen. Ich verbiete mir, in meinem Haus, in meinem Zimmer ständig über den andern nachzudenken. Da hat er keinen Platz. Ich erweise ihm nicht die Ehre, mir von ihm mein Abendessen verderben zu lassen. Es liegt an mir, ob ich mich dem andern gegenüber ohnmächtig fühle oder ob ich mich von der Macht des andern befreie, indem ich mich von ihm distanziere und ihn aus meinem Herzen hinauswerfe.

Ich begleite immer wieder Frauen, die als Kinder sexuell missbraucht worden sind. Das Fatale ist, dass sie neben ihrer Wut zugleich Schuldgefühle haben, dass sie sich nicht gewehrt haben oder wieder zu diesem Mann hingegangen sind. Ich versuche, diesen Frauen Mut zu machen, mit ihrer Wut in Berührung zu kommen, den, der sie so in ihrer Würde verletzt hat, aus sich hinauszuwerfen. Das ist dann oft der Anfang der Heilung. Wenn der andere, der mich verletzt hat, noch in meinem Herzen ist, wäre die Vergebung nur ein masochistisches Sich-selber-Kränken. Ich würde weiter in meiner Wunde bohren. Erst wenn ich den Verwunder aus mir hinauswerfe, kann ich ihn objektiver sehen und ihm von Herzen vergeben. Die Vergebung ist dann die endgültige Befreiung von der Macht des andern. Wer nicht vergeben kann, der wird von dem bestimmt, der ihn gekränkt hat. Er trägt die Wunde immer noch mit sich herum. Erst wenn ich vergebe, befreie ich mich vom andern. Manche werden nicht gesund, weil sie einem Menschen noch nicht vergeben haben.

Umgang mit Macht

Das Gegenteil von Ohnmacht ist Macht. Wir haben heute ein zwiespältiges Verhältnis zur Macht. Wir denken sofort an Machtmissbrauch, an Macht, die wir über andere ausüben. Aber Macht ist durchaus etwas Positives. Ursprünglich bezeichnet Macht, vom althochdeutschen »mugan« = vermögen, können, abgeleitet, »die Fähigkeit, etwas frei und mit eigener Kraft zu verwirklichen, so wie man sagt, es sei jemand ›einer Sprache mächtig‹, oder vor allem, er sei ›seiner selbst mächtig‹, und eben nicht ›ohnmächtig‹.«[17] Zunächst ist Macht also Macht über mich selbst, die Fähigkeit, mich selbst zu gestalten, selber zu leben, anstatt gelebt zu werden. Auch das griechische und das lateinische Wort für Macht, dynamis bzw. potestas, kommt jeweils von »können, vermögen«. Aber es klingt noch eine andere Bedeutung an: dynamis heißt auch Kraft. Lukas versteht Jesus als begabt mit besonderer Kraft. Schon bei seiner Empfängnis hat sich die Kraft des Höchsten über ihn gesenkt (Lk 1,35). In der Kraft Gottes wirkt Jesus seine Wundertaten (= dynameis = Krafttaten). Die Jünger haben teil an der Christuskraft. In seiner Kraft wirken auch sie Wundertaten. Macht ist für die Griechen identisch mit dem Sein, und sie ist ein wesentliches Attribut Gottes. Der Christ, der der göttlichen Natur teilhaft geworden ist (vgl. 2 Petr 1,3f), hat auch teil an der Macht Gottes. Er ist dazu berufen, sein eigenes Leben und die Welt im Sinne Gottes zu gestalten.

Erst in zweiter Linie bedeutet Macht den Auftrag zum Führen und Leiten. Ich erlebe bei Menschen, die Verantwortung über andere haben, oft ein Jammern, dass man mit den schwierigen Mitarbeitern nichts machen könne, dass man da ohnmächtig kapitulieren müsse. Wirkliche Führung ist eine Antwort auf die Erfahrung der Ohnmacht. Führen heißt, neue Möglichkeiten entdecken und in den Menschen hervorlocken. Jesus selbst zeigt uns auf, wie wir Macht im positiven Sinn verstehen sollen: »Die Könige herrschen über ihre Völker, und die Mächtigen lassen sich Wohltäter nennen. Bei euch aber soll es nicht so sein, sondern der Größte unter euch soll werden wie der Kleinste, und der Führende soll werden wie der Dienende« (Lk 22,25f). Die Könige herrschen über die Völker, sie beherrschen und bestimmen sie, sie üben Macht über sie aus, indem sie andere erniedrigen. Sie halten die Völker klein, um selbst groß zu erscheinen. Sie leben auf Kosten der Unterdrückten. Und die Mächtigen lassen sich Wohltäter nennen. Sie benutzen ihre Macht dazu, um gut vor den andern dazustehen. Sie missbrauchen also die Macht für sich selbst. Die Macht, die der Führende im Sinne Jesu ausübt, ist ein Dienst. Sie dient den Menschen, sie dient dem Leben, sie lockt im Menschen seine Fähigkeiten und Möglichkeiten hervor. Sie bringt ihn in Berührung mit seinen eigenen Träumen, mit dem, was in ihm an Möglichkeiten steckt. Jeder von uns ist immer zugleich Führer und Geführter, jeder hat schon mit seinem Sein auch Macht mitbekommen. Die Macht ist die Lust, das Leben zu gestalten und in den Menschen Leben hervorzulocken. In diesem Sinne haben wir teil an der Macht Gottes.

In christlichen Kreisen herrscht oft ein zwiespältiges Verhältnis zur Macht. Man weigert sich, Macht auszuüben, weil sie unserem Ideal der Selbstlosigkeit und Nächstenliebe nicht zu entsprechen scheint. Aber das Fatale ist, dass die verdrängte Macht für die Menschen schlimmer ist als offene Macht. Gegen eine klare Macht kann man sich wehren, gegen die Macht, die aus der Verdrängung heraus subtil und versteckt ausgeübt wird, ist man ohnmächtig. Weil man in der Kirche Macht verteufelt, übt man in ihr oft eine destruktive Macht aus. Eine Macht, hinter der man sich versteckt, die nicht offen sichtbar ist, zerstört, anstatt aufzubauen. Es wäre eine wichtige Aufgabe für unsere Kirchen, einen neuen Umgang mit Macht zu versuchen. Macht ist auch die Lust, etwas zu gestalten, diese Welt mitzugestalten, in den Menschen Leben hervorzulocken und dem Leben zu dienen, damit das Leben, das Gott uns geschenkt hat, in vielen Menschen aufblühen kann. Die Macht, so sagt Karl Rahner, ist »eine Gabe Gottes, Ausdruck seiner eigenen Macht, Teil der Repräsentation Gottes in der Welt«.[18] Für Klaus Hemmerle, den verstorbenen Bischof von Aachen, ist das eigentliche Ziel der Macht »das Mächtigsein des Guten und des Rechtes in Gestalt des Gemeinwohles ... Macht ist wirksame Ordnung menschlichen Mitseins als Seins in der Welt.«[19] Anstatt ohnmächtig vor den persönlichen Schwierigkeiten und vor den Weltproblemen zu stehen, sollten wir dankbar sein für die Macht, die Gott uns geschenkt hat, und sie so einsetzen, dass wir das eigene Leben und die Welt nach Gottes Willen gestalten.

Oft hat die religiöse Erziehung dazu geführt, dass sich Menschen ohnmächtig fühlen. Wenn Gott einseitig als der allmächtige Herrscher gesehen wird, bleibt dem Menschen oft nichts anderes übrig, als sich selbst klein und ohnmächtig zu erleben. Dem strengen und strafenden Gott gegenüber, der alles sieht, habe ich keine Chance zu entrinnen. Da werde ich auf jeden Fall dabei ertappt, dass ich einen Fehler mache. Ich bin machtlos seiner Allmacht ausgeliefert. Es gibt ein Sprechen von der Verdorbenheit des Menschen, das unsere Ohnmachtsgefühle verstärkt, weil wir uns immer als Sünder fühlen, die sich vor Gott an die Brust schlagen und um Vergebung bitten müssen.

Manchmal wird auch die Menschlichkeit Jesu außer Acht gelassen und nur die Göttlichkeit betont. Dann werden die Wunder Jesu in so grellen Farben geschildert, dass wir uns nur noch klein und minderwertig fühlen können. Die Göttlichkeit Jesu und die Allmacht Gottes heben dann unsere Ohnmacht nicht auf, sondern verstärken sie.

Demgegenüber hat uns Jesus ein ganz anderes Bild vom Menschen gezeigt. Er hat die Menschen, die erdrückt waren von der Last des Lebens, die man klein gemacht und gekrümmt hat, denen man das Rückgrat gebrochen hat, wieder aufgerichtet und ihnen ihre göttliche Würde gezeigt (vgl. Lk 13,10ff). Und in seiner Auferstehung hat Christus uns alle aufgerichtet. Daher haben die frühen Christen in Erinnerung an die Auferstehung Jesu immer aufrecht stehend gebetet. Im Gebet haben sie erfahren, dass Christus ihnen göttliche Würde geschenkt hat.

Johannes hat Jesus auch in seiner Passion als königlichen Menschen geschildert, damit wir in den Bedrängnissen unseres Lebens unsere königliche Würde durchhalten. Als Pilatus Jesus fragt: »Was hast du getan?«, da antwortet er: »Mein Königtum ist nicht von dieser Welt« (Joh 18,36). Weil Jesu Königtum nicht von dieser Welt ist, hat weder Pilatus Macht über ihn noch die Soldaten, die Jesus gefangen nehmen, geißeln und kreuzigen. Nach außen hin erleidet Jesus den schrecklichen Tod am Kreuz. Aber für Johannes ist die Kreuzigung Jesu nur die Thronbesteigung des wahren Königs. Was Johannes hier von Jesus schreibt, gilt auch für uns. Mitten in unserer Passion, dort, wo wir abgelehnt, verurteilt, lächerlich gemacht, verletzt und gekränkt werden, dürfen wir sagen: »Mein Königtum ist nicht von dieser Welt.« Es gibt in uns eine göttliche Würde, die uns keine Macht der Welt nehmen kann, weil sie eben nicht von dieser Welt ist. Selbst in der größten Ohnmacht des Todes kann uns unsere königliche Würde nicht geraubt werden.

Die katholische Kirche feiert am letzten Sonntag im Kirchenjahr das Christkönigsfest. Was schon in anderen Festen angeklungen ist, etwa im Fest Epiphanie, dass Christus König ist über die ganze Erde, das wird am Ende des Kirchenjahres nochmals eigens thematisiert. Dabei geht es nicht bloß um die Proklamation Christi als König, sondern darum, dass wir im König Christus uns selbst als königliche Menschen erfahren. Der König ist ein Bild für den Menschen, der sich selbst beherrscht, der Herr ist über seine Leidenschaften und nicht ohnmächtig seinen Feinden ausgeliefert ist. Für die Griechen ist der König zugleich der Weise, der die Höhen und Tiefen des Menschseins kennt. Martin Buber überliefert ein Wort des Rabbi Schlomo: »Was ist die schlimmste Tat des bösen Triebs? Und er antwortete: Wenn der Mensch vergisst, dass er ein Königssohn ist.«[20] Wir feiern das Fest Christkönig, damit wir aufrechter in unseren Alltag gehen, damit wir an unsere königliche Würde glauben. Die Liturgie will uns also nicht unsere Ohnmacht vor Augen halten, sondern uns einladen, unser wahres Wesen als Christ zu entdecken und zu erleben, dass wir teilhaben am Königtum Christi, dass wir eine göttliche Würde haben, die uns aufrecht gehen lässt und uns Freiheit schenkt gegenüber allen Mächten dieser Welt. Über unseren göttlichen Kern hat nichts in dieser Welt Macht.

Befreiung von der Macht der Welt

Diesen göttlichen Kern hat auch die Mystik im Blick, wenn sie davon spricht, dass wir in uns einen Raum der Stille haben, in dem allein Gott wohnt, über den diese Welt keine Macht hat. Der Gott, der in uns wohnt, ist der Exodusgott, der Gott, der uns befreit von den Fronvögten, die uns zu Höchstleistungen antreiben, die uns dazu bringen, unsere Freiheit aufzugeben, nur um an den Fleischtöpfen Ägyptens sitzen zu können. Gott befreit uns von der Macht der Welt, von der Macht der Menschen, ihren Ansprüchen und Erwartungen, ihren Urteilen und Verurteilungen. Und er befreit uns von der Macht des eigenen Über-Ichs, den Selbstbeschuldigungen und Selbstvorwürfen, von der Selbstbestrafung und Selbstentwertung.

In der Taufe sind wir mit Christus dieser Welt gestorben. So sagt es uns die Tauftheologie. Der Welt gegenüber sterben meint hier nicht etwas Negatives, sondern den Weg der Freiheit. Wenn ich dieser Welt gestorben bin, dann hat sie keine Macht über mich. Ich erfahre in der Taufe, dass in mir noch ein anderes Leben ist, ein göttliches Leben, über das diese Welt nicht verfügen kann. An diese Wirklichkeit unserer Taufe will uns jede Eucharistiefeier erinnern, in der wir mit dem Tod und der Auferstehung auch unsern Tod dieser Welt gegenüber feiern. Und wenn wir beim Betreten einer Kirche oder – in manchen Gegenden – beim Verlassen des Hauses Weihwasser nehmen, dann ist das immer wieder die Erinnerung daran, dass wir aus einer anderen Wirklichkeit heraus leben, aus einer Wirklichkeit, über die diese Welt glücklicherweise keine Macht hat.

Sich aussöhnen mit der eigenen Ohnmacht

Es ist eine Urversuchung des Menschen, Gottes Allmacht gegen seine Ohnmacht anzurufen, zu meinen, durch Gebet und ein frommes Leben von seiner Ohnmacht befreit zu werden. Das christliche Paradox ist jedoch, dass wir uns mit unserer Ohnmacht aussöhnen müssen. In Jesus Christus hat Gott sich selbst in seiner Ohnmacht offenbart. Für Dietrich Bonhoeffer war die Erfahrung der Ohnmacht Gottes eine entscheidende Erfahrung, die ihn im Gefängnis in Tegel zu einer neuen Konzeption seiner Theologie geführt hat: »Vor und mit Gott leben wir ohne Gott. Gott lässt sich aus der Welt herausdrängen ans Kreuz, Gott ist ohnmächtig und schwach in der Welt, und gerade und nur so ist er bei uns und hilft uns.«[21] Das Bild des ohnmächtigen Gottes führt zu einem anderen Selbstbild als das des allmächtigen Herrschers. Wenn Gott in der Menschwerdung und im Tod seines Sohnes sich ohnmächtig offenbart, dann ist das eine Einladung, uns mit unserer eigenen Ohnmacht auszusöhnen. Es ist aber keine Ohnmacht vor Gott, in der ich mich vor dem großen Gott klein fühle, sondern eine Ohnmacht mit Gott, in der ich Gottes Nähe erahne. Unsere Ohnmacht wird dann zum Ort der Gotteserfahrung. Gerade dort, wo ich nichts mehr vermag, wo ich am Ende bin, wo ich scheitere, kann mich Gott für sich aufbrechen. Dort bleibt mir nichts anderes übrig, als meine leeren Hände Gott hinzuhalten und mich in Gott hinein zu ergeben.

Für den Christen gehört die Ohnmacht wesentlich zu seiner Existenz. Wer an Christus, den Gekreuzigten, glaubt und auf ihn schaut, sieht in ihm die Ohnmacht Gottes dargestellt. Jesus endet in der Ohnmacht des Kreuzes. Der Prediger des Kreuzes, der Apostel Paulus, musste am eigenen Leib erfahren, dass er ohnmächtig war gegenüber dem Stachel, der ihm im Fleisch saß. Dieser Stachel war offensichtlich eine peinliche Krankheit, die Paulus bei seiner Predigt behindert hat. Paulus bat dreimal den Herrn, dass er ihn von diesem Stachel befreien möge. Aber Christus führte ihn ein in das Geheimnis seiner Gnade, die gerade in seiner Schwachheit zur Vollendung kommt: »Meine

Gnade genügt dir; denn sie erweist ihre Kraft in der Schwachheit« (2 Kor 12,9). Paulus war der Meinung, er könne nur dann ein guter Verkündiger von Christi Botschaft sein, wenn er gut auftreten und den Korinthern gegenüber gesund erscheinen könnte. Er musste sich von Christus belehren lassen, dass er nicht nur seine Kraft, sondern genauso auch seine Schwachheit und seine Ohnmacht benützen und durch sie hindurch wirken kann. Wir sind gerade dort durchlässig für Gottes Gnade, wo wir unsere Ohnmacht erfahren. Wo wir gebrochen sind, sind wir auch aufgebrochen für Gottes Liebe, da behindert nicht mehr das eigene Wollen Gottes Wirken.

Wohl jeder Mensch erlebt im Laufe seines Lebens einmal, was Paulus am eigenen Leib erfahren hat, nämlich dass Gottes Kraft gerade dann erfahrbar wird, wenn er am Nullpunkt ankommt, wenn ihm alles aus der Hand genommen wird, wenn er schmerzlich eingestehen muss, dass er für sich nie garantieren kann. Offensichtlich müssen wir immer wieder erfahren, dass unsere Kraft von Gott kommt und nicht von uns selbst. Unserer letzten Ohnmacht werden wir im Tode begegnen. Da wird uns alles entrissen, da können wir nichts mehr in der Hand behalten. Da können wir uns nur noch ohnmächtig in Gottes gütige Hände fallen lassen. In der Ohnmacht, die wir Tag für Tag erfahren, scheint schon die Ohnmacht des Todes durch. So lädt uns jede Ohnmacht, die wir erleben, dazu ein, uns auszusöhnen mit unserer sterblichen Natur, mit unserer Hinfälligkeit und mit der Schwachheit unserer fleischlichen Existenz. Zugleich aber lädt uns die Ohnmacht ein, an die Kraft Gottes zu glauben, an die Auferstehungskraft, in der Gottes Kraft auch an uns sieghaft offenbar werden wird. Es ist eine befreiende Erfahrung, die aus unserer Ohnmacht entspringt, die Erfahrung, dass wir nicht alles selber machen müssen, dass wir schwach sein dürfen, dass wir in unserer Schwäche von Gottes Kraft umfangen sind. Wenn ich mir jede Schwäche verbiete, muss ich ständig in der Angst leben, doch zu versagen. Wenn ich aber weiß, dass sich Gottes Gnade sowohl in meiner Stärke als auch in meiner Schwachheit zeigen kann, dann darf ich getrost meine leeren Hände öffnen und sie Gott hinhalten. Dann werde ich einen tiefen inneren Frieden erfahren und die Freiheit vom Zwang, mich selbst vervollkommnen zu müssen.

Gebet und Ohnmacht

Das Gebet kann uns von der Macht befreien, die andere über uns ausüben. Das zeigt uns das Gleichnis vom gottlosen Richter (Lk 18,1–8). Jesus schildert am Beispiel der Witwe, die um ihr Recht kämpft, das ihr der Feind streitig macht und um das sich der gottlose Richter nicht kümmert, dass das Gebet uns das Recht auf Leben verschafft. Das Gebet führt mich in den Raum der Stille, in dem Gott in mir wohnt, in dem niemand Macht hat über mich. Zu diesem Raum der Stille haben die Feinde keinen Zutritt, weder die Feinde von außen noch die inneren Feinde, die mich am Leben hindern. Und dort wird der Richter entmachtet, der sich weder um Gott noch um die Menschen kümmert. Der gottlose Richter ist ein Bild für unser Über-Ich, das sich nicht dafür interessiert, ob es uns gut geht, das sich um unsere göttliche Würde nicht schert. Im Gebet verhilft mir Gott zu meinem Recht, da führt er mich in den Raum der Freiheit, da erfahre ich an dem inneren Ort der Stille schon wirkliches Leben, da erlebe ich einen Schutzraum, in dem ich ganz ich selber sein darf.

Freilich wird mich das Gebet nicht einfach von meiner Ohnmacht befreien, die ich meinen Leidenschaften und Ängsten oder der Welt gegenüber spüre. Das Gebet ist kein Trick, der alle Probleme löst. Aber im Gebet kann ich den Ort der Stille in mir entdecken, zu dem die Probleme der Welt und meine eigenen lärmenden Gedanken keinen Zutritt haben. Wenn mich jemand tief verletzt hat, dann ist die Verletzung nicht einfach weg, wenn ich in der Meditation den Raum der Stille in mir berühre. Aber sie relativiert sich. Für den Augenblick des Gebetes fühle ich mich frei von der Verletzung. Mein Herz ist immer noch verwundet, aber im Seelengrund (Tauler), in der inneren Zelle (Katharina von Siena), im Sanctissimum, im inneren Heiligtum, dem Raum, den die Menschen nicht betreten dürfen, da hat die Kränkung keinen Zutritt. Es gibt in mir einen Bereich, zu dem die Gefühle der Angst, der Wut, der Eifersucht und des Jähzorns nicht hindringen und in dem mich niemand kränken kann. Aber sobald ich vom Gebet wieder in meinen Alltag zurückkehre, werde ich trotzdem empfindlich sein, wenn ich kritisiert werde. Dann wird die Verletzung immer noch schmerzen. Mein Herz ist genauso verwundet wie zuvor. Aber es ahnt, dass es nicht ganz und gar durchtränkt ist von der Kränkung, dass es in sich einen Raum birgt, der davon unberührt ist. Das gibt mitten in der Verletzung eine Ahnung von Heilung und Befreiung, von Frieden und Zuversicht.

Anteil an Christi Vollmacht

Jesus verheißt den Jüngern, die ihm nachgefolgt sind: »Wenn die Welt neu geschaffen wird und der Menschensohn sich auf den Thron der Herrlichkeit setzt, werdet ihr, die ihr mir nachgefolgt seid, auf zwölf Thronen sitzen und die zwölf Stämme Israels richten« (Mt 19,28). Sie werden also Anteil erhalten an der Macht und Herrschaft Jesu Christi. Das gilt aber nicht nur für die Macht, die sie am Ende der Zeiten haben werden, sondern schon für ihr Wirken in dieser Welt. Sie haben jetzt schon teil an Christi Macht. In seinem Namen und in seiner Macht »werden sie Dämonen austreiben; sie werden in neuen Sprachen reden; wenn sie Schlangen anfassen oder tödliches Gift trinken, wird es ihnen nicht schaden; und die Kranken, denen sie die Hände auflegen, werden gesund werden« (Mk 16,17f). Die Macht, die Christus über die Dämonen hatte, teilt er auch seinen Jüngern mit. Die Vollmacht, mit der Jesus gepredigt hat, wird auch im Wort der Jünger erfahrbar, wenn sie im Namen Jesu und in Jesu Geist sprechen. Wenn in einem Menschen Christi Geist erfahrbar wird, dann können sich die Dämonen nicht mehr halten. Sie werden ans Tageslicht gezerrt und müssen den Menschen verlassen, den sie besetzt halten. Dort, wo Christi Geist wirksam wird, haben die unreinen Geister, die unklaren Ideen, die Komplexe, die hin- und herzerrenden Gedanken keine Macht mehr über die Menschen.

Die Frage ist, ob und wie die biblischen Gedanken über die Macht Christi und seiner Jünger uns heute helfen können, unsere Ohnmachtsgefühle angesichts der eigenen Schwächen und angesichts der heutigen Weltsituation zu überwinden. Die Wiederholung der biblischen Worte über die Allmacht Gottes und die Herrschaft Christi allein befreien uns noch nicht von unserer Ohnmacht. Ich möchte einige Erfahrungen beschreiben, die zeigen können, wie der Glaube an die Macht Gottes vom Gefühl der Ohnmacht befreien kann.

Im Gespräch mit Menschen fühle ich oft eine Ohnmacht, ihnen zu helfen. Der Gesprächspartner ist so von wirren Ideen besetzt oder so von den Wunden der Kindheit geprägt, dass meine Worte ihn kaum erreichen. Alle Versuche, gemeinsam zu erspüren, was ihm helfen könnte, schlagen fehl. Da hilft es mir, beim gemeinsamen Chorgebet für diesen Menschen zu beten, indem ich Gott bitte, die Feinde zu zermalmen: »Meinen Verfolgern entreiß mich; sie sind viel stärker als ich. Führe mich heraus aus dem Kerker, damit ich deinen Namen preise« (Ps 142, 7). »Vertilge in deiner Huld meine Feinde, lass all meine Gegner untergehn! Denn ich bin dein Knecht« (Ps 143,12). In diesen Psalmworten spüre ich die Kraft Gottes, die stärker ist als die Mächte, die meinen Gesprächspartner gefangen halten. Die gleichen Verse kann ich auch angesichts der Ohnmacht meinen eigenen Schwächen gegenüber beten: »Herr, entreiß mich den Feinden! Zu dir nehme ich meine Zuflucht« (Ps 143,9). Manchmal bete ich in solchen Situationen Psalm 31 und stelle mir vor, dass Jesus diese Worte sterbend am Kreuz an seinen Vater gerichtet hat, dass er da mitten in der Schwäche des Todes die Macht des Vaters spürte, auf den er vertraute: »Du wirst mich befreien aus dem Netz, das sie mir heimlich legten; denn du bist meine Zuflucht. In deine Hände lege ich voll Vertrauen meinen Geist; du hast mich erlöst, Herr, du treuer Gott!« (Ps 31,5f). Dann wächst in mir die Hoffnung, dass selbst in der größten Ohnmacht das Vertrauen auf Gottes helfende Nähe mich aufrichten und stärken kann, sodass ich nicht verzweifle, sondern mich vertrauend in Gottes Hände gebe.

Die Ohnmacht, die uns heute wohl am meisten lähmt, ist die, die wir angesichts unserer Weltsituation empfinden. Wir müssen uns davor hüten, einfach von der Überwindung unserer Ohnmacht durch die Allmacht Gottes zu sprechen. Denn es ist ja gerade eine Glaubenserfahrung, dass der allmächtige Gott zu schweigen scheint und von seiner Macht nichts zu sehen ist. Es ist eine Anfrage an unsern Glauben, dass Gott nicht eingreift angesichts der Gräueltaten, die vielerorts auf unserer Welt geschehen. Was soll da das Sprechen vom allmächtigen Gott, wenn er selbst ohnmächtig zuschaut, wie die Menschen seine Schöpfung zerstören? Das Volk Israel hat es immer wieder schmerzlich erfahren, dass Gott sich anscheinend zurückzog und nicht eingriff. Die Geschichte Israels ist eine einzige Geschichte des Scheiterns und der Ohnmacht. Die christlichen Kirchen machen heute in Europa wohl eine ähnliche Erfahrung durch. Sie spüren ihre Ohnmacht, dass sie trotz Gebet und trotz aller Anstrengungen immer mehr Mitglieder verlieren und dass man sich für sie immer weniger interessiert. Als Christen können wir sowohl im Hinblick auf die Situation der Kirchen als auch im Blick auf uns selbst mit dem Psalmisten beten: »Deine Widersacher lärmten an deiner heiligen Stätte, stellten ihre Banner auf als Zeichen des Sieges ... Zeichen für uns sehen wir nicht, es ist kein Prophet mehr da, niemand von uns weiß, wie lange noch. Wie lange, Gott, darf der Bedränger noch schmähen, darf der Feind ewig deinen Namen lästern? Warum ziehst du die Hand von uns ab, hältst deine Rechte im Gewand verborgen?« (Ps 74,4.8–11). Oder wir machen eine ähnliche Erfahrung, wie sie Jesaja schildert: »Wir hoffen auf Licht, doch es bleibt finster; wir hoffen auf den Anbruch des Tages, doch wir gehen im Dunkeln. Wir tasten uns wie Blinde an der Wand entlang und tappen dahin, als hätten wir keine Augen. Wir stolpern am Mittag, als wäre schon Dämmerung, wir leben im Finstern wie die Toten ... Wir hoffen auf unser Recht, doch es kommt nicht, und auf die Rettung, doch sie bleibt uns fern« (Jes 59,9–11). Für viele ist die Ohnmacht Gottes eine Versuchung, an Gott überhaupt zu zweifeln, den Glauben über Bord zu werfen. Wie kann Gott das zulassen, er, der doch allmächtig ist! Es auszuhalten, dass Gott nicht eingreift, ist für jeden Christen eine Herausforderung an seinen Glauben, die er allein im Blick auf das Leiden Christi am Kreuz annehmen kann.

Wenn ich das Elend der Welt anschaue, vor dem ich ohnmächtig stehe, dann löst das Beten meine Ohnmachtsgefühle nicht einfach auf. Aber es hilft mir trotzdem, wenn ich mir vorstelle, dass die Mörder nicht über ihre Opfer triumphieren werden und die Welt trotz allem in der Hand Gottes ist und nicht in der Hand dieser verrückten Kriegshetzer. Es braucht einen starken Glauben, um angesichts der eigenen Ohnmacht nicht zu verzweifeln. Da ist es natürlich leichter, die Augen zu verschließen und die Situation in den Kriegsgebieten zu verharmlosen oder die Schuld den Menschen dort in die Schuhe zu schieben. Der Glaube an Gottes Allmacht ist kein Opium, das mir die Augen vor der Not der Menschen verschließt. Vielmehr treibt mich das Gebet für diese Menschen auch dazu, das mir Mögliche zu tun. Ora et labora, Kontemplation und Kampf, Ergebung und Widerstand (D. Bonhoeffer), Mystik und Politik gehören zusammen. Ich kann mich nicht zurückziehen auf das Beten. Oft genug kann mich das Beten herausfordern, das zu tun, was Gott mir jetzt zugedacht hat. Das Vertrauen auf Gottes Allmacht ist kein billiges Trostpflaster, aber es kann doch inmitten der sinnlosen Wut, die angesichts unserer Ohnmacht in uns auftaucht, einen Funken Hoffnung entzünden, der dann zu einem vernünftigen Handeln ruft.

Die Macht des Gebets

Die Mönche auf dem Berg Athos sind überzeugt, dass nur deshalb unsere Welt noch nicht in Schutt und Asche versunken ist, weil überall auf der Welt gebetet wird, weil es keine Minute gibt, in der nicht irgendjemand sein Gebet zu Gott richtet. Starez Siluan glaubt: »Allein das Gebet der Liebe ist stark genug, den Lauf der Geschichte bedeutsam zu beeinflussen und die Ausmaße des Bösen einzudämmen.«[22] Die Schweizer glauben heute noch, dass sie ihren jahrhundertelangen Frieden dem Gebet des heiligen Klaus von der Flüe verdanken. Man kann die Macht des Betens nicht beweisen. Aber alle Religionen sind davon überzeugt, dass das Gebet ein Machtpotenzial darstellt, das den destruktiven Mächten dieser Welt überlegen ist. Ich wurde von Vertretern der Friedensbewegung gefragt, ob denn das Beten für sich allein nütze. Demonstrieren würde doch viel eher etwas in den Köpfen der Politiker bewegen. Natürlich kann ich nicht beweisen, ob und wie das Beten die Denkstrukturen der Mächtigen verwandelt. Demonstrationen haben sicher auch ihren Wert. Aber für mich hat das Gebet durchaus die Macht, in dieser Welt etwas in Bewegung zu bringen. Die Frage ist, was die Wandlung im Osten oder den Frieden zwischen Israel und den Arabern und die Aufhebung der Apartheid in Südafrika bewirkt hat. Ich glaube an die Macht des Gebetes, das einen Stein ins Rollen bringt.

Die Macht der Liebe

Wir Christen glauben aber nicht nur an die Macht des Gebetes, sondern genauso an die Macht der Liebe. Die Liebe Gottes ist in Jesus Christus hier auf Erden aufgeleuchtet. Sie hat die Kranken geheilt, und sie hat Menschen aufgerichtet. Im Kreuz wurde die Liebe Christi am reinsten sichtbar. Da hat Jesus selbst die noch geliebt, die ihn ans Kreuz schlugen. So lädt uns diese Liebe ein, unsere Selbstverurteilung aufzugeben. Wenn Jesus selbst seine Mörder noch liebt, so darf auch ich mich von ihm geliebt wissen und mich selber lieben. Die Liebe Jesu Christi hat in den letzten 2000 Jahren überall auf der Welt Inseln der Menschlichkeit entstehen lassen. Da haben sich immer wieder Menschen von dieser Liebe anstecken lassen und damit ein Stück Welt menschlicher und liebenswerter gemacht. Es war immer wieder die Liebe, die Barrieren zwischen Menschen und Völkern abgebaut hat. Das Gebet will mich zur Liebe bewegen. Die Liebe muss aber dann sowohl in der Gesinnung als auch im Tun sichtbar werden. Es war die Liebe, die Anwar Sadat als frommer Moslem in seinem Herzen hatte, die es möglich machte, mit Israel Frieden zu schließen. Es war die Liebe in Martin Luther King, die gewaltlos die Fronten zwischen Schwarz und Weiß aufgebrochen hat. Die Versöhnung zwischen Frankreich und Deutschland ist nicht allein durch die Politiker zustande gekommen, sondern weil es auf beiden Seiten genügend Menschen gab, die einander liebten, für die die Liebe stärker war als der Hass, den eine jahrhundertelange Rivalität erzeugt hatte. Die Märchen erzählen uns, wie die Liebe einen Menschen verwandeln kann, wie sie den Stein zum Schmelzen bringt und aus dem Tier einen Menschen erstehen lässt. Das haben wir in den vergangenen Jahrzehnten immer wieder erleben dürfen. Die Liebe hat die Mauer eingeschmolzen, die die beiden Teile Deutschlands trennte. Und die Liebe macht aus Verrückten, die sich bis aufs Blut bekämpfen, immer wieder Menschen, die miteinander einen Weg gehen.

Das Paradox der Liebe besteht darin, dass sie gerade in ihrer Ohnmacht mächtig ist. Die Liebe verzichtet auf alle äußere Macht. Die Liebe Jesu wird gerade in der Ohnmacht seines Todes sichtbar. Die Liebe wagt sich in die äußerste Finsternis und Bosheit hinein und verwandelt sie. In seiner Liebe wehrt sich Jesus nicht gegen die, die ihn ermorden. Er durchbricht den Teufelskreis der Vergeltung. Er durchdringt mit seiner Liebe das Böse und bricht es so auf. Johannes hat uns in der Szene der Fußwaschung beschrieben, wie diese Liebe Jesu aussieht: »Da er die Seinen, die in der Welt waren, liebte, erwies er ihnen seine Liebe bis zur Vollendung« (Joh 13,1). Jesus beugt sich zur Erde und wäscht den Jüngern die Füße, an denen sie schmutzig und verwundbar sind. Seit dem Tod Jesu am Kreuz haben sich unzählige Christen aus der Kraft dieser göttlichen Liebe für diese Welt engagiert und sie gestaltet. Ihre ohnmächtige Liebe wurde wohl zur stärksten Macht in dieser Welt. Sie hat unsere Erde wohl am nachhaltigsten geprägt.

Im persönlichen Bereich hat vermutlich jeder schon erfahren, dass eine absichtslose Liebe im andern etwas in Bewegung gebracht hat. Da gibt es die chassidische Geschichte, dass ein Vater machtlos war seinem ungezogenen Sohn gegenüber. Er bringt ihn zum Rabbi. Der drückt ihn an sein Herz und hält ihn so mit seinen Armen fest. Nach einem Tag übergibt er ihn völlig verwandelt an den Vater zurück. Im Kindergarten blüht ein fünfjähriges Mädchen, das vom Vater sexuell missbraucht worden ist, unter den liebenden Augen der Schwester auf, die die Gruppe neu übernommen hat. Was die andern Erzieher ein ganzes Jahr nicht zustande brachten, das hat der liebende Blick bewirkt. Das erste Mal spricht sie von sich aus die Kindergärtnerin an, und zum ersten Mal macht sie beim Malen mit. Oft braucht es einen großen Glauben und einen langen Atem, um der ohnmächtigen Liebe und ihrer verwandelnden Macht zu vertrauen. Es dauert oft sehr lange, bis eine Mutter es erlebt, dass der Sohn, der auf Abwege geraten ist, auf ihre Liebe reagiert.

Im gesellschaftlichen und politischen Bereich erleben wir uns noch ohnmächtiger mit unserer Liebe. Was soll da unsere Liebe schon bewirken gegen die Macht der Waffen? Die Beispiele eines Sadat, eines Gandhi, eines Martin Luther King scheinen da doch Ausnahmen zu sein. Die Diskussionen um den gewaltlosen Kampf für den Frieden haben gezeigt, dass es ohne eine gewisse militärische Macht offensichtlich doch nicht gelingt, den Frieden zu sichern. Und dennoch schaffen die Waffen nicht nur Frieden, sondern immer wieder auch Krieg. Die gewaltlose Liebe vieler Menschen ist wie das Senfkorn, das zu einem Baum heranwächst, in dessen Schatten die Menschen in Frieden miteinander leben können. Sie ist wie der Sauerteig, der den ganzen Trog Mehl durchdringt.

Ein Mitbruder meinte einmal, drei Mönche, die es ernst meinen mit ihrer Hingabe und Liebe, würden genügen, um eine Gemeinschaft von 200 Mönchen zu verwandeln. Vielleicht genügen dreißig Menschen, die durchlässig sind für Gottes Liebe, um ein ganzes Volk in Bewegung zu bringen. Wer an die Macht der Liebe glaubt, der fühlt sich zumindest nicht ganz ohnmächtig der heutigen Weltsituation gegenüber. Er setzt seine Liebe dagegen, auch wenn sie über lange Zeit völlig wirkungslos zu sein scheint. Er glaubt an die verwandelnde Kraft der Liebe und überwindet mit seinem Glauben die Resignation und Verzweiflung, in die viele angesichts ihrer Ohnmacht gegenüber dem Kriegstreiben fallen. Aber er kann die Macht seiner Liebe nicht beweisen. Er kann nur glauben und hoffen, dass die Saat der Liebe aufgeht und reiche Frucht bringt.

Zusammenfassung

Selbstwertgefühl und Ohnmachtsgefühl – um diese beiden Pole kreisen heute viele Menschen. Sie sehnen sich nach einem starken Selbstwertgefühl, nach Selbstvertrauen, nach Selbstbewusstsein und Selbstsicherheit. Sie möchten sich selber spüren, das Geheimnis ihres Wesens, ihres Selbst entdecken. Und sie möchten vor andern sicher auftreten können. Die vielen jungen Menschen, die zu unseren Kursen über Silvester, Ostern und Pfingsten kommen, suchen im Glauben nicht nur einen Sinn für ihr Leben, sondern oft auch eine Stärkung ihres Selbstwertgefühls. Sie erhoffen sich vom Gebet, dass sie sich selbst spüren, dass sie ihre göttliche Würde fühlen, dass sie ihre Angst und Unsicherheit in einer anonymen und kalten Welt überwinden und Vertrauen finden, Vertrauen zu Gott, Vertrauen in eine Gemeinschaft von Menschen, die einander annehmen und aufrichten, und Vertrauen in sich selbst, in die Kraft, die Gott ihnen geschenkt hat, Vertrauen in die Zukunft, die Gott für sie bereithält. Dogmatische Fragen interessieren die jungen Menschen heute kaum. Der Unterschied zwischen katholisch und evangelisch besteht für sie fast nicht mehr. Auch philosophische Fragen, wie sie nach dem Zweiten Weltkrieg noch die Jugend bewegten, stehen für sie nicht im Mittelpunkt. Es geht ihnen vor allem darum, wie sie in dieser Welt sinnvoll und vertrauend leben können, wie sie sich selbst mit neuen Augen sehen und wie sie von Gott her ein gesundes Selbstwertgefühl und Selbstvertrauen gewinnen können.

Die zentrale Suche nach dem Selbstwertgefühl hat manchmal auch narzisstische Züge. Manche Jugendliche verschließen ihre Augen vor der Weltsituation. Sie können es gar nicht aushalten, im Fernsehen die Schreckensbilder aus aller Welt zu sehen. Daher suchen sie in religiösen Gruppen Heimat und Geborgenheit in dieser feindlichen und undurchschaubaren Welt. Ihre Ohnmacht angesichts der vielen Kriege und Ungerechtigkeiten auf dieser Welt zuzulassen überfordert sie. Sie können sich dieser Ohnmacht gar nicht stellen, weil sie in sich nicht die Kraft spüren, die eigene Schwäche und Machtlosigkeit auszuhalten. Weil ihre Ohnmachtsgefühle sich selbst und der Weltsituation gegenüber zu stark sind, müssen sie sie verdrängen. Die Verdrängung der eigenen Ohnmacht beobachten wir allenthalben in unserer Welt, bei Politikern, Wirtschaftlern und Kirchenleuten. Die Ohnmacht auszuhalten ist unangenehm. Daher geht man ihr lieber aus dem Wege.

Die Bibel zeigt, dass die Ohnmacht wesentlich zu unserem Leben gehört. Das Volk Israel hat diese Ohnmacht in seiner Geschichte immer wieder erfahren. Seine Geschichte war nicht die Geschichte zunehmender Macht, sondern wachsender Ohnmacht, bis es schließlich in der Verbannung endete und ganz klein und bescheiden wieder anfangen musste. Als Christen schauen wir auf Jesus Christus, der in der Ohnmacht des Kreuzes endete. Gottes Macht hat sich an Christus gerade durch die Ohnmacht des Kreuzes hindurch erwiesen. Es ist die Auferstehungsmacht, die uns aus unserer Ohnmacht aufrichtet, die sich gerade in unserer Ohnmacht als Kraft Gottes und nicht als unsere Kraft offenbart. Der Glaube, der uns mit unserer Ohnmacht konfrontiert, zeigt auch Wege auf, wie wir kreativ mit ihr umgehen können, statt uns in Resignation oder Depression zu flüchten, wie wir aktiv die Herausforderung unserer Ohnmacht annehmen und unsere Welt aus dem Gebet heraus menschlicher und christusgemäßer gestalten können.

Der Weg des Glaubens kann uns helfen, ein gesundes Selbstwertgefühl zu entwickeln und mit unserer Ohnmacht so umzugehen, dass sie zu einer Quelle von Phantasie und Kreativität wird. Auf unserem Glaubensweg müssen wir alle menschlichen Wege abschreiten, ohne sie spirituell abzukürzen (spiritual bypassing). Selbstwertgefühle und Ohnmachtsgefühle haben ihre Ursachen in psychischen Tatsachen, in Erlebnissen der Kindheit und in den Erfahrungen, die wir täglich machen. Daher muss der Glaube die psychologischen Erkenntnisse ernst nehmen, bevor er dann einen Weg über die psychologische Ebene hinaus weist. Wir würden einem Menschen, der durch schwierige Verhältnisse in der Kindheit kein Selbstwertgefühl entwickeln konnte, keinen Dienst erweisen, wenn wir ihm vorschnell verheißen, dass er doch vertrauen könne, weil Gott ihm vertraut. Auch der Glaubende muss sich seiner psychischen Realität stellen. Er muss die Verletzungen seiner Kindheit im Gebet vor Gott halten und sie im Gespräch mit dem Seelsorger anschauen. Erst wenn er seine ganze Wahrheit vor Gott und vor einem Menschen offenbart, können seine Wunden heilen. Und er wird im Glauben einen Weg finden, trotz seiner Verletzungen und Kränkungen seine göttliche Würde zu entdecken und so ein gesundes Selbstwertgefühl zu entfalten. Im Glauben wird er immer wieder das Urwort hören, das Gott bei der Taufe Jesu seinem Sohn zugesagt hat und das er auch uns zuspricht, wenn wir mitten im Wasser des Jordans, mitten im Wasser unserer Schuld und unseres Versagens, stehen: »Du bist mein geliebter Sohn, du bist meine geliebte Tochter, an dir habe ich mein Gefallen« (Mk 1,11). Und vielleicht kann er dann auch erfahren, dass sich der Himmel über ihm öffnet und die Weite Gottes seine Enge aufbricht (vgl. Mk 1,10).

Anmerkungen

1 Vgl. Erik H. Erikson, Identität und Lebenszyklus, Frankfurt 1966.
2 Ebd 74.
3 John Bradshaw, Das Kind in uns, München 1992, 66. Zum Ganzen vgl. dort passim.
4 Virginia Satir, Selbstwert und Kommunikation, München 1993.
5 C. G. Jung, Gesammelte Werke 10. Band, Olten 1974, 387.
6 C. G. Jung, Briefe 1, Olten 1972, 198f.
7 Roberto Assagioli, Psychosynthese. Prinzipien, Methoden und Techniken, Zürich 1988, 139.
8 James Bugental, Stufen therapeutischer Entwicklung, in: Psychologie in der Wende, hrsg. v. R.N. Walsh und F. Vaughan, München 1985, 217.
9 Alfred Adler, Der Sinn des Lebens, Frankfurt 1980.
10 Karl Frielingsdorf, Vom Überleben zum Leben, Mainz 1989.
11 Evagrios Pontikos, Briefe aus der Wüste, übers. v. Gabriel Bunge, Trier 1986, 39.
12 Franz Müller, Ohnmacht, in: Praktisches Lexikon der Spiritualität, hrsg. v. Christian Schütz, Freiburg 1988, 942f.
13 Heinz Henseler, Die Theorie des Narzissmus, in: Psychologie des 20. Jahrhunderts, Band II, hrsg. v. Dieter Eickem, Zürich 1976, 463.
14 Ebd 464.
15 Ebd 465.
16 John Bradshaw, a.a.O., 30.
17 Franz Furger, Macht, in: Praktisches Lexikon der Spiritualität, 823.
18 Karl Rahner, Theologie der Macht, in: Schriften zur Theologie IV, Einsiedeln 1964, 491.
19 Klaus Hemmerle, Macht, in: Sacramentum Mundi, hrsg. v. K. Rahner u. A.Darlap, Freiburg 1969, 316.
20 Martin Buber, Die Erzählungen der Chassidim, Zürich 1949, 403.
21 Dietrich Bonhoeffer, Widerstand und Ergebung. Briefe und Aufzeichnungen aus der Haft, München 1966 (13), 241f.
22 Starez Siluan. Mönch vom Heiligen Berg Athos. Leben-Lehre-Schriften, hrsg. v. Archimandrit Sophronius, Düsseldorf 1959, 146.

Geborgenheit finden – Rituale feiern

Wege zu mehr Lebensfreude

Einleitung

Der Tag eines Mönchs

Seit Jahrzehnten lebe ich als Mönch meine Rituale. Und sie machen mir Spaß. Sie geben mir das Gefühl, dass mein Leben wertvoll ist, dass es einen Sinn hat. Sie bringen Ordnung in mein inneres Durcheinander und helfen mir, achtsam und bewusst zu leben. Um dieses Buch zu schreiben, habe ich mich selber und andere beobachtet, was da eigentlich geschieht, wenn wir für uns persönlich oder wenn wir gemeinsam Rituale vollziehen. Die Beschäftigung mit diesem Thema hat mir gezeigt, wie heilsam solche Rituale sein können. Und wenn ich bei Kursen darüber gesprochen habe, habe ich gespürt, wie aufmerksam die Leute zuhören, wie sie danach hungern, konkrete Lebenshilfe zu bekommen. Aber zugleich habe ich in vielen Gesprächen erlebt, wie viele Menschen schon gute Rituale entwickelt haben. Da erzählen die Teilnehmer am Ende eines Kurses, welche Erfahrungen sie mit ihren persönlichen Ritualen gemacht haben. Und ich staune oft, wie erfinderisch Menschen sind, um die Rituale für sich zu finden, die auf ihre persönliche Struktur und auf die Gefährdungen, die in dieser Struktur begründet sind, auf angemessene Weise antworten. Sie entdecken in ihren Ritualen gerade das Heilmittel, das sie für sich brauchen.

Zwei Bedürfnisse habe ich bei den Menschen vor allem festgestellt: einmal das Bedürfnis, gute Wege zu finden, wie sie mit ihren Ängsten und Depressionen, mit ihrem Ärger und mit ihrer Eifersucht, also mit ihren täglichen Problemen gut umgehen können und wie sie aus dem Glauben heraus eine Hilfe finden, mit ihren Gefühlen und Leidenschaften und mit den Verunsicherungen, die aus dem Unbewussten auftauchen, zurechtzukommen. Hier geht es vor allem darum, die eigene Lebensgeschichte anzuschauen, sich mit ihr auszusöhnen und dann nach Wegen zu suchen, besser mit der persönlichen Veranlagung, mit den Chancen und Gefährdungen der eigenen Psyche umzugehen.

Das andere Bedürfnis besteht darin, Wege zu finden, sein Leben sinnvoll zu leben. Die Rituale sind ein konkreter Weg zu einem sinnvollen und gesunden Leben. Allerdings sind sie kein Trick, mit dem wir alle Probleme lösen könnten. Und sie sind kein Rezept, das nun jeder für sich und seine persönliche Situation anwenden könnte. Ich habe versucht, in diesem Buch einige Anregungen zu geben, wie bestimmte Rituale uns helfen könnten, unser eigenes Leben zu leben und Lust am Leben zu bekommen, wie sie unser Leben für Gott öffnen und Gottes heilenden und befreienden Geist in unsern Alltag eindringen lassen. Nicht die Rituale sind es letztlich, die unser Leben heilen, sondern Gott selbst, dem die Rituale die Möglichkeit bieten, in unser Leben einzubrechen, es zu gestalten, zu heilen und zu verwandeln.

In letzter Zeit hat die Psychologie die heilende Wirkung der Rituale neu entdeckt, nicht nur die Übergangsrituale, die etwa den Übergang der Geburt und des Todes, des Erwachsenwerdens, der Heirat und der Lebensmitte unterstützend begleiten, sondern auch die vielen persönlichen Rituale, die der Einzelne findet, um sein Leben zu strukturieren und ihm eine Form zu geben, die ihm gut tut. Eine heilende Wirkung können auch die kirchlichen Riten haben, wie sie im Laufe eines Kirchenjahres innerhalb und außerhalb der Liturgie begangen werden. Aber oft sind sie leider erstarrt und entleert, sodass sie überhaupt keine Wirkung mehr zeigen. Viele beklagen sich, dass da nur leere Rituale abgespult werden, die nichts mehr mit ihrem Leben zu tun haben. Die Beschäftigung mit der psychologischen Bedeutung der Rituale hat mich herausgefordert, meine eigenen persönlichen Rituale neu zu überdenken und unsere gemeinsamen liturgischen Rituale auf ihre heilende Wirkung hin anzuschauen, sie mit neuer Phantasie und neuem Vertrauen zu praktizieren.

Als Benediktinermönch habe ich seit über 40 Jahren meine persönlichen Erfahrungen mit den gemeinsamen Ordensritualen und mit meinen eigenen Ritualen gemacht, zum Beispiel, wie ich für mich den Tag beginne und beschließe. Der heilige Benedikt hat vor 1500 Jahren das Leben seiner Mönche gründlich durchstrukturiert. Ihm ging es dabei nicht um kleinliche Regeln, die sie befolgen sollten, sondern um die Frage, wie seine Mönche konkret das Evangelium leben könnten. Für ihn gab es kein geistliches Leben ohne gesunde Struktur des Tages und ohne heilende Rituale. Heute sind wir in der Gefahr, dass unsere Spiritualität nur im Kopf bleibt. Wir machen uns zwar gute und fromme Gedanken, haben aber nicht die Kraft, unser Leben zu formen. Benedikts Spiritualität ist eine »geerdete Spiritualität«, eine sehr konkrete Spiritualität, die sich in einer gesunden Lebensordnung ausdrückt. Mit seiner Regel wollte er zeigen, wie sich das Leben nach dem Evangelium konkret in einer gesunden Tagesordnung, in einer klaren Struktur des Betens und des Arbeitens, in einer ausgewogenen Aufteilung in Zeiten der Stille und des Redens, der Einsamkeit und der Gemeinschaft, der Aktion und Kontemplation und in guten Umgangsformen der Mönche untereinander ausdrücken kann. Das Evangelium will sich immer wieder konkret in das Leben des Einzelnen hinein übersetzen. Das – so war Benedikt überzeugt – schafft eine gesunde Lebenskultur, die nicht nur denen gut tut, die sie befolgen, sondern die auch die Welt um sich herum positiv beeinflusst.

Ich erlebe heute immer wieder Menschen, die schwärmerisch vorgeben, sie würden nur Jesus lieben. Aber davon ist in ihrem Leben nicht viel zu sehen. Ihr Leben ist chaotisch, ohne Kultur. Häufig gehen sie den andern ständig auf die Nerven, weil sie mit der Betonung ihrer Jesusliebe nur sich selbst in den Mittelpunkt stellen und ihre außergewöhnliche Frömmigkeit. Eine Frömmigkeit, die das Leben nicht formt, ist für den heiligen Benedikt wertlos. Echte Spiritualität hat zu allen Zeiten auch eine Lebenskultur geschaffen, die nach außen hin sichtbar wurde und für andere Menschen heilend war. Spiritualität war immer auch »Kunst des gesunden Lebens«. Die Kunst des gesunden Lebens umfasst alle Bereiche des Lebens: das Wohnen, das Essen und Trinken, die Arbeit, die Gemeinschaft, den Umgang mit der Schöpfung, die Kultur des Miteinanders, die Gottesdienste, die Struktur der Gesellschaft. Ein wichtiger Aspekt dieser Kunst des gesunden Lebens sind auch die heilenden Rituale. In ihnen »inkarniert« sich unsere Spiritualität, nimmt sie konkret Fleisch und Blut an und verwandelt unser Leben.

Tagesablauf nach der Regel des heiligen Benedikt

Um zu zeigen, wie so eine gesunde Lebenskultur aus dem Evangelium aussehen könnte, möchte ich meinen Tageslauf mit den persönlichen und gemeinsamen Ritualen, die ich als Benediktinermönch seit 40 Jahren lebe, beschreiben – nicht, um mich als Vorbild hinzustellen, sondern um dem Leser Anregungen für sein eigenes Leben zu geben.

Um 4.40 Uhr läutet bei uns die Hausglocke. Ich mache sofort das Licht an und höre in mich hinein, ob da noch ein Traum präsent ist oder welches Gefühl die Träume dieser Nacht in mir hinterlassen. Wenn mich der Traum näher interessiert, schreibe ich ihn gleich auf. Dann stehe ich auf mit dem Gebet: »Ich stehe heute in deinem Dienst. Segne du diesen Tag!« Ich wasche mich und ziehe mich an und gehe dann bewusst in den halbdunklen Kreuzgang, wo ich mich von Gottes Gegenwart eingehüllt fühle.

Es ist jedesmal ein geheimer Schauer, so früh am Morgen durch den Kreuzgang zum Gebet zu gehen, das dann um 5.05 Uhr beginnt. Wenn ich die Kirche betrete, nehme ich bewusst Weihwasser und bekreuzige mich in Erinnerung an meine Taufe, in der ich Christus übereignet wurde, und als Zeichen, dass all mein Tun heute aus der Quelle seiner Gnade und seiner Liebe und nicht aus eigener Kraft strömt.

Das erste Wort des Tages ist das dreimalige Gebet: »Herr, öffne meine Lippen, damit mein Mund dein Lob verkünde.« Dabei zeichne ich mit dem Daumen das Kreuz auf meine Lippen, um auszudrücken, dass alle Worte, die ich heute sagen werde, letztlich Gott verherrlichen sollen. Die Vigil (Stundengebet zur Nachtwache) und die Laudes (Morgenlob), die wir gemeinsam rezitieren, bestehen vor allem aus Psalmen. In ihnen fühle ich mich verbunden mit den Menschen, die mir von ihrer Not erzählt und mich um Fürbitte gebeten haben, aber auch mit allen, von denen die Psalmen in ihren archetypischen Bildern erzählen. Es ist nicht mein Privatvergnügen, so früh schon zu beten. Ich tue es stellvertretend für die Menschen, die nicht mehr beten können, die stumm geworden sind in ihrer Verzweiflung. Und ich bete die Psalmen gemeinsam mit Christus, um einzutauchen in seine Liebe zum Vater und um die Welt bewusst von Christus her zu meditieren. Natürlich bin ich manchmal noch recht müde dabei. Aber wenn wir nach jedem Psalm aufstehen und uns zum »Ehre sei dem Vater« tief verbeugen, dann sammelt sich in dieser Gebärde die Sehnsucht, mit meiner ganzen Existenz in Gott einzutauchen, Gott zu verherrlichen und ihm zu dienen.

Nach der Laudes gehe ich um 5.45 Uhr in meine Zelle, zünde vor einer Christusikone eine Kerze an und meditiere 25 Minuten davor mit dem Jesusgebet »Herr Jesus Christus, Sohn Gottes, erbarme dich meiner«, das ich mit dem Atemrhythmus verbinde. Es ist für mich eine heilige Zeit, in der ich spüre: Da hat jetzt niemand Zutritt. Die Leute, die heute zu mir kommen und etwas von mir wollen, erreichen mich hier nicht. Hier bin ich ganz frei. Hier bin ich allein mit meinem Gott. Natürlich ist die Meditation oft auch zerstreut und unruhig. Aber immer wieder erahne ich auch diesen inneren Raum der Stille in mir, in dem Gott selbst in mir wohnt mit seiner Liebe und Barmherzigkeit, in dem ich in Einklang bin mit mir selbst. Das gibt mir das Gefühl von Heimat und Geborgenheit und von Stimmigkeit: Es ist gut, dass du hier bist, dass du Mönch bist. Es ist alles gut.

Wenn die Hausglocke um 6.10 Uhr läutet, gehe ich langsam in die Sakristei, um mich für die Eucharistiefeier mit Albe und Stola zu bekleiden. Alles geschieht in Stille. Und bis zum gemeinsamen Einzug stehen wir noch einige Augenblicke schweigend da. Solche Augenblicke sind für mich wichtig. Sie zeigen mir, dass mein Leben ein Geheimnis ist und ich im Gebet und in der Eucharistie immer wieder eintauchen darf in das Geheimnis des »Tremendum et Fascinosum«, in das Geheimnis des Gottes, der voller Schauder ist und zugleich faszinierend.

Nach der Eucharistiefeier, die etwa um 7.00 Uhr endet, gehe ich schweigend zum Frühstück und dann etwa um 7.10 Uhr in meine Zelle, um eine Dreiviertelstunde zu lesen. Auf diese Zeit freue ich mich jeden Tag. Es ist für mich wichtig, dass ich mir gute Bücher aussuche, die ich immer erst zu Ende lese, bevor ich das nächste anfange. Am Dienstag und Donnerstag habe ich Abendmesse. Da ist der Morgen nach der Vigil frei. In dieser Zeit von 6.00 bis 8.00 Uhr schreibe ich dann jeweils kleinere Artikel oder Bücher.

Um 8.00 Uhr gehe ich in die Verwaltung. Dort erwartet mich eine ganz andere, eine weltliche Tätigkeit. Da muss ich organisieren, mit Mitarbeitern sprechen, mit Banken und Behörden verhandeln, Bausitzungen leiten und so weiter. Natürlich sind die Morgenrituale keine Garantie dafür, dass ich bei der Arbeit nicht doch manchmal in Hektik gerate. Aber normalerweise wirkt der ruhige Morgen nach. Wenn ich in Berührung bin mit dem inneren Raum der Stille, dann laugt mich die Arbeit nicht aus. Sie macht mir vielmehr Spaß und ich habe den Eindruck, dass sie aus der inneren Quelle fließt, die in mir sprudelt. Wenn ich mich in die Unruhe treiben lasse, ist es für mich immer ein Zeichen, dass ich die Verbindung mit diesem inneren Raum verloren habe.

Um 12.00 Uhr unterbricht das Mittagsgebet die Arbeit. Die zwanzig Minuten gemeinsamen Betens tauchen mich wieder in die Welt Gottes ein und zeigen mir, was die wahren Maßstäbe für mein Leben und Arbeiten sind.

Dann ist gemeinsames Mittagessen, das schweigend eingenommen wird. Dabei wird zu Beginn aus der Heiligen Schrift und dann aus einem Buch vorgelesen, das der Prior jeweils ausgewählt hat. Das ist auch eine gute Zeit, von der Unruhe des Vormittags abzuschalten. Dann lege ich mich eine halbe Stunde hin und döse vor mich hin oder schlafe mit dem Jesusgebet ein.

Um 13.20 Uhr läutet die Hausglocke wieder zur Arbeit. Nach einer Tasse Kaffee beginne ich wieder, entweder in der Verwaltung oder im Recollectiohaus, in dem ich die Gäste im geistlichen Gespräch begleite.

Um 18.00 Uhr ziehen wir gemeinsam zur Vesper ein, zum Abendlob der Kirche, das wir unter Orgelbegleitung singen. Da habe ich immer das Gefühl von Freiraum. Während viele stöhnen, wie viel sie arbeiten müssen, gönne ich es mir, die Psalmen zu singen und mich vom Gesang zu Gott hintragen zu lassen. Nach der Vesper bleiben noch knappe zehn Minuten, in denen ich schweigend im Kreuzgang herumgehe und meditiere.

Um 18.40 Uhr ist dann das Abendessen, wieder mit Tischlesung. Danach treffen wir uns zur so genannten Rekreation, zur Erholung. Im Sommer gehen wir eine halbe Stunde lang im Park spazieren. Im Winter setzen wir uns zum lockeren Gespräch zusammen.

Um 19.35 Uhr singen wir dann die Komplet, das kirchliche Nachtgebet, das mit dem »Salve Regina«, dem lateinischen Marienlob, schließt.

Dann ist der Tag noch lange nicht zu Ende. Meistens habe ich noch ein oder zwei Gespräche mit Gästen, die ich in Einzelexerzitien begleite. Einzelexerzitien sind stille Tage, in denen jemand sich täglich einem Schrifttext stellt und ihn meditiert und dann in einem kurzen Gespräch davon erzählt, was Gott heute in ihm bewegt hat. Am Mittwoch ist meistens gemeinsamer Abend im Konvent oder in kleinen Gruppen. Manchmal halte ich auch einen Vortrag im Gästehaus oder außerhalb. Wenn nicht, dann freue ich mich, dass ich in meiner Zelle noch etwas lesen oder schreiben kann.

Kurz vor 22.00 Uhr gehe ich ins Bett. In einer kurzen Gebetsgebärde übergebe ich Gott nochmals den Tag. Im Bett lese ich dann noch ein Kapitel aus der Heiligen Schrift. Dann mache ich das Licht aus und bete noch ein paar Teile vom Rosenkranz für die Menschen, die sich mir heute anvertraut haben oder deren Not mich gerade bewegt. Darüber schlafe ich dann ein.

Vielleicht klingt dieser Tageslauf für manchen zu romantisch. Kaum ein Leser wird ihn so für sich kopieren können. Es ist eben der Tageslauf eines Mönches. Aber ich spüre, dass mir diese konkrete Form des Lebens mit den gemeinsamen und persönlichen Ritualen gut tut. Ich habe das Gefühl, dass es mein Leben ist und dieses Leben wertvoll ist, dass ich Lust an diesem Leben habe. Natürlich wird diese klare Tagesordnung immer wieder gestört, etwa wenn ich einen Kurs halte oder auswärts einen Vortrag. Dann komme ich erst nachts wieder heim. Die nächtliche Autofahrt ist dann für mich eine gute Gelegenheit, Rückschau zu halten und nachzuspüren, was die Menschen heute eigentlich bewegt und wie ich Worte finden könnte, die ihre Sehnsucht treffen. Wenn ich vor Mitternacht heimkomme, beginnt der neue Tag wie immer um 4.40 Uhr. Nur wenn ich nach Mitternacht heimkomme, stehe ich erst um 5.45 Uhr zur Eucharistiefeier auf. Ich weiß, dass es mir gut tut, mich auch durch solche Ausnahmen nicht allzusehr in meiner Tagesordnung stören zu lassen.

Manchmal habe ich mich schon gefragt, ob meine persönlichen Rituale einfach nur Gewohnheiten sind, die mich »betriebsblind« machen, oder ob sie ein guter Weg für mich sind, als Mönch im Geiste Jesu Christi zu leben. Die Beschäftigung mit der Psychologie hat mir die Gewissheit gegeben, dass ich mit meinen Ritualen nicht falsch liege. Rituale können eine heilende und belebende Wirkung haben und sie geben mir das Gefühl der Sinnhaftigkeit meines Lebens. Das hat mir die Beschäftigung mit C. G. Jung gezeigt. Allerdings weiß ich auch, dass meine Rituale keine Garantie sind, dass ich wirklich geistlich, das heißt im Geiste Jesu Christi lebe. Sie sind kein Verdienst, sondern der Versuch, mich immer wieder Gott auszusetzen, damit sein Geist mich verwandeln möge. Ich kann sie nicht als Leistung vorweisen. Sie sind vielmehr nur der äußere Rahmen, in dem die Entscheidung für Gott immer wieder neu vollzogen werden muss. Die Auseinandersetzung mit der Psychologie hat mir auch die Augen dafür geöffnet, wo Rituale krankmachend wirken können, wo sie die zwanghafte Struktur eines Menschen verstärken oder wo sie als Massenrituale missbraucht werden können, um Menschen zu manipulieren und sie in eine Massenhysterie zu führen. So möchte ich nun vier wichtige Psychologen befragen, was sie über die heilende oder krankmachende Wirkung der Rituale zu sagen haben.

I.
Die psychologische Bedeutung der Rituale

Die Angst bannen – Sigmund Freud

Sigmund Freud vergleicht die religiösen Rituale zunächst mit den Zwangshandlungen von neurotisch kranken Menschen. Als Kind hat er beobachtet, wie seine Kinderfrau, die mit ihm öfter in die katholische Kirche in Freiberg ging, die Knie beugte, Weihwasser verspritzte, sich bekreuzigte und unverständliche Gebete murmelte. Er spürte, dass religiöse »Zeremonielle«, wie er die Riten nennt, eine ähnliche Funktion haben wie die Zwangshandlungen bei den Neurotikern. Sie bannen auf der einen Seite die Angst, die die Menschen umtreibt, zum andern drücken sie einen Verzicht auf die Betätigung der Triebe aus.[1] Grundlage für die Bildung von religiösen Ritualen ist für Freud die Erfahrung der eigenen Hilflosigkeit. Anfangs meinte er wohl, dass es eine infantile Hilflosigkeit sei, die zur Bildung der Religion führe und die deshalb allmählich durch den menschlichen Reifungsprozess überwunden werden müsse.

In späteren Schriften spricht Freud von einer grundsätzlichen Hilflosigkeit des Menschen. Da sieht er in den religiösen Ritualen einen guten Weg, die durch die Hilflosigkeit gegenüber unbewussten Mächten entstehende Angst psychisch zu bearbeiten. »Man ist vielleicht noch wehrlos, aber nicht mehr hilflos gelähmt, man kann zum mindesten reagieren, ja vielleicht ist man nicht einmal wehrlos, man kann gegen diese gewalttätigen Übermenschen draußen dieselben Mittel in Anwendung bringen, deren man sich in seiner Gesellschaft bedient, kann versuchen, sie zu beschwören, beschwichtigen, bestechen, raubt ihnen durch solche Beeinflussung einen Teil ihrer Macht.«[2] Freud lobt die Wohltat der Ordnung, die durch die persönlichen Rituale entsteht: »Die Wohltat der Ordnung ist ganz unleugbar, sie ermöglicht dem Menschen die beste Ausnützung von Raum und Zeit, während sie seine psychischen Kräfte schont.«[3]

Dass Rituale die diffusen Ängste bannen können, die den Menschen in Beschlag nehmen, zeigen Kinder, die über ein Pflaster hüpfen. Meistens denken sie sich einen bestimmten Ritus aus, dass sie zum Beispiel nur jeden dritten Pflasterstein berühren. Sie versprechen sich davon, dass ihnen dann nichts passieren wird, dass sie zum Beispiel keinen Unfall haben werden. Spitzensportler haben vor einem Leistungswettbewerb oft die gleichen Rituale. Sie essen genau die gleichen Speisen, sie duschen sich und ziehen die gleichen Kleider an. Sie machen vor dem Wettkampf immer die gleichen Verrenkungen. Das fördert offensichtlich ihre Energie und nimmt ihnen die Angst oder die oft unerträgliche Spannung. Natürlich wissen sie, dass davon der Sieg nicht abhängt. Aber offenbar helfen ihnen diese Rituale, die Angst zu überwinden, die sie vor einem Wettkampf überfällt. Schüler und Studenten haben ihre eigenen Rituale entwickelt, um die Angst vor einer Prüfung zurückzudrängen. Die einen lesen morgens nochmals einen Teil des Stoffes durch. Die andern sprechen ein Gebet. Wieder andere nehmen immer den gleichen Kugelschreiber. Wenn wir die Gewohnheiten von Schülern und Studenten gerade vor schwierigen Prüfungen beobachten, so entdecken wir mehr Rituale, als wir denken. Gerade sich aufgeklärt gebende Studenten unterziehen sich doch den immer gleichen Ritualen, um sich mitten in der Unsicherheit an etwas festhalten zu können.

Da heute viele Menschen von diffusen Ängsten gequält werden, haben die angstbannenden Rituale eine wichtige Bedeutung. Wenn einer formlos dahinlebt, dann schleichen sich viele Ängste ein. Es ist die Angst, ob mein Leben gelingt, die Angst, zu versagen, die Angst, vom Leben bestraft zu werden. Auch wenn die angstbannende Wirkung der Rituale manchmal auf magischen Vorstellungen beruht, kann sie doch beruhigen. Das spüren wir bei Kindern, die immer die gleichen Zu-Bett-geh-Rituale brauchen, um die Angst vor dem Unheimlichen und Unbekannten der Nacht zu bannen. Kinder wollen immer das gleiche Märchen hören. Sie haben ein Gespür dafür, dass das immer Gleiche die Angst vor der Vielfalt des Lebens vertreibt. Meine kleine Nichte musste schon mit drei Monaten wegen einer Virusinfektion ins Krankenhaus. Seither hat sie Angst vor dem Einschlafen. Ich fragte sie einmal, was ihr da Angst mache. Sie meinte, sie träume von Schlangen. Es ist verständlich, dass sie da ein Gegenmittel gegen die Angst braucht. Für sie ist es das immer gleiche Einschlafritual: Die Mutter muss sich neben sie legen, bis sie eingeschlafen ist. Dann fühlt sie sich geborgen und die Angst vor dem Bedrohlichen der Nacht schwindet. Andere Kinder brauchen eine Nachtgeschichte oder das Gebet der Mutter oder des Vaters, um einschlafen zu können. Wir sollten diese Ängste ernst nehmen. Gut wäre das Ritual, dem Kind beim Gebet die Hand auf den Kopf zu legen. Da kann es körperlich spüren, dass das Gebet einen Schutzraum eröffnet, in dem es sich sicher und geborgen fühlt, und dass es im Schlaf von Gottes liebender Hand geschützt bleibt.

Zwangsrituale

In unserer pluralistischen Gesellschaft wird die Angst vor dem Vielen immer stärker. Die einen tendieren dann zum Fundamentalismus, um die Angst zu vertreiben. Oder sie lassen sich von Sekten anziehen, die ganz klare Regeln und Normen haben und deren Rituale darum zu Zwangsritualen verkommen. Aber damit schaden sie sich selbst und den andern. Riten sind ein besserer Weg, sich von der Angst zu befreien. Denn sie geben mitten im Chaos Ordnung. Sie geben in der Vielfältigkeit und Beliebigkeit des Lebens einen festen Halt, ohne innerlich eng und fanatisch zu machen. Natürlich gibt es auch da Fehlformen von zwanghaften Ritualen. Wenn bei einem der Tag wie ein Uhrwerk abläuft, dann erstarrt ein Mensch in seinen Ritualen. Von dem deutschen Philosophen Immanuel Kant wird berichtet, dass man die Uhr danach stellen konnte, wann er nach dem Mittagessen seinen Spaziergang machte und an der oder jener Straßenkreuzung vorbeikam. Bei zwanghaften Menschen können Rituale gefährlich werden. Sie zwängen sich dann in ein Korsett und es bleibt kein Freiraum mehr für das Leben. Oder sie machen eine Leistung daraus, die sie sich selbst oder Gott oder sonst jemand vorweisen müssen. Dann geht von den Ritualen keine heilende Wirkung mehr aus, sondern eher eine krankmachende. Solche Menschen schrauben dann aus Angst vor Gott die Zahl ihrer Rituale immer höher. Die Rituale werden für sie ein Weg, ihr ganzes Leben zu kontrollieren und nichts mehr dem Zufall zu überlassen. Das verkrampft einen immer mehr. Es löst die Angst nicht, sondern verstärkt sie nur. Man traut dem Leben nicht mehr. Alles muss in Formen gepresst, alles muss ritualisiert werden. Solche Menschen sind von der ständigen Angst bestimmt, dass Gott sie bestrafen könne, weil sie irgendetwas denken oder tun könnten, was Gott nicht gefällt.

Diese krankmachende Wirkung der Rituale können wir an den Zwangsritualen beobachten, von denen Freud berichtet. Da ist ein junger Mann, der immer zu spät kommt, weil er das Gefühl hat, es sei irgendetwas bei ihm nicht in Ordnung. So muss er nochmals die Hände waschen, nochmals die Bügelfalte kontrollieren, nochmals nachsehen, ob die Türe abgeschlossen ist, bis er endlich aus dem Haus kommt. Mit seinen Zwangshandlungen bringt er seine Mutter zur Verzweiflung. Offensichtlich möchte er sie, die sein ganzes Leben kontrolliert, mit seinen Kontrollzwängen bestrafen. Aber zugleich sind sie auch Ausdruck der Angst vor der Sexualität. Mit seiner Freundin hat er immer wieder sexuellen Kontakt, fürchtet aber zugleich, ihre Briefe könnten vergiftet sein. Statt sich mit seinen eigenen Moralvorstellungen offen auseinander zu setzen, flüchtet er in Zwangsrituale und verbietet sich damit letztlich die sexuelle Beziehung zu seiner Freundin.[4] Bei Waschzwängen darf man oft beide Impulse vermuten: einmal den Impuls der Selbstbestrafung oder der Bestrafung eines andern, gegen den man seine Aggressionen nicht offen ausleben kann; zum andern das Sichrein-Waschen von der als schmutzig erachteten Sexualität. Manchmal stellt sich ein Waschzwang nach einer Vergewaltigung ein. Statt sie aufzuarbeiten, flüchtet man in ein Zwangsritual. Eine junge Frau erzählte mir von ihrer Mutter, die sich auf keinen Polsterstuhl setzen konnte. Das löste bei ihr panische Angst aus und den Zwang, sich sofort die Hände waschen zu müssen. Solche Zwangsrituale sind pervertierte Rituale. Sie führen nicht zum Leben, sondern hindern uns daran. Sie werden zum leidvollen Ersatz für das Leben.

Zwangsrituale können sein:
- der Kontrollzwang: Immer wieder muss man seine Rechnungen und Bankauszüge kontrollieren, die Türe kontrollieren, ob sie wirklich verschlossen ist;
- der Grübelzwang, in dem man sich in Grübeleien verliert, um den eigentlichen Triebimpulsen, den Aggressionen oder den sexuellen Phantasien aus dem Weg zu gehen;
- die Zweifelsucht, mit der man seine Umgebung plagen kann;
- der Waschzwang, der einen antreibt, übertrieben oft die Hände zu waschen, vor allem dann, wenn man eine Türklinke berührt hat oder einen Gegenstand, der irgendwelche Ängste auslöst;
- der Wiederholungszwang, in dem man immer das Gleiche tun muss. Ein junger Mann erzählte mir, dass er immer wieder in eine bestimmte Ortschaft zurückfahren musste, um nur von ihr her in seinen Heimatort zu kommen.

In solchen Zwangsritualen sind oft zugleich sadistische wie masochistische Momente enthalten. Man quält seine Umgebung und bringt sie mit seinen Zwängen zur Weißglut und man bestraft sich selbst und macht sich das Leben unerträglich.

Massenrituale

Es gibt nicht nur Zwangsrituale des Einzelnen, sondern auch Massenrituale, die den Einzelnen in seiner Freiheit beschneiden und ihn in etwas hineintreiben, das er freiwillig nie tun würde. In unserer Gesellschaft kennen wir den Konsumzwang, den die Werbung uns unbewusst eintrichtert. Der Konsumzwang äußert sich in ganz bestimmten Kaufritualen, wo und wie und wann man bestimmte Dinge zu kaufen hat. Totalitäre Staaten üben einen politischen Zwang aus. Und sie haben dafür kein geeigneteres Mittel gefunden als Massenrituale. Das Dritte Reich hat die Methode der Massenrituale bestens beherrscht. Da wurden Massenparaden organisiert, die das Volk in eine Euphorie hineintrieben. Hitler setzte auch körperliche Gesten ein, um das Volk besser beeinflussen zu können. Er selbst stand immer breitbeinig da und erhob nur lässig die Hand. Alle andern aber mussten ihre rechte Hand hochstrecken und »Heil Hitler« grüßen. Mit dieser Gebärde mussten sie die eigene Mitte verlassen. Sie wurden manipulierbar.

Militärs haben von jeher Massenrituale benutzt. Der Offizier stellt sich immer breitbeinig vor seine Soldaten, die sich in so enger Fußhaltung aufstellen müssen, dass sie keinen eigenen Stand mehr haben und nur noch reine Befehlsempfänger sind.

Heute finden wir solche Massenrituale in den großen Fußballstadien. War es früher noch ein Vergnügen, beim Spiel zweier Mannschaften zuzusehen, so sind heute die Spieltage der Bundesliga zu Massenkampftagen geworden, an denen angestaute Aggressionen ausgelebt werden. Da begegnet man nicht mehr einzelnen Menschen, sondern »Fans«, die sich immer als Gruppe zeigen, die Trikots ihrer Helden tragen und mit denen man nicht mehr vernünftig reden kann. Wie gefährlich solche Massenrituale geworden sind, zeigen die häufigen Ausschreitungen vor und nach großen Fußballspielen.

Massenrituale sind offensichtlich ein Bedürfnis des Menschen. Aber sie sind auch höchst gefährlich. Denn sie bringen unbewusste Tendenzen ans Tageslicht, die oft nicht mehr zu kontrollieren sind. Es können zwar durchaus auch positive Tendenzen sein, etwa wenn alle in einer Euphorie schwelgen und am liebsten jeden umarmen möchten. Aber sobald das Unbewusste durch solche Massenrituale geweckt wird, kann es sich auch verselbständigen und eine Massenhysterie oder Massenpsychose auslösen. Das gilt nicht nur von den Massenritualen bei sportlichen Wettkämpfen, sondern auch bei großen kirchlichen Veranstaltungen wie den Kirchen- oder Katholikentagen. Auch da kann die Euphorie sehr schnell umschlagen in die Erfahrung von Einsamkeit und Verlassenheit.

Heilend können Rituale nur wirken, wenn sie bewusst vollzogen werden, wenn sie nicht aus unbewusster Angstabwehr gepflegt und nicht zum Zwang und zur Leistung werden und wenn die Freiheit des Einzelnen geachtet wird. Daher müssen wir immer wieder auch kritisch fragen, wo sie in Gefahr sind, zu Zwangsritualen zu werden. Und bei unseren kirchlichen Ritualen müssen wir besonders darauf achten, dass sie nicht zu bloßen Massenritualen werden, die die Menschen manipulieren, anstatt sie zu heilen.

Transformation von Lebensenergie – C. G. Jung

Ausführlicher als Freud hat sich C. G. Jung mit der heilenden Wirkung der Rituale befasst. Für ihn haben die Rituale eine dreifache Bedeutung: Sie transformieren die Libido, die Lebensenergie, in geistige Energie, sie stiften Sinn und sie haben als Teil der Religion eine heilende Wirkung auf die Seele des Menschen. Im Vergleich zu Freud sieht Jung die Religionen wesentlich positiver. Für ihn ist die Religion »ein psychotherapeutisches System«[5]. Sie hat die gleiche Aufgabe wie die Therapie. Sie will das Leiden des menschlichen Geistes und der menschlichen Psyche heilen. Dabei helfen ihr vor allem die Symbole, mit denen sie arbeitet, und die Rituale, die in jeder Religion ein wesentlicher Bestandteil des spirituellen Lebens sind.

Die Rituale leiten für Jung die Triebenergie um in eine geistige Energie oder in den Antrieb zu Arbeit und Leistung. Rituale nehmen dem Menschen die Angst vor dem, was er für sich als notwendig erachtet. Der Mensch hat zum Beispiel Angst vor der Jagd. Auf der andern Seite ist die Jagd aber lebensnotwendig. Um die Angst vor der gefährlichen Jagd zu überwinden, veranstaltet er einen Ritus. Der Ritus aktiviert die Kräfte, die im Menschen stecken, und leitet sie auf die angestrebte Tätigkeit hin um. So erzählt Jung von der Frühlingszeremonie der Watschandis, die ein Loch in die Erde graben und es umtanzen. Sie leiten dadurch die sexuelle Energie in Arbeitsenergie um. »Die oft enorme Umständlichkeit solcher Zeremonien zeigt, wessen es bedarf, um die Libido aus ihrem natürlichen Strombett, nämlich der alltäglichen Gewohnheit, abzuleiten und einer ungewohnten Tätigkeit zuzuführen.«[6]

Wir glauben oft, wir könnten alles mit unserem bloßen Willen erreichen. Wir bräuchten keine komplizierten Riten. Aber immer wenn wir vor schwierigen Unternehmungen stehen, merken wir, dass die Willenskraft allein doch nicht ausreicht. Dann greifen wir doch zurück auf irgendwelche Rituale: »Dann legen wir mit dem Segen der Kirche einen feierlichen Grundstein, wir ›taufen‹ das vom Stapel laufende Schiff... So braucht es nur etwas unsichere Konditionen, um die ›magischen Umständlichkeiten‹ wieder auf ganz natürliche Weise zu belegen. Durch die Zeremonie werden nämlich tiefere emotionale Kräfte ausgelöst.«[7]

Übergangsriten

Die Riten als Umwandler der Lebensenergie haben vor allem in den Lebensübergängen eine wichtige Funktion. Sie helfen zum Beispiel dem jungen Menschen, sich von der Bindung an die Eltern zu lösen. Die Bindung an die Eltern ist – so meint Jung –

meistens so stark, dass sie durch einen bloßen Willensentschluss nicht aufgehoben werden kann. Dazu bedarf es der Initiationsriten, wie sie sich in allen Religionen finden. Die Initiationsriten bewirken auf der einen Seite eine Loslösung von den Eltern, auf der andern Seite helfen sie den jungen Menschen, erwachsen zu werden und nach vorne zu schauen auf die Aufgaben, die das Leben ihnen stellt.

Jung beobachtete, dass seine Patienten im Prozess ihrer Selbstwerdung instinktiv ähnliche Riten entwickeln, wie sie die Religionen praktizieren, um sich mehr und mehr von der Kraft der Elternbilder befreien zu können. Die Riten sind nicht willkürliche Erfindungen, sie verdanken »ihren Ursprung vielmehr der Existenz einflussreicher unbewusster Mächte, ... welche man nicht ohne Störung des seelischen Gleichgewichtes vernachlässigen darf«[8]. Sie entsprechen der Natur der menschlichen Psyche, die sich mehr und mehr von der Mutter- und Vaterbindung lösen muss. Nur so lernen wir, uns als Glied der Menschheitsfamilie zu fühlen und uns von Gott her zu definieren und nicht allein von unseren Eltern und unserer Lebensgeschichte her. Die Riten wecken im Menschen schöpferische Kräfte und tragen zur Kultivierung seines Lebens bei.

Sinnstiftende Rituale

Die Riten haben nach Jung aber nicht nur die Aufgabe der »Energietransformation«[9], sondern sie stiften auch Sinn. So könnten die Riten für Jung gerade heute in einer Zeit der Sinnlosigkeit eine heilende Wirkung ausüben. In einem Seminarvortrag am 5. April 1939 in London erinnerte er an die häuslichen Riten, die er auf einer Indienreise überall hatte beobachten können. Und er beklagt, dass wir Europäer in unsern Häusern keine Winkel (mehr) haben, in denen wir vergleichbare Riten vollziehen, wo wir unsere Andachten verrichten oder meditieren. Für ihn sind solche persönlichen Riten notwendig, damit wir den Wert unseres Lebens erfahren und dass wir mehr sind als bloße

Pflichterfüller und Leistungsträger, dass unser Leben aus mehr besteht, als nur zu arbeiten und zu essen, uns zu vergnügen und für den nächsten Tag zu sorgen. »Da die Leute nichts dergleichen besitzen, können sie nie aus dieser Tretmühle herauskommen, aus diesem schrecklichen, zermürbenden, banalen Leben, wo sie ›nichts als‹ sind. Im Ritual sind sie der Gottheit nahe; sie sind sogar göttlich.«[10] Und er meint, die Leute würden an der Banalität ihres Lebens krank. Die Sinnlosigkeit erzeuge Neurosen. Weil das Leben ohne Sinn und ohne Wert ist, braucht man äußere Sensationen, um sich überhaupt am Leben zu fühlen: »Alles ist banal, alles ist ›nichts als‹; und aus diesem Grunde sind die Leute neurotisch. Sie haben das Ganze einfach satt, die Banalität des Lebens, und deshalb wollen sie Sensationen. Sie wollen sogar einen Krieg; sie wollen alle einen Krieg. Sie freuen sich alle, wenn es Krieg gibt: sie sagen: ›Gott sei Dank, endlich passiert etwas – etwas, das größer ist als wir!‹«[11]

Was Jung 1939 sagte, hat heute genauso Gültigkeit. Ohne Rituale wird das Leben leer und sinnlos. Alles ist nur noch banal. Es gibt nur noch Arbeit und Vergnügen, aber keinen tieferen Sinn. Rituale zeigen, dass unser Leben sinnvoll ist, ja dass es einen göttlichen Wert hat. Der Mensch braucht, um gesund zu bleiben, etwas, das größer ist als er selbst. Das kommt in den Ritualen zum Ausdruck. Weil unser Leben einen unendlichen göttlichen Wert hat, formen wir es durch Rituale, feiern wir es mit unseren Ritualen. Die Rituale sind Ausdruck dessen, was Athanasius einmal gesagt hat, dass der Auferstandene ein unaufhörliches Fest in uns feiert. Unser Leben ist es wert, gefeiert zu werden, weil Christus selbst uns in seiner Auferstehung aufgerichtet und uns eine unantastbare Würde geschenkt hat. Jung meint, Menschen, die überall herumhetzen, machten oft den Eindruck, als ob sie von allen Teufeln besessen seien. Sie sind gleichsam besessen, weil sie ein sinnloses Leben führen. »Ihr Leben ist völlig und auf groteske Weise banal, vollkommen wertlos, sinnlos und ohne jedes Ziel.« Wenn wir jedoch das Gefühl haben, dass wir Söhne und Töchter Gottes sind und im Dienste Gottes stehen, dann schenkt uns das inneren Frieden.

»Das gibt inneren Frieden, wenn Menschen das Gefühl haben, ... dass sie Schauspieler im göttlichen Drama sind. Das ist das Einzige, was dem menschlichen Leben einen Sinn verleiht; alles andere ist banal, und man kann es beiseite lassen.«[12] Nur auf Karriere aus zu sein, nur immer mehr Geld zu verdienen macht das Leben noch lange nicht sinnvoll. Jung sieht das Geheimnis der katholischen Kirche darin, dass sie mit ihren Riten und ihren Symbolen den Menschen »immer noch ein sinnvolles Dasein führen lässt«[13].

Heute haben viele Menschen das Bedürfnis, ihr Leben wieder durch Rituale zu feiern, weil in ihnen eine tiefe Sehnsucht steckt: ihr Leben müsse doch mehr sein als bloße Pflichterfüllung, als Herumhetzen und die Erwartungen der andern erfüllen. Sie ahnen, dass ihr Leben einen tieferen Wert hat, teilhat an der Quelle des göttlichen Lebens, ja dass göttliches Leben selbst in ihnen sprudelt. Wer dagegen nur so in den Alltag hinein lebt, der kann damit zwar jahrelang seine innere Leere verdecken. Aber irgendwann wird sie ihn einholen. Und dann wird er von der Sinnlosigkeit seines Lebens krank.

Die heilende Kraft der Riten

Die Riten haben den Zweck, »sich gegen die unerwarteten, gefährlichen Tendenzen des Unbewussten zu verteidigen«[14]. Der Mensch sieht sich ungebändigten und scheinbar willkürlichen Kräften gegenüber, die aus seinem Unbewussten hochsteigen. Er kann sich allein mit dem Verstand und Willen dagegen nicht wehren. Jung erzählt von einem intelligenten Mann, der an einer starken Krebsangst litt. Er hatte viele Ärzte konsultiert und immer wieder das Ergebnis erhalten, dass er keinen Krebs habe. Trotzdem kam er von seiner irrationalen Angst nicht los, er könne doch Krebs haben. Alle rationalen Argumente halfen hier nicht, auch nicht die Erklärung, dass er sich den Krebs einbilde und diese Angst brauche, um andern Konflikten aus dem Weg zu gehen. Alle psychologischen Erklärungsversuche können die

Krebsangst nicht auslöschen. Jung meint nun, dem Mann könne man nur dann helfen, wenn man ihm die Vorstellung vermittelt, »dass sein Komplex eine autonome Macht ist, die sich gegen seine bewusste Persönlichkeit richtet«[15]. Gegen solche Komplexe, so meint Jung, könne man sich wirksamer durch Rituale schützen als durch alle Versuche, sich die Angst auszureden. Die Riten sind für Jung gleichsam Wächter, die den Menschen vor den Gefahren der Psyche und vor allem vor den selbständig erscheinenden Mächten des Unbewussten schützen. Jung beobachtete, dass manche Patienten in ihrem Heilungsprozess instinktiv ähnliche Rituale entwickeln, wie sie die Religionen seit alters praktizieren. Das ist für ihn ein Zeichen dafür, dass Rituale oft wirksamer heilen als die bloße Einsicht, dass der Komplex nichts als Einbildung sei. Jung nahm daher die Rituale »als Methoden geistiger Hygiene«[16] sehr ernst.

Wer die unberechenbaren Mächte des Unbewussten übersieht, der wird ihnen leicht ausgeliefert. Die Riten schützen vor diesen unberechenbaren Mächten und domestizieren sie. Jung sah im Ausbruch des Dritten Reiches eine Folge des übertriebenen Glaubens, wir könnten alles nur mit der Vernunft regeln. Die Mächte der Unterwelt, die früher im geistigen Gebäude der Religionen mehr oder weniger gebunden waren, kamen dadurch frei, suchten sich den Kanal der Eroberungssucht und haben »eine Staatssklaverei und ein Staatsgefängnis«[17] geschaffen. Durch bloße menschliche Vernunft kann man den entfesselten Vulkan nicht bändigen. Das zeigte Jung am Beispiel der Hochrüstung. Dass sich die Völker immer größere Waffenarsenale schaffen, ist nicht das Ergebnis einer vernünftigen Überlegung, sondern Ausdruck der Angst vor den benachbarten Nationen, von denen man annimmt, sie seien vom Teufel besessen. »Das Schlimmste dabei ist, dass man ganz Recht hat. Alle Nachbarn werden beherrscht von einer unkontrollierten und unkontrollierbaren Angst, genau wie man selbst. In Irrenanstalten ist es eine wohlbekannte Tatsache, dass Patienten, die an Angst leiden, weit gefährlicher sind, als solche, die von Zorn oder Hass getrieben sind.«[18] Riten haben die Aufgabe, diese Angst zu bannen und so in die richtigen Kanäle zu lenken. Wo die Riten fehlen, wird der Mensch mit den unberechenbaren Kräften seines Unbewussten nicht mehr fertig. Und dann wird die dadurch frei werdende Energie in die alten Kanäle der Neugier und Eroberungssucht geschickt. Dann wird der Mensch von Unruhe hin- und hergetrieben. Oft genug wird er neurotisch und desorientiert, er fühlt sich innerlich unzufrieden und zerrissen.

Das erneuerte Ritual

Die dreifache Bedeutung der Rituale, die wir in der Jungschen Psychologie finden, gilt sowohl für die persönlichen Rituale als auch für die kirchlichen Riten, die wir gemeinsam vollziehen. Von Jung her könnten wir neu verstehen, warum Rituale eine heilende und belebende Wirkung entfalten können und warum sich der Mensch darin wohl fühlt. Allerdings stellt Jung auch fest, dass die kirchlichen Rituale nicht automatisch eine heilende Wirkung haben. Oft ist der Sinn für sie verloren gegangen. Oder aber die Beziehung der Rituale zur ursprünglichen Gotteserfahrung wird nicht mehr sichtbar. Dann wird das Ritual entleert und es erstarrt. Es wird einfach nur noch abgespult. Jung warnt davor, den Ritus entweder als magischen Akt oder aber als bloßes Brauchtum misszuverstehen. Er spricht vom Ritus als einem symbolischen Akt. Er ist »Ausdruck archetypischer Erwartungen des Unbewussten«[19]. Jeder Augenblick unseres Lebens hat einen numinosen Charakter. Das gilt vor allem aber für die Übergänge des Lebens wie Geburt und Tod, Eintritt in das Erwachsensein, Krankheit, Schuld, Hochzeit und so weiter. »Durch den Ritus wird dem kollektiven und numinosen Aspekt des Augenblicks über seine rein persönliche Bedeutung hinaus Genüge getan.«[20] Der Ritus verbindet den Menschen mit seiner Geschichte. Er reicht bis in die Vorzeit hinein und erreicht daher auch das Unbewusste. Er verwandelt die unbewussten Voraussetzungen des Menschen.

Es genügt nach C. G. Jung nicht, die Riten einfach nur zu wiederholen. Sie brauchen eine ständige Erneuerung. Wir müssen uns daher immer wieder Gedanken machen, welchen Sinn die Rituale haben, und wir brauchen Phantasie, um die alten Rituale so zu feiern, dass sie uns heute erreichen. Das kann in der Kirche nicht durch das ständige Kommentieren der liturgischen Riten gelingen, sondern nur, indem wir sie so begehen, dass die Menschen unmittelbar davon erreicht werden. Es geht nicht darum, immer neue Rituale zu entwickeln, sondern die alten Rituale so zu feiern und zu verstehen, dass sie für uns stimmen. Nur dann können sie uns innerlich erneuern und kultivieren, nur dann werden sie schöpferische Energie in uns freisetzen und unsere Wunden heilen.

Was Jung von den Ritualen schreibt, habe ich bei Erhart Kästner wiedergefunden. Er hat die heilende und Heimat schenkende Wirkung der Rituale in seinem Buch »Die Stundentrommel vom Heiligen Berg Athos« in die klassischen Worte gekleidet: »Neben dem Drang, die Welt zu gewinnen, liegt ein eingeborener Drang, immer Selbes aus uralten Formen zu prägen. In Riten fühlt die Seele sich wohl. Das sind ihre festen Gehäuse. Hier lässt es sich wohnen, in den dämmerigen Räumen, die das Liturgische schafft. Hier stehn die gefüllten Näpfe bereit, die Opferschalen der Seele. Hier fährt sie aus, fährt sie ein; gewohnte Gaben, gewohntes Mahl. Der Kopf will das Neue, das Herz will immer dasselbe.«[21]

Rituale für das Miteinander – Erik H. Erikson

Für den amerikanischen Psychologen Erik H. Erikson sind die Rituale wichtig, damit der Mensch seine Identität findet. Gerade unsichere Menschen entdecken durch die Rituale, wer sie sind, stabilisieren sich und finden zu sich selbst.

Das erlebe ich immer wieder in der Begleitung junger Menschen. Gerade bei depressiv veranlagten Jugendlichen frage ich immer sehr konkret nach, wann sie aufstehen, wie sie den Morgen gestalten, wann und wie sie arbeiten. Manche versinken in Selbstmitleid und suchen in den Umständen die Ursache ihrer Schwierigkeiten. Da sind Rituale eine wichtige Hilfe, ihr Leben selbst in die Hand zu nehmen und ein Gespür dafür zu entwickeln, dass sie selber leben, statt gelebt zu werden. Rituale helfen ihnen dabei, Geschmack an ihrer Identität zu bekommen.

Erikson unterscheidet drei verschiedene Zusammenhänge, in denen von Riten gesprochen wird. Da ist einmal der anthropologische Begriff der Riten, »die immer wiederkehrende Ereignisse bezeichnen«[22]. Besonders interessierte Erikson die phylogenetische Bedeutung der Riten, wie sie auch Konrad Lorenz beschrieben hat. Hier sind Riten angeborene »Verhaltensmuster, die bei Tieren, die in Gruppen leben, der Anpassung dienen«[23]. Beim Menschen zeigen sich diese Riten als vereinbarte Haltungen, die zwei Menschen immer wieder als Wechselspiel aufführen. Erikson zeigt das am Beispiel des morgendlichen Begrüßungsrituals des kleinen Kindes durch die Mutter. Es ist immer das gleiche Ritual, wie das Kind seiner Mutter zuerst mitteilt, dass es wach ist, und die Mutter das Kind anschaut, in den Arm nimmt, seinen Namen ausspricht und spürt, ob das Kind sich wohl fühlt oder nicht. Das Verhalten der Mutter ist formalisiert, und doch ist es ganz persönlich. Sowohl für die Mutter wie für das Kind ist dieser Ritus »eine emotionale und eine praktische Notwendigkeit«. Zugleich und drittens hat der Ritus für Erikson aber auch ein numinoses Element: »das Gefühl einer heiligen Gegenwart«[24]. Die Rituale erzeugen im Kind das Urvertrauen, das für die Entfaltung der eigenen Identität so entscheidend ist. Durch die Rituale zeigen die Eltern dem Kind, dass das, was sie tun, einen tieferen Sinn hat. Und sie wecken in ihm das Vertrauen in die Welt, in ihre Verlässlichkeit und in ihre Sinnhaftigkeit. Erikson gibt folgende grundlegende Elemente der Rituale an:

Menschliche Rituale

»1. treten zum ersten Mal in einem numinosen Zusammenhang auf;
2. basieren auf den wechselseitigen Bedürfnissen zweier ungleicher Organismen;
3. verbinden sich zu praktischer Realität und symbolischer Aktualität;
4. sind sowohl deutlich persönlich als auch gruppengebunden;
5. erhöhen sowohl das Gefühl der Zugehörigkeit als auch das Gefühl des Anders-Seins;
6. sind spielerisch, wenngleich formalisiert;
7. sind durch Wiederholung vertraut geworden; dennoch haftet ihnen durch das mit ihnen verbundene Wiedererkennen ein Gefühl der Überraschung an.«[25]

Erikson sieht also die Rituale vor allem als Ausdruck des Miteinanders. In den Ritualen verhalten sich Menschen auf klare Weise zueinander. Rituale schaffen Verständnis füreinander und sie geben dem Miteinander eine heilsame Form. Auch wenn ein Einzelner für sich Rituale entwickelt, fühlt er sich darin einer bestimmten Gruppe, zum Beispiel einer Religionsgemeinschaft, einer Familie oder einem Verein, zugehörig. Sein Leben verliert das Zufällige. Er fühlt sich eingebunden in eine größere Familie und er fühlt sich getragen von der »heiligen Gegenwart«, von der Nähe Gottes.

Viele Rituale regeln ja auch schon von vorneherein die Beziehung zur Gemeinschaft, etwa das Begrüßungsritual bei einem Vortrag. Da werden die Zuhörer begrüßt, damit sie sich zusammengehörig fühlen. Und da wird der Referent begrüßt und dadurch aufgenommen in die Gemeinschaft derer, die gekommen sind, um ihn zu hören. So schafft das Ritual der Begrüßung Gemeinschaft. Das gilt natürlich noch mehr für die kirchlichen Rituale, die darauf aus sind, dass sich die Gemeinde in einer tieferen Weise zusammengehörig fühlen kann.

Und die Rituale haben etwas Spielerisches. Sie schaffen in unserer verzweckten Welt einen Raum für das Zweckfreie und für das Spiel. Rituale sind nicht notwendig, aber sie machen Spaß. Sie bringen in die Tretmühle unseres Alltags etwas Luft, einen Raum zum Atmen, das Gefühl von Freiheit, von Selberleben anstatt Gelebtwerden.

Spontanrituale – Peter Schellenbaum

Der Jungianer Peter Schellenbaum beschreibt in seinem Buch »Nimm deine Couch und geh!« die Heilung durch Spontanrituale. Er beobachtet, dass Menschen, etwa in einer Gruppentherapie oder in einem Einzelgespräch, manchmal Spontanrituale entwickeln, die dann genau die Spur der Heilung angeben. So bewegt eine 35-jährige Frau, die von ihrer lähmenden Ehesituation erzählt, auf einmal den Kopf hin und her, »als wolle sie anfangen, nein zu sagen«[26]. Das war so ein Spontanritual, das ihr auf einmal klar machte, dass sie endlich einmal nein sagen musste, wenn sich in ihrer Ehe etwas bewegen sollte.

Die Krankheit, so meint Schellenbaum, entstehe oft durch ganz bestimmte krankmachende Rituale. So ein Ritual kann darin bestehen, dass bei einem Kind jeder Fehler durch Schläge geahndet wird, oder dass der Vater erst einmal herumbrüllt, wenn er von der Arbeit heimkommt, oder aber sich vor dem Fernseher verkriecht und für das Kind nicht präsent ist. Seelische Krankheit besteht für Schellenbaum oft in der »Ritualisierung früher Reaktionsmuster, die beibehalten werden, obschon sie das Leben einengen und hemmen«. Spontane Rituale, die im Prozess einer Therapie oft auftauchen, »bewirken Strukturierung«, »sie ordnen menschliches Leben mit dem Ziel, seinen Fluss zu fördern«[27]. Wir brauchen Rituale, um ganz da zu sein. Sie bringen uns mit uns selbst in Berührung, damit wir uns ganz auf die gerade gestellte Aufgabe einlassen können.

Schellenbaum vergleicht die Spontanrituale mit den Einweihungsriten, die bei allen Völkern beobachtet werden können.

Sie haben nicht nur die Funktion, den Menschen in einen neuen Entwicklungsschritt einzuüben, sondern sie wollen den ganzen Menschen erneuern. Das Einweihungsritual geschieht meistens in einer Gruppe, und zwar in einer Übergangsgemeinschaft. Früher tauchten die Menschen für einige Zeit in die Übergangsgemeinschaft eines Klosters ein, heute treten an deren Stelle oft Therapiegruppen. Dort üben sich die Menschen darin ein, sich von falschen Erwartungen der Gesellschaft zu lösen und den eigenen Weg zu entdecken. »Spontanrituale dieser Übergangsphase markieren den Weg und bilden Energiequellen, die in späteren Krisen wieder zum Strömen gebracht werden. Sie sind gewissermaßen Entwicklungsanker oder Leitsysteme der Neuorientierung.«[28]

Schellenbaum beobachtet in seinen Gruppen, wie oft Menschen eine Schlüsselgebärde entdecken, die eine alte Lebenshemmung auf einmal auflöst. So eine Schlüsselgebärde kann ein Sprung sein, den man endlich einmal wagt, nachdem man ihn sich lange verboten hat. Oder es ist ein Schritt: »Wenn ich den gefunden habe, dann bin ich da.«[29] Wenn einer seinen Schritt, seinen Sprung, seine Drehung, seine Schlüsselgebärde entdeckt hat, dann wäre es seine Aufgabe, sie immer wieder zu üben, bis sie ihn mehr und mehr zum Leben führt. Die Rituale, die aus solchen Schlüsselgebärden entstehen, wirken nicht, indem wir sie verstehen, sondern indem wir sie üben. Dann strukturieren sie unser Leben neu und schenken uns neues Lebenspotenzial.

Was Schellenbaum von der heilenden Wirkung der Spontanrituale schreibt, das gilt für ihn auch für viele traditionelle Rituale, die wir bewusst oder unbewusst üben. Ihr Sinn liegt in der »Einübung in alltägliches Leben. Sie verkörpern ›bahnbrechende‹ Energiemuster. In Krise und Gefahr erschließen sie Lebenspotenzial«[30]. Schellenbaum spricht von der erotischen Einstellung als Kennzeichen positiver Energiemuster. Gerade wenn wir in unserer Einsamkeit, in unserem Schmerz, in unserer Kränkung an Grenzen kommen, kann uns ein Ritual, zum Beispiel eine Eucharistiefeier, in die erotische Spur führen, in die »Förderung des Lebens durch Hingabe«[31]. Da spüren wir auf einmal, dass etwas in unser Leben eintritt, was uns befreit von dem Kreisen um uns selbst, von den »Unliebesspielen«, »durch die wir uns in die Isolation drängen«. Auf einmal entdecken wir einen neuen Sinn in unserem Leben: die sich hingebende Liebe, die wir in der Eucharistie feiern.

Schellenbaum beschreibt in den Spontanritualen, wie ein Mensch in einem therapeutischen Prozess eine Spur findet, die ihn zur Heilung seiner Wunden und zur Lebendigkeit und Freiheit führt. Auch in den Ritualen unseres Alltags geht es nicht darum, dass wir uns irgendwelche Rituale überstülpen, sondern dass wir für uns persönliche Rituale entwickeln, die uns zum Leben führen. Immer wenn es nur darum geht, in den Ritualen eine Leistung zu vollbringen, sind wir in Gefahr, uns Zwangsrituale aufzuerlegen. Es geht nicht um Leistung, die wir vorweisen könnten, sondern um Spuren, auf denen wir zu unserer eigenen Lebendigkeit finden und die uns helfen, unser eigenes Leben bewusst zu leben. Die Spontanrituale kommen von innen heraus, wenn ein Mensch sensibel wird für die Regungen seiner Seele und seines Leibes.

Wenn ich im Folgenden eine Reihe von Ritualen beschreibe, dann möchte ich nicht dazu einladen, sie direkt zu kopieren, sondern auf dem Hintergrund der Erfahrung anderer sensibel zu werden für das, was einem selbst gut tut. Wenn wir zu viel Energie darauf verwenden, uns Rituale auszudenken und zu praktizieren, dann halten sie uns eher vom Leben ab, als dass sie uns zu unserer eigenen Lebendigkeit führen. Ich möchte nur anregen, das eigene Leben bewusster zu leben und zu sehen, welche Rituale dabei helfen könnten.

II.
Persönliche Rituale

Morgenrituale

Jeder Mensch entwickelt in seinem Leben Rituale, etwa wie er seinen Tag beginnt und beschließt, wie er seine Arbeit vorbereitet und durchführt und wie er seinen Feierabend gestaltet. Wenn jemand seine Rituale nicht bewusst lebt, stellen sich trotzdem unbewusst ritualisierte Abläufe ein. Es gibt heilende Rituale, aber es gibt auch krankmachende Rituale. Wenn jemand immer erst in der letzten Minute aus dem Bett springt, sich in aller Eile wäscht und anzieht und das Frühstück hinunterschlingt, um zur Arbeit zu hetzen, so tut ihm dieses Morgenritual sicher nicht gut. Er hat dieses Morgenritual auch nicht bewusst für sich gewählt. Es überkommt ihn, weil er nicht darüber nachdenkt, wie er seinen Morgen sinnvoll und auf gesunde Weise beginnen soll. Andere lassen sich Zeit am Morgen. Sie spüren sich in den Tag hinein, öffnen das Fenster und atmen bewusst die frische Luft ein. Sie halten ihre offenen Hände dem Tag entgegen und bitten Gott um seinen Segen. Sie stehen früh genug auf, um sich in aller Ruhe waschen und ankleiden zu können und das Frühstück zu genießen. Für viele gehören zum Morgenritual das Morgengebet oder eine stille Zeit. Die einen lesen einen Bibeltext und meditieren über ihn. Die andern meditieren mit dem Jesusgebet, oder sie setzen sich einfach schweigend vor eine Kerze oder eine Ikone, um ihren Tag Gott hinzuhalten oder um in der Stille in sich den inneren Raum des Schweigens zu entdecken, den ihnen auch der Lärm des Tages nicht zu rauben vermag.

Es gibt die verschiedensten Möglichkeiten, seinen Tag mit einem gesunden Ritual zu beginnen. Ein Mann erzählte mir, dass er jeden Morgen nach dem Aufstehen einen kurzen Waldlauf macht, sich dann duscht und das Frühstück genießt. Das tut ihm gut. Natürlich braucht dieses Ritual auch Überwindung. Wenn es draußen kalt ist, ist es nicht so selbstverständlich, das warme Bett zu verlassen. Aber wenn dieser erste Schritt vollzogen ist, spürt er, wie gut ihm das Laufen in der freien Natur tut. Rituale brauchen auch Disziplin. Disziplin, so meint ein amerikanischer Psychologe, sei die Kunst, das Leid des Lebens zu verringern. Rituale vertragen aber auch keinen Zwang. Wenn sie aus innerem Zwang geschehen, aus Angst, sonst könnte tagsüber ein Unglück geschehen, dann beleben sie nicht, sondern engen ein und verstärken nur die Angst, aus der sie geboren wurden.

Ein Priester erzählte mir, dass er lange Zeit ein Morgenritual hatte, das ihm das Gefühl vermittelte, sein eigenes Leben zu leben. Er führte erst seinen Hund aus, dann duschte er, bereitete sich das Frühstück, legte gute Musik auf und zündete eine Kerze an, um so in aller Ruhe zu frühstücken. Er hatte das Gefühl, dass sein Tag so gut beginnt, dass es sein eigenes Leben ist und dass er Lust am Leben hat. Aber als er in eine neue Pfarrei kam, ging dieses Morgenritual irgendwie unter. Er wusste selbst nicht, warum er nicht mehr darauf achtete, wie er den Morgen begann. Auf jeden Fall führte diese Formlosigkeit schon nach kurzer Zeit in die Beziehung zu einer Frau, die ihn in große Schwierigkeiten brachte. Weil er nicht mehr sein eigenes Leben lebte, wurde er von außen gelebt. Weil er bei sich keine Heimat mehr fand, musste er sie bei einer Frau suchen.

Gerade bei Menschen, die allein leben, achte ich in der Begleitung sehr darauf, wie sie ihren Tag beginnen. Das ist für mich immer ein Kriterium, ob sie selber leben oder sich einfach treiben lassen, ob sie wirklich einen spirituellen Weg gehen oder nur eine fromme Verzierung ihres inneren Durcheinanders möchten. Ich reagiere allergisch darauf, wenn einer schwärmt, wie sehr er Gott liebe, in seinem konkreten Leben aber nichts von dieser Gottesliebe sichtbar wird. Vielmehr zeichnen sich solche Menschen oft durch übertriebene Empfindlichkeit und überhöhte Ansprüche an die andern aus. Aber das merken sie gar nicht. Sie bleiben lieber in ihrer Illusion, dass sie nur noch Jesus oder Maria liebten. Doch ihre vermeintliche Liebe ist nichts anderes als Flucht in ein frommes Gefühl. Darin steckt keine Kraft, das Leben zu verwandeln und zu formen. Ob unsere Beziehung zu Jesus Christus echt ist, zeigt sich für mich in der Gestaltung des Tages. Und dafür ist der Morgen entscheidend.

Die Morgenrituale entscheiden, ob wir den Tag selber leben oder ob wir gelebt werden, ob wir gerne in den Tag gehen oder uns von unserer Unlust treiben lassen, ob wir uns von den Terminen bestimmen lassen oder ob wir alles, was wir tun, unter den Segen Gottes stellen. Eine Frau erzählte mir von ihrer Tendenz, allen schwierigen Situationen auszuweichen und sich immer wieder in die Krankheit zu flüchten. Wenn etwas Unangenehmes bevorsteht, dann kommt sie nicht aus dem Bett heraus. Gerade für sie war es wichtig, ein gesundes Morgenritual zu entwickeln. Ich riet ihr, sie solle sich jeden Morgen, wenn der Wecker schellt, vorsagen: »Ich entscheide mich für das Leben.« Je mehr sie dem Leben ausweicht, desto stärker fließt alle Energie aus ihr ab.

Ein Morgenritual, das für den heutigen Tag motiviert, weckt die Energien, die in jedem stecken, und schenkt Lust am Leben. Gerade bei Menschen, die depressiv veranlagt sind oder die ihren normalen Rhythmus verloren haben, weil sie arbeitslos geworden sind, ist ein bewusstes Morgenritual entscheidend. Wenn sie sich da gehen lassen, dann werden sie den ganzen Tag herumtrödeln. Es wird nichts dabei herauskommen und sie werden immer unzufriedener.

An die Situation anpassen

Viele finden daheim allerdings keine Zeit und keinen Raum, für sich zu sein, weil ihre Kinder sie schon in aller Frühe in Beschlag nehmen. Die Rituale müssen an die jeweilige Situation angepasst sein. Vielleicht bleibt überhaupt keine Zeit zu Stille und zum Gebet. Zumindest die ersten Augenblicke nach dem Schellen des Weckers aber sind meine eigene Zeit. Es liegt an mir, welche Gedanken ich mir da mache, ob ich da Gott um seinen Segen bitte, oder ob ich einfach in den Tag falle. Wenn die Kinder noch klein sind, sind sie es oft, die den Schlaf der Eltern beenden, und sie verlangen sofort nach Zuwendung. Dann bleibt meist keine Zeit, sich bewusst auf den Tag einzustimmen. Aber die Art, wie ich mich den Kindern zuwende, kann auch zu einem heilsamen Ritual werden, das mich bewusst auf die Kinder einstimmt. Ich kann innerlich stöhnen über die Plagegeister, die mir den Schlaf rauben, oder ich kann bewusst Ja sagen zu den Kindern, die Gott mir geschenkt hat und für die ich Vater oder Mutter sein, denen ich Geborgenheit und Liebe schenken darf. Denen ich etwas vermitteln kann von Gottes Güte und Menschenfreundlichkeit, von Gottes Väterlichkeit und Mütterlichkeit.

Träumen nachspüren

Ein gutes Morgenritual ist auch, sofort nach dem Aufwachen nachzuspüren, ob ich mich noch an Träume erinnern kann. Vielleicht sind es nur ein paar Traumfetzen oder einzelne Bilder, die mir einfallen. Die Träume sagen mir genauer, wie es eigentlich um mich steht. Sie zeigen mir, was mich in der Tiefe meines Herzens beschäftigt. In Bildern decken sie mir meine eigene Wahrheit auf und geben mir zugleich die Schritte an, die ich tun müsste. Oft sind die Träume auch eine frohe Botschaft, die mir zeigt, dass in mir schon mehr Leben und Reife ist, als ich bewusst oft wahrnehme. Vielleicht ist mein Alltag grau. Da zeigen mir die

Träume, wie bunt es in mir aussieht, wie viel Phantasie in mir ist. Manche Träume hinterlassen ein Gefühl von Beklemmung und Angst. Das ist dann immer ein Zeichen, dass ich da einmal genauer hinsehen muss, dass da etwas in mir ist, was ich verdrängt habe. Andere Träume geben ein Gefühl von Weite und Freiheit, von Freude und innerer Sicherheit. Das Nachspüren in solche Träume kann dann eine Hilfe sein, den Tag froher und freier zu erleben. Wenn solche frohmachenden Traumbilder in mir nachwirken, dann werde ich den Tag von innen heraus leben und mich nicht von den äußeren Bedingungen bestimmen lassen. Und ich werde alles durch die Brille dieser inneren Bilder sehen und nicht durch die Brille meiner Angst oder meiner Resignation.

Rituale bei der Arbeit

Für manche ist der Weg zur Arbeit ein guter Ort, sich bewusst auf den Tag einzulassen und ihn Gott hinzuhalten. In katholischen Gegenden ist es noch Brauch, beim Verlassen des Hauses Weihwasser zu nehmen und sich damit zu bekreuzigen. Das Weihwasser erinnert an die Taufe, daran, dass wir bedingungslos von Gott angenommen sind, unabhängig von der Leistung, die heute in unserer Arbeit von uns verlangt wird. Es relativiert den Leistungsdruck, unter dem viele schon in aller Frühe stehen, wenn sie an die Arbeit denken. Das Kreuzzeichen bringt zum Ausdruck, dass der ganze Leib von der Liebe Gottes berührt wird, dass wir ganz und gar unter dem Segen Gottes stehen, dass das Kreuz Christi die Gegensätze unseres Lebens, die uns oft zu zerreißen drohen, zusammenhält. Und das Kreuz zeigt, dass ich Gott gehöre und nicht der Welt, dass die Welt keine Macht hat über mich, weil ich ein anderes Leben, ein göttliches Leben in mir trage.

Wer mit dem Zug zur Arbeit fährt, der hat jeden Tag seine Zeit, um zu lesen oder zu beten. Manch einer hat mir erzählt, wie sehr er sich jeden Tag auf die Fahrt zur Arbeit freut, weil er da Zeit hat zu lesen. Natürlich ist es wichtig, was ich mir zum Lesen aussuche. Für viele sind Bücher, die eine Lebenshilfe aus dem Glauben anbieten, zu wichtigen Begleitern auf der Fahrt zur Arbeit geworden. Wer mit dem Auto fährt, kann sich über den Verkehr ärgern oder aber den Rosenkranz oder das Jesusgebet beten oder gute Musik hören. Auch im Auto kann man durchaus meditieren und sich und seinen Tag Gott übergeben. Andere gehen bewusst zu Fuß oder fahren mit dem Rad. Dann können sie die Natur wahrnehmen und mit allen Sinnen die Luft, die Kälte und Wärme, die Stimmung der Jahreszeiten spüren. Auf dem Gang zur Arbeit kann man sich langsam auf die Menschen einstellen, mit denen man in seiner Firma zusammenarbeitet oder denen man begegnen wird. Und man kann für sie beten, dass man ihnen gerecht wird, dass man einen Blick dafür bekommt, wonach sie sich sehnen, was sie im Innersten bewegt und was sie gerade brauchen.

Auch bei der Arbeit gibt es die verschiedensten Rituale. Da fängt einer im Büro damit an, dass er erst einmal das Fenster aufmacht und frische Luft hereinlässt. Der andere verschafft sich zuerst einen Überblick über das, was auf dem Schreibtisch liegt, und arbeitet dann eines nach dem andern auf. Ein anderer beginnt mit dem Kreuzzeichen, wenn er in sein Büro kommt. Für mich ist es wichtig, auf dem Weg zur Verwaltung für die Menschen zu beten, die heute in mein Büro kommen. Natürlich habe ich damit keine Garantie, dass ich nach zwei Stunden noch in der Verfassung bin, in die mich das Gebet bringt. Aber zumindest wird dadurch die Sensibilität für die Menschen, die heute etwas von mir wollen, etwas größer. Beim Telefonieren spüre ich sofort, ob der andere ganz beim Gespräch ist oder ob er den Anruf nur als lästig empfindet und ihn möglichst rasch abtun möchte. Da ist es ein gutes Ritual, beim Griff zum Telefonhörer ganz im Augenblick zu sein und sich auf den Anrufer einzustellen.

Ein Bankdirektor geht in der Mittagspause in eine nahe gelegene Kirche und setzt sich dort zwanzig Minuten still hinein, um innerlich zur Ruhe zu kommen. Das schenkt ihm für den zweiten Teil der Arbeit die nötige Gelassenheit. In unserer Abtei ist es Brauch, dass wir bei jedem Stundenschlag kurz innehalten und beten. Das unterbricht die Arbeit und zeigt uns, worauf es eigentlich ankommt.

Jeder hat seine eigenen Rituale für die Pausen entwickelt, die die Arbeit bietet. In manchen Firmen ist die Kaffeepause ein Gräuel, weil nur auf andere geschimpft wird. In andern Betrieben dagegen freuen sich die Mitarbeiter auf das Zusammensein in der Pause. Da kann man aufatmen, in aller Ruhe sein Brot essen und das ungezwungene Miteinander genießen. Manche gehen auch gerne ins Freie, um einmal richtig durchzuatmen. Andere entspannen sich in einem Sessel und lassen alles los, was auf sie eingestürmt ist. Ein gutes Ritual kann die Erholung durch die Pause fördern.

Entscheidend ist auch das Ritual, mit dem ich die Arbeit beschließe und nach Hause komme. Oft verursachen unerledigte Geschäfte bei der Arbeit, verinnerlichter Ärger, Unzufriedenheit, Anspannung, die man mit nach Hause bringt, unnötige Konflikte. Da schreit man dann entnervt die Kinder an oder ist gereizt, wenn die Frau nicht so reagiert, wie man möchte. Man hört nicht hin, wenn die Frau etwas erzählt von dem, was sie erlebt hat. Und schon fühlt sich die Frau nicht ernst genommen. Und so entsteht sehr schnell ein Konflikt, der vermeidbar wäre, wenn man sich von der Arbeit wirklich verabschiedet hätte.

Manche Frauen, die von der Arbeit kommen, stöhnen über den Berg an Arbeit, der sie nun daheim erwartet, oder über die Kinder, die nun an ihnen zerren werden. Auch da kommt es darauf an, mit welchem Ritual ich nach Hause komme, ob ich mich bewusst auf daheim freue oder alles nur als Last ansehe, die mich überfordert. Wer mit dem Zug fährt, kann die Zeit nutzen, sich innerlich von der Arbeit zu lösen und sich bewusst auf das Zuhause einzustellen. Je kürzer der Nachhauseweg ist, desto schwieriger ist es, abzuschalten und sich ganz auf die Familie einzulassen. Aber da könnte helfen, an seinem Arbeitsplatz nochmals kurz innezuhalten und ganz bewusst alles hier zu lassen, was mich beschäftigt. Ein kurzes Dankgebet für das, was gelungen ist, und eine Bitte, dass Gott alles, was nicht so gut war, verwandeln möge, können uns inneren Frieden schenken und uns gut auf den Abend daheim vorbereiten.

Abendrituale

Abendrituale sind genauso wichtig wie Morgenrituale. Natürlich unterscheiden sie sich sehr, je nachdem, ob man verheiratet ist oder alleine lebt. In der Familie bestimmen die Kinder diese Abendrituale mit. Übrigens: Wenn der Vater täglich einplant, mit den Kindern eine halbe Stunde zu spielen, dann kann das für ihn Erholung sein, und den Kindern gibt es Sicherheit und das Gespür, dass der Vater Zeit für sie hat. Wenn sie aber täglich darum betteln müssen, mit dem Vater spielen zu dürfen, dann wird es für beide Seiten nicht befriedigend. Viele Männer, die von der Arbeit nicht abgeschaltet haben, schalten lieber vor dem Fernseher ab oder indem sie sich hinter der Zeitung verkriechen. Aber das tut dem Miteinander meistens nicht gut. Es kann nur dann hilfreich sein, wenn es genau begrenzt ist und zum täglichen Ritual wird. Wenn man sich erst einmal eine halbe Stunde mit Zeitunglesen erholt, dann aber wirklich präsent ist, dann kann sich die Familie darauf verlassen und wird es auch respektieren. Aber wenn man sich für den ganzen Abend vor den Fernseher zurückzieht, dann wird das den Hausfrieden stören, und das Abendritual wird für alle unbefriedigend sein. Jeder wird das Gefühl haben, nicht ernst genommen zu werden, nicht wichtig zu sein. Gute Abendrituale schenken nicht nur mir selbst innere Zufriedenheit, sondern ermöglichen auch ein gutes Miteinander in der Familie.

Bei einem Priestertag war eine wichtige Frage, wie der Abend des zölibatären Priesters aussehe. Da wurde berichtet, dass viele frustriert von den Sitzungen heimkämen und dann keine Lust mehr hätten zum Lesen oder Meditieren. Sie würden dann den Ärger zustopfen mit Essen, Trinken oder Fernsehen oder allem zugleich. Irgendwann gehen sie dann müde zu Bett. Das ist auch ein Abendritual, aber eines, das der Psyche schadet. Denn der zugestopfte Ärger wird sich in der Nacht im Traum auswirken. Man wird entweder unruhig träumen und dann am nächsten Tag mit dem Gefühl diffuser Unzufriedenheit aufwachen. Oder man wird sich an die Träume gar nicht erinnern und trotzdem am Morgen gerädert aufstehen. Der verdrängte Ärger wird sich im Unbewussten auswirken und uns dann von innen her bestimmen. Wir wissen gar nicht, woher das Gefühl der Lustlosigkeit kommt. Es rührt oft von dem nicht verdauten Ärger her. Priester, die ständig Erwartungen von außen ausgesetzt sind und immer für andere da sein sollen, brauchen den Raum, in dem sie für sich selbst leben. Sie brauchen Rituale, die ihnen das Gefühl vermitteln, dass sie selber leben, anstatt gelebt zu werden, dass sie eine eigene Lebenskultur haben, die ihnen Freude macht. Die Rituale sind ein Gegengewicht gegen die oft allzu großen Erwartungen, die eine Gemeinde an den Priester richtet. Sie schützen ihn davor, ausgelaugt zu werden. Sie geben ihm eine Form, in der er leben kann.

Das Fernsehen

Nicht nur in Familien, auch bei vielen Alleinstehenden bestimmt der Fernseher das Abendritual. Das ist ein passives Ritual, bei dem man sich berieseln lässt. Auf Dauer wird das unzufrieden und träge machen. Wenn das Fernsehritual allein den Abend bestimmt, wird das Familienleben beeinträchtigt. Es kann kein Gespräch mehr zwischen den Ehepartnern entstehen. Und im Umgang mit den Kindern geht viel Phantasie verloren. Auch für Alleinstehende ist der Fernseher eine große Versuchung. Es ist die einfachste Art, sich abends zu beschäftigen. Aber abgesehen von den sinnvollen Sendungen, die ein gutes Gefühl hinterlassen, erzeugt der Fernseher doch eher Unzufriedenheit. Man beschäftigt sich halt, weil man nichts Besseres weiß. Aber man wird dann auch vom Fernseher bestimmt. Die meisten können die Sendungen gar nicht genießen, sie konsumieren sie eben wie das tägliche Brot.

Für mich ist der Abend zu schade, um ihn mit Fernsehen zu verbringen. Ich freue mich, wenn einmal kein Gespräch oder Vortrag ist. Dann habe ich den Abend für mich. Ich kann lesen oder schreiben, je nachdem, wie es für mich gerade stimmt. Oder ich kann bewusst einmal Musik hören und sie genießen. Dann kann ich mich in die Musik hineinfallen lassen und durch die Musik in ähnliche Bereiche vorstoßen, in die mich morgens die Meditation führt.

Am Abend allein

Manche Alleinstehende erzählen mir, dass ihnen abends die Decke auf den Kopf fällt, dass sie sich einsam und verlassen fühlen, dass da all die unerfüllten Lebenswünsche hochkommen, das Gefühl, am Leben vorbeizuleben. Da sehnt man sich nach einem Lebenspartner und fühlt sich allein gelassen. Ich kann das durchaus verstehen. Und es hat keinen Zweck, solche Gefühle einfach zu verdrängen.

Für mich gibt es zwei Wege, mit solchen Gefühlen umzugehen. Der eine Weg besteht darin, sich diesen Gedanken und Gefühlen zu stellen und sie zu Ende zu denken: »Wonach sehne ich mich wirklich? Ist es nur der Mann oder die Frau, die mir alle meine Wünsche erfüllen könnten? Oder ist da in mir eine tiefere Sehnsucht, die allein Gott zu erfüllen vermag? Was macht mein Leben lebenswert? Was heißt es für mich, zu leben? Was ist der Sinn meines Lebens?« Solche Fragen führen mich zum Kern und zwingen mich, meinen Grund tiefer zu legen als in äußere Beziehungen. Der letzte Grund meines Lebens ist Gott. Der zweite Weg besteht darin, genügend Phantasie zu entwickeln, um das Alleinsein auch zu genießen. Und das wären eben gute Abendrituale. Entscheidend ist, dass ich den Abend selber gestalte, dass ich abwechsle zwischen Abenden, die ich bewusst allein verbringe, mit Lesen, Musikhören, Meditieren oder mit dem, worauf ich Lust habe, und Abenden, an denen ich mit Freunden etwas unternehme, ins Theater oder Konzert oder ins Kino gehe, einen Spaziergang mache oder schwimme. Sobald ich meine Abende aktiv gestalte, wird es mir besser gehen. Und ich werde sowohl das Alleinsein als auch die Gemeinschaft genießen können.

Gerade für Alleinstehende ist es wichtig, dass sie gesunde Rituale entwickeln, damit sie das Gefühl haben, gerne zu leben, Lust an diesem Leben zu haben. Ohne Rituale kommen oft Gefühle der Sinnlosigkeit auf. Wozu das alles? Gute Abendrituale könnten dagegen eine Quelle von Kreativität und Lebensenergie sein. Wie viel einer arbeiten kann, hängt sicher auch von seinen Ritualen ab. Manche kommen abends nicht ins Bett, weil sie noch so viel zu tun haben. Aber oft kommt bei der Arbeit gar nichts heraus. Sie arbeiten vor sich hin, tun das und jenes und legen sich dann unzufrieden ins Bett. Das tut weder dem Leib noch der Seele gut.

Ein Mann, der aus einer führenden Position in der Wirtschaft ausgestiegen war, erzählte mir, wie er oft lustlos den Tag anfange. Dann setze er sich an den Schreibtisch. Aber schon nach kurzer Zeit habe er keine Lust mehr, vor allem dann, wenn es nicht gut läuft. Dann legt er sich wieder ins Bett. So wird er immer unzufriedener mit sich selbst, weil er die Arbeit, die er sich vornimmt, nicht schafft. Da wären Rituale eine wichtige Hilfe, um aus dieser Lustlosigkeit und Sinnlosigkeit herauszukommen. Nur mit seinem Willen, täglich genügend zu arbeiten, wird der Mann sicher scheitern. Er braucht Rituale, die ihm das Gefühl von Sicherheit mitten in seiner unsicheren Situation geben, die seinen Tag klar strukturieren und in ihm die nötige Energie erzeugen, die ihm Lust am Leben schenken.

Rituale sind gerade für Alleinstehende wichtig, um zu klären, ob sie aus irgendeinem Grund alleine leben und sich für diese Lebensform entschieden haben. Da vermitteln die Rituale nicht nur das Gefühl, dass ihr Leben einen unantastbaren Wert habe, sondern auch ein Stück Heimat und Geborgenheit. Rituale sind Ausdruck der Lebenskultur. Und gerade für Alleinstehende ist es entscheidend, dass sie eine Lebenskultur entwickeln, die ihnen gut tut, in der sie sich daheim fühlen. Viele Alleinstehende, die für einige Zeit bei uns im Kloster mitgelebt haben, haben die heilende Wirkung eines klar strukturierten Tages entdeckt und haben ihren eigenen Tag so geordnet, dass sie sowohl effektiv arbeiten können als auch gerne leben, mit dem Gefühl, ihr Leben sei schön und wert, gelebt zu werden.

Das Abendgebet

Das Abendgebet ist ein gesundes Ritual. Es hat eine zweifache Funktion. Zum einen schafft es Distanz zu den Erlebnissen des Tages. Ich halte meinen Ärger Gott hin und kann ihn so ein Stück weit loslassen. Und ich danke Gott für das, was gelungen ist. Ich übergebe meinen Tag Gott. So wird es mein eigener Tag. Wenn ich einfach müde ins Bett gehe, entsteht das Gefühl, in einer Tretmühle zu sein und von den Terminen hin- und hergetrieben zu werden. Wenn ich den Tag im Abendgebet bewusst loslasse, beschließe ich ihn wirklich und kann so den neuen Tag auch neu beginnen. Die zweite Funktion des Abendgebetes ist die Bitte um gute Träume, die Bitte, dass Gott seine heiligen Engel senden und mir im Traum sagen möge, wie es um mich steht und was er mit mir vorhat, worauf ich achten sollte und wo mögliche Lösungswege liegen.

Ganz gleich wie der Abend verlaufen ist, die letzten Augenblicke kann jeder mit seinen persönlichen Ritualen füllen. Er kann nochmals kurz innehalten und für den Tag danken. Mir hilft oft die Gebärde der offenen Hände, um Gott den Tag zu übergeben mit allem, was war. Das sind keine Rituale, die Zeit brauchen, die aber den Tag dennoch gut beschließen und mich innerlich zufrieden machen. Viele lesen noch gerne im Bett. Aber auch da ist es wichtig, was ich lese, ob ich irgendwelche Illustrierten lese, die nur die Neugier befriedigen, oder geistliche Bücher oder Gedichte oder Kurzgeschichten. Die Lektüre will sorgfältig ausgewählt sein. Andere sind abends so müde, dass sie sofort einschlafen. Oder aber sie beten im Bett noch für die Menschen, mit denen sie sich verbunden fühlen, und lassen sich betend in die liebenden Arme Gottes fallen. Für sie wird der Schlaf zum Ritual, zum Bild dafür, dass sie in Gottes Armen ausruhen können von allem, was tagsüber auf sie eingeströmt ist.

Der Kontrakt mit jungen Menschen

In der geistlichen Begleitung frage ich immer wieder ganz konkret, wie der Einzelne den Tag beginnt und wie er ihn beschließt und welche Rituale er für die Arbeit entwickelt hat. Wenn das geistliche Leben keine konkreten Ausdrucksformen schafft, dann verliert es auch seine Kraft. Dann kann es das Leben nicht mehr prägen. Gerade auch bei jungen Menschen ist es mir wichtig, dass sie Formen finden, die ihnen gut tun. Manche Jugendliche schwimmen in ihrem Selbstmitleid. Sie jammern, dass sie es so schwer haben. Ein Weg, auf ihre Probleme zu antworten, ist das Gespräch über die Ursachen ihrer Schwierigkeiten. Aber die Einsicht allein löst die Probleme noch nicht. Die Wunden müssen nochmals erlebt werden, damit sie heilen. Aber junge Menschen sind oft überfordert, sich den Wunden ihrer Kindheit zu stellen. Da ist es besser, an ihre kreativen Möglichkeiten zu appellieren. Ich frage sie, was Rituale wären, in denen sie sich wohl fühlen und die ihnen Lust am Leben schenken könnten. Es geht nicht darum, dass man sein Leben künstlich fromm macht. Bei den Ritualen geht es letztlich darum, worauf ich Lust habe, was mir gut tun würde. Wenn dann ein junger Mensch erzählt, was ihm gut tun würde, dann schließe ich mit ihm einen Kontrakt, dass er das für die nächsten zwei Monate probieren solle. Dann könne er ja sehen, ob er sich etwas übergestülpt habe oder ob das eine Form sei, die ihn leben lässt. Manchmal erschrecke ich, wenn ein Jugendlicher gar nichts findet, was ihm Spaß macht, wenn er keine Spur findet, die ihn zum Leben führen könnte. Dann schlage ich ihm Dinge vor, die mir gut tun. Und er kann sich dann auswählen, was er einmal ausprobieren möchte.

Es ist mir wichtig, dass junge Menschen ihr Leben selbst in die Hand nehmen und sich nicht einfach treiben lassen, nicht in Wehleidigkeit und Selbstmitleid zerfließen, sondern eine Form finden, die in ihnen Energie weckt und sie in Form bringt. Rituale sind kein Trick, alle Probleme zu lösen. Aber sie geben dem jungen Menschen das Gefühl, dass sein Leben wertvoll ist. Es ist wert, gefeiert und geformt zu werden. Rituale geben das Gefühl, dass wir mehr sind als Rädchen im Getriebe dieser Welt. Wir sind einmalig. Wir haben göttliches Leben in uns. Und dieses Leben will gefeiert werden. Roger Schutz, der Prior von Taizé, zitiert immer wieder das Wort des heiligen Athanasius, dass der Auferstandene in uns ein unaufhörliches Fest feiern möchte. Die Rituale sind Ausdruck dieses unaufhörlichen Festes, weil wir dem Sog des Negativen entrissen sind und teilhaben an der Weite und Freiheit der Auferstehung.

Etwas, auf das ich mich täglich freuen kann

Anregungen für persönliche Rituale

Gehen Sie Ihren Tag einmal bewusst durch und beobachten sich dabei, welche Rituale Sie unbewusst befolgen, wie Sie den Tag beginnen, wie Sie zur Arbeit gehen, wie Sie die Pausen gestalten und wie Sie den Tag beschließen. Dann überlegen Sie sich, ob diese Rituale Ihnen gut tun oder nicht, ob Sie sie bewusst vollziehen oder ob sie sich einfach so eingeschlichen haben.

Und dann fragen Sie sich: Welche Rituale täten mir gut? Worauf habe ich Lust? Wenn Sie daran gehen, Ihren Tag bewusster zu gestalten, ist es ganz wichtig, dass Sie sich nicht unter Leistungsdruck stellen und meinen, Sie müssten jetzt unbedingt viele Rituale in Ihren Tageslauf einbauen. Sie sollten sich nie vom schlechten Gewissen leiten lassen. Ich erlebe gerade bei geistlichen Menschen, dass sie immer ein schlechtes Gewissen haben, wenn sie nicht genügend geistliche Übungen verrichten. Sie sagen dann: »Eigentlich sollte ich den Tag mit einer stillen Zeit beginnen, eigentlich sollte ich das Stundengebet beten.« »Eigentlich« müssen wir gar nichts. Gott fordert von uns keine Rituale. Wir brauchen ihn nicht zufriedenzustellen und wir brauchen auch uns selbst und unsern Ehrgeiz nicht zu beruhigen. Es geht vielmehr um die Frage, was uns gut tut und worauf wir Lust haben.

Natürlich brauchen Rituale auch Disziplin. Wenn ich im Tiefsten meines Herzens weiß, dass mir das Morgenritual der stillen Zeit gut tut, dann darf es nicht von meiner Lust und Laune abhängen, ob ich die stille Zeit einhalte oder nicht. Denn sonst geht es mir nicht gut damit. Es gibt ja das Sprichwort: »Der Weg zur Hölle ist mit guten Vorsätzen gepflastert.« Wenn ich mich für ein Ritual entschieden habe, dann muss ich es auch üben. Damit ich mich allerdings nicht damit versklave, kann der Ratschlag eine Hilfe sein, den Graf Dürckheim allen gegeben hat, die sich auf den Weg der Meditation eingelassen haben. Er meinte, es sei besser, einen Tag bewusst von der Meditation auszunehmen, als ständig mit schlechtem Gewissen seinen unerfüllten Vorsätzen nachzulaufen. Wenn ich jeden Morgen mit einer stillen Zeit beginne, dann kann es gut sein, einen Tag in der Woche bewusst anders anzufangen.

Die Verhaltenspsychologie sagt uns: Ob ich einen Vorsatz ausführe oder nicht, ist nicht Sache der Willensstärke, sondern der Klugheit. Ich muss klug überlegen, was für mich realistisch ist und worauf ich mich freuen kann. Wer morgens einfach nicht aus dem Bett kommt, weil er eher ein Abendmensch ist, für den hat es wenig Zweck, sein ganzes Leben lang gegen seine innere Natur zu kämpfen. Er sollte vielmehr überlegen, was er gerne tun würde.

Jeder sollte am Tag eine Zeit haben, auf die er sich freuen kann, in der er das Gefühl hat, dass die Zeit allein ihm und seinem Gott gehört, wo er ganz bei sich und bei Gott ist, frei von allen äußeren Verpflichtungen, frei von allen Erwartungen und Beurteilungen. Für den einen ist es der tägliche Spaziergang, für den andern das Nachhausekommen nach der Arbeit, für einen dritten die tägliche Dusche, unter der er alles abspült, was sich so an ihn gehängt hat. Ein Ritual, das ich mir aufzwinge, weil es für mich als Christen angemessen scheint, wird nicht lange durchtragen. Es muss für mich passen, und es muss mir Freude machen. Dabei muss ein Ritual nicht immer fromm sein. Ich muss nur das Gefühl haben, dass es mein ganz persönliches Ritual ist, etwas, auf das ich mich täglich freuen kann, ein Augenblick, in dem ich ganz ich selber bin, ganz frei, in dem ich reine Gegenwart bin, einverstanden mit mir und meinem Leben.

Vor einer Gefahr müssen wir uns in Bezug auf die Rituale hüten, vor der Gefahr, alles ritualisieren zu wollen. Das würde zur inneren Verkrampfung führen und alle Lebendigkeit und Spontaneität rauben. Jeder Menschentyp muss anders mit seinen Ritualen umgehen. Für den einen wird es ganz wichtig sein, sich konkrete Rituale zu erarbeiten. Für den andern dagegen ist es lebensnotwendig, dass er aus dem Gefängnis seiner eigenen Rituale ausbricht und es einfach genießt, im Augenblick zu sein. Für den einen wird es gut sein, den Morgen mit dem Stundengebet zu beginnen, wie es die Ordensgemeinschaften beten (Psalmen, Lesung, Hymnus und Fürbitten). Für den andern dagegen wäre das nur Ausdruck seines religiösen Leistungsdenkens. Er müsste lernen, einmal all die religiösen Formen zu lassen und einfach nur der Spur der größten Lebendigkeit zu folgen, der Spur, die ihn zum Leben führt. Das kann die Spur der Aufmerksamkeit und der Achtsamkeit sein, indem er ganz langsam spazieren geht und mit allen Sinnen den Wind und die Sonne wahrnimmt und sich daran freut.

Häufig erzählen mir Leute, dass sie jahrelang morgens das Stundengebet gebetet hätten. Aber in letzter Zeit gehe es einfach nicht mehr, sie hätten überhaupt keine Freude daran. Alles sei nur leer. Manche machen dann nach Exerzitien oder nach einem Meditationskurs wieder einen neuen Anlauf, um die vertraute

Übung weiter zu pflegen. Das kann stimmig sein. Denn eine Übung braucht auch Treue. Aber wenn mir ein Ritual gar nichts mehr sagt, sollte ich mich auch fragen, ob es noch für mich angemessen ist oder ob eine andere Form dran wäre, ob ich, statt Brevier zu beten, einfach still dasitzen oder ob ich stattdessen eine Zeit lang einfach ein gutes Buch lesen sollte. Man kann nicht sagen, dass man jede Form geistlichen Lebens durchtragen müsse, auch durch Zeiten der Dürre hindurch. Manchmal ist die Dürre auch ein Zeichen, dass etwas abgestorben ist und Neues wachsen möchte. Es braucht hier die Unterscheidung der Geister, um zu erspüren, was für den Einzelnen stimmt.

Jeder muss selbst ausprobieren, was ihn zum Leben führt, was ihn innerlich froh macht und ihn in Einklang bringt mit sich selbst. Dieser Spur soll er folgen. Entscheidend ist das Bewusstsein, dass es mein ureigenstes Ritual ist, mit dem ich den Tag beginne und beschließe, und dass ich mich darauf freue. Es ist Ausdruck dafür, dass ich mein eigenes Leben lebe, anstatt gelebt zu werden. Es ist ein Moment der Freiheit und Stimmigkeit. Und es ist ein Ritual, das mir das Gefühl gibt, dass mein Leben wertvoll ist und es wert ist, gefeiert zu werden.

Meine Mutter hat noch mit über achtzig Jahren einige Gebete auswendig gelernt, die sie im Gotteslob gefunden hat, ein Gebet für ihren verstorbenen Mann, ein Gebet für ihre Kinder und Enkelkinder und ein Gebet um den Geist der Geduld und Gelassenheit für ihr Alter. Es hat mich tief beeindruckt, als sie mir erzählte, wie sie diese Gebete jeden Morgen wiederholt. Diese vorformulierten Gebete helfen ihr, ihre eigenen Gefühle zum Ausdruck zu bringen. Und zugleich verändern sie auch ihre Gefühle. Anstatt über die Beschwerden ihres Alters zu jammern, vermitteln ihr diese Gebete das Gefühl, dass ihr Leben wertvoll ist und dass sie noch eine wichtige Aufgabe für ihre Großfamilie hat. Das Gebet für den verstorbenen Mann lässt sie dankbar zurückschauen auf die gemeinsame Zeit mit ihm. Und die andern Gebete erzeugen in ihr Zufriedenheit und Gelassenheit. Sie prägen ihre Gefühle am Morgen und lassen sie etwas von dem Geheimnis ahnen, jeden Morgen in Gottes Namen aufstehen und noch diesen einen Tag dankbar erleben zu dürfen. Tagsüber betet sie dann zwei bis drei Rosenkränze für ihre Kinder und Enkelkinder. Obwohl sie nur noch fünf Prozent Sehkraft hat, kann sie so doch sinnvoll ihren Tag verbringen. Gerade für ältere Menschen entscheiden die Rituale, ob sie in ihrem Alter Weisheit und Zufriedenheit lernen oder aber allen zur Last werden. Das Erlernen von vorformulierten Gebeten könnte dabei eine gute Hilfe sein, den Tag zu beginnen und zu beschließen.

III.
Familienrituale

Begrüßungsrituale

Unser gemeinsames Leben ist von mehr Ritualen geprägt, als wir auf den ersten Blick vermuten. Da ist das ganz normale Begrüßungsritual, wenn jemand zu Besuch kommt. Rituale schaffen Gemeinschaft und Klarheit für das Miteinander. Wenn jemand in eine fremde Familie kommt, dann geben ihm die Rituale Sicherheit. Er fühlt sich zugehörig. Da gibt jeder in der Familie dem Eintretenden die Hand, man bietet ihm einen Stuhl an, setzt sich mit ihm zusammen und fragt, ob er etwas trinken möchte. So werden die ersten Minuten der Unsicherheit überwunden und allmählich kann ein Gespräch entstehen. Ähnlich ist es beim Abschied. Da hilft man dem Gehenden in den Mantel, wünscht ihm alles Gute und versichert ihm, dass man sich über seinen Besuch sehr gefreut habe und dass er jederzeit willkommen sei. Wir sind uns oft gar nicht bewusst, dass so ein Besuch ritualisiert abläuft. Wir meinen, wir würden alles spontan entscheiden. Aber die Rituale geben sowohl der gastgebenden Familie als auch dem Besucher das Gefühl der Sicherheit und der Zugehörigkeit. Die Begrüßungsrituale haben also zwei Wirkungen: Sie nehmen uns die Angst und sie schaffen Gemeinschaft. Sie erfüllen aber auch die andern Kriterien, die Erikson für Rituale aufgestellt hat. Sie sind praktisch und symbolisch. Sie lösen die konkreten Probleme, aber sie geben auch das Gefühl, dass Gastfreundschaft etwas Numinoses ist, dass – wie die frühen Christen wussten – in jedem Gast Christus selbst zu uns kommt. Sie schaffen das Gefühl von Zugehörigkeit, lassen dem Gast aber auch seine Andersartigkeit. Sie vereinnahmen ihn nicht. Sie sind spielerisch und zugleich formalisiert. Sie sind vertraut und sind doch immer auch offen für Überraschungen, die so ein Besuch mit sich bringt.

Wenn ich in eine Familie zu Besuch komme, spüre ich den Geist, der in so einer Familie herrscht, sofort an den gemeinsamen Ritualen, die sie kennt. Da gibt es Familien, in denen alles formlos ist. Da weiß man nicht, wo man dran ist. Da ist es zum Beispiel völlig ungewiss, wann es und ob es überhaupt etwas zu essen gibt. Da gibt es keine gemeinsamen Mahlzeiten. Da kommt und geht jeder, wann er möchte, ohne dem andern Bescheid zu sagen. In so einer Familie fühle ich mich nicht wohl. Bei andern gehört es zum Ritual, dass man gleich Kaffee oder Tee kocht, um sich mit dem Gast zusammenzusetzen. Oder aber man lädt ihn zum gemeinsamen Essen ein. Auch da nehme ich bewusst wahr, wie eine Familie das Mahl miteinander beginnt, ob da jeder sofort aus der Schüssel nimmt oder ob man auf alle wartet und dann ein gemeinsames Gebet spricht und sich guten Appetit wünscht. Ich freue mich immer, wenn eine Familie ein Gespür für ihren eigenen Stil entwickelt hat. Da spüre ich, dass die bewussten Rituale der Familie einen guten Zusammenhalt geben, dass sie allen Sicherheit schenken und das Gefühl von Geborgenheit.

Beten

Ich kenne viele junge Ehepaare, die gerne zusammen beten oder meditieren möchten. Aber es fällt ihnen schwer. Keiner traut sich, sein Bedürfnis dem andern zu sagen, aus Angst, er könnte als zu fromm erscheinen oder er würde nur längst überholte Rituale wiederholen. Für viele ist es zwar klar, dass sie an Gott glauben. Aber diesen Glauben auch gemeinsam auszudrücken in Ritualen, davor haben sie Scheu. Das wäre zu persönlich, zu intim. Aber es wäre gut, über seine Bedürfnisse zu reden, ohne den andern für sich vereinnahmen oder ihm ein schlechtes Gewissen einimpfen zu wollen. Wenn der Partner um das Bedürfnis des andern weiß, kann er ja erzählen, wie es ihm damit geht, was seine Wünsche wären und wo bei ihm da Angst hochkommt. Und dann könnte man überlegen, welche Rituale gemeinsam möglich wären. Da bedarf es der Klugheit.

Ich halte zum Beispiel ein gemeinsames Schweigen am Morgen für hilfreicher als gemeinsam bestimmte Gebete zu beten, die den andern vielleicht überfordern oder nicht seiner Sprache entsprechen. Das gemeinsame Schweigen lässt dem Einzelnen genügend Raum und es schafft eine intensive Atmosphäre von Gemeinsamkeit.

Wenn beide gemeinsam meditieren, dann ist die Meditation nicht mehr Privatsache des Einzelnen, sondern Verpflichtung dem andern gegenüber. Aber zugleich kann jeder seine eigene Methode praktizieren, ohne sich vom andern vereinnahmen zu lassen.

Wenn man nach gemeinsamen Gebeten sucht, dann halte ich vorgeformte Gebete für angemessen. Sie befreien uns von dem Zwang, immer unsere innersten Gefühle sagen zu müssen. Und zugleich bieten sie Worte an, in denen wir doch die gemeinsamen Erfahrungen des Tages voreinander ausdrücken können. Wenn ein Ehepaar zum Beispiel ein Vaterunser miteinander betet, dann können die Worte »Vergib uns unsere Schuld, wie auch wir vergeben unseren Schuldigern« die angespannte Atmosphäre zwischen ihnen wieder reinigen, ohne dass einer klein beigeben oder alle Schuld auf sich nehmen müsste. Vor allem die Psalmen wären eine gute Möglichkeit, die Erfahrungen des Alltags gemeinsam vor Gott zu bringen. Da die Psalmen eine bildhafte Sprache haben, ermöglichen sie es, unsere je eigenen Gefühle, unsere Bedrängnisse und Nöte, unsere Freuden und Hoffnungen und unsere Sehnsucht vor Gott zum Ausdruck zu bringen.

Das Tischgebet

In vielen Familien ist das Tischgebet zum Streitobjekt geworden. Die Jugendlichen protestieren dagegen, weil es nur noch äußerlich vollzogen wird. Sicher braucht es auch einen Konsens, wie man die Mahlzeiten miteinander beginnen möchte. Man muss darüber reden, welche Gebete noch stimmig sind, oder ob man lieber einige Augenblicke still sein möchte, um dankbar auf die Gaben zu schauen, die Gott uns schenkt. Das Tischgebet ist sicher nicht der Höhepunkt des Betens. Da geht es auch nicht in erster Linie um Frömmigkeit, um meine persönliche Beziehung zu Gott oder um eine Gewissensfrage. Es ist vielmehr auch eine Frage der Essenskultur und einer Kultur des Miteinanders. Daher sollten Eltern nicht bei der ersten Kritik klein beigeben, sondern sich vielmehr mit den Kindern darüber unterhalten, was ihnen das gemeinsame Tischgebet bedeutet und in welchen Zusammenhang es die Familienmahlzeiten stellt. Ein Ritual muss immer wieder bedacht werden. Wenn es aber einmal abgeschafft ist, kann man es kaum wieder einführen.

In meiner Familie war es üblich, dass die Mutter das Brot, das sie anschnitt, mit dem Kreuz bezeichnete. Und ich kenne viele junge Ehepaare, die dieses schon im ersten Jahrhundert übliche Ritual heute wieder praktizieren. Es gibt das Gefühl, dass alles, was sie dankbar genießen dürfen, von Gott stammt und Gott gehört und dass alle alltäglichen Dinge unter dem Segen Gottes stehen. Und wenn sie das Brot selbst backen, dann ritzen sie bewusst ein Kreuz in den Brotteig. Solche Rituale sind nicht einfach Nostalgie, sondern sie vermitteln das Gefühl, dass es nicht selbstverständlich ist, genügend zu essen zu haben, dass alle Gaben der Schöpfung heilige Gaben sind, geheiligt durch die in Jesus Christus menschgewordene Liebe, die sich im Zeichen des Kreuzes ausdrückt. Durch so ein Ritual werden die alltäglichen Dinge zum Zeichen der Liebe Gottes, die uns in ihnen berührt und die uns segnet.

Das Essen selbst ritualisieren

Das Tischgebet ist nicht das einzige Ritual bei den Mahlzeiten. Es kommt auch auf den Stil an, wie eine Familie miteinander oder wie ein Einzelner für sich selbst isst. Heute leiden immer mehr Menschen unter Essproblemen. Es gibt auch verschiedene therapeutische Ansätze, um mit dem süchtigen Verhalten beim Essen umzugehen. Ein Ansatz besteht darin, das Essen zu ritualisieren. Wenn ich bewusst langsam esse und die Gaben Gottes genieße, werde ich nicht in mich hineinschlingen. Erzieher im Internat klagen oft darüber, dass die Mahzeiten mit den Schülern zu einem Kampf um die besten Speisen werden. Da hat jeder Angst, zu kurz zu kommen. Da können Rituale für die Verteilung der verschiedenen Gerichte hilfreich sein. Ich weiß von vielen, die Essprobleme hatten, dass sie sich abends mit wenig Speisen begnügen, vielleicht nur mit Joghurt und einem Apfel. Aber das zelebrieren sie so, dass sie Freude daran haben und gar nicht auf die Idee kommen, möglichst viel in sich hineinzuessen.

Auch die Zeit nach den Mahzeiten ist in vielen Familien ritualisiert. Da gibt es das Ritual, gemeinsam abzutragen und zu spülen und dann noch mit den Kindern zu spielen oder spazieren zu gehen. In andern Familien gibt es nur noch das Ritual des Fernsehens. Wenn die Kinder nicht wissen, was sie tun sollen, wenn die Eltern sie nicht in einer guten Weise in ihre Rituale einbinden können, etwa in das Ritual eines gemeinsamen Spieles, dann verbringen sie ihre Zeit halt vor dem Fernseher. Aber das ist kein bewusstes Ritual mehr, sondern nur noch ein Lückenbüßer für verloren gegangene Rituale. Es schafft Passivität und letztlich Aggressivität. Denn man hat ja keinen Raum mehr, in dem man seine Aggressionen auf positive Weise ausleben kann, wie etwa beim gemeinsamen Spiel.

Rituale zum Zu-Bett-Gehen

Gerade wenn die Kinder noch klein sind, vermitteln ihnen immer gleiche Rituale das Gefühl der Sicherheit und Geborgenheit. Viele Mütter und Väter lesen dem Kind noch ein Märchen oder eine kleine Geschichte vor oder sie beten mit den Kindern, danken für das, was sie an Schönem erlebt haben, und bitten um Gottes Schutz für die Nacht. Viele drücken ihr Gebet auch mit einer Gebärde aus, etwa indem sie dem Kind ein Kreuz auf die Stirne zeichnen. Das Kreuz war seit jeher ein Schutzzeichen, das alles Böse und Dunkle bannen soll. Wenn die Kinder Angst haben vor dem Einschlafen und vor den Träumen, die sie nachts oft verfolgen, dann kann so ein Schutzzeichen diese Angst nehmen. Andere legen dem Kind die Hand auf den Kopf und beten still dabei. Die Gebärde der Handauflegung schenkt dem Kind das Gefühl von Sicherheit und Geborgenheit.

Manchmal erzählen Kinder, dass sie Angst haben vor dem Wolf, der nachts durch das Fenster kommt. Es hat dann keinen Zweck, das alles als Unsinn abzutun. Horst Kämpfer berichtet von einem Vater, der mit dem Kind gemeinsam überlegt, was sie gegen diesen Wolf tun sollen, der durch das Fenster kommt. »Sie entscheiden sich schließlich, ein großes Plakat zu malen, das an das Fenster gehängt wird: Hier haben Wölfe keinen Zutritt; Unterschrift: Vater und Sohn.«[32] Die Bilderwelt der Kinder muss ernst genommen werden. Und man kann darauf am besten durch die religiösen Bilder antworten, wie unsere Gebete sie kennen, etwa den Schutzengel, oder eben durch die Bilderwelt der Märchen, wie es der Vater im zitierten Beispiel getan hat.

Ein Abschiedsritual

Mich hat es immer tief beeindruckt, wenn mir mein Vater nach den Ferien, wenn ich zurück ins Internat musste, ein Kreuz auf die Stirne zeichnete. Das war seine Weise, Abschied zu nehmen und sein Gefühl von Zuwendung zu zeigen. Er drückte damit aus, dass ich unter dem Schutz Gottes stand und dass mich seine Gebete auf meinem Weg begleiteten. Mein Vater tat sich sonst eher schwer, Gefühle zu zeigen. Das Ritual bot ihm die Möglichkeit, sein Gefühl mir gegenüber auszudrücken. Deshalb war das immer etwas Besonderes. Es gab mir die Gewissheit, für meinen Vater wichtig zu sein und ganz zu dieser Familie zu gehören, auch wenn ich jetzt weit weg war von daheim. Rituale bieten uns einen Ort an, an dem wir Gefühle zueinander ausdrücken können, vor denen wir uns sonst oft genieren. Sie schaffen das Gefühl der Zugehörigkeit, wie Erikson es dargestellt hat, und zugleich das Gespür für das Numinose, für das Geheimnis unseres Lebens, das von Gott getragen und durchdrungen ist.

Die Kirchenjahresfeste

In unserer Familie wurden die Feste des Kirchenjahres immer sehr intensiv gefeiert. Da gab es auch ganz bestimmte Rituale. In der Adventszeit war es das Ritual des Adventskalenders, an dem man Tag für Tag ein Fenster öffnete. Oder es gab das Ritual, schon früh aufzustehen und in das Rorate-Amt zu gehen, das damals mit besonders vielen Kerzen gefeiert wurde. Obwohl wir Kinder sonst nicht gerne früh aufstanden, hatten diese Rorate-Ämter (der Name kommt vom Eingangslied der Adventsmesse: rorate coeli = tauet Himmel) etwas Geheimnisvolles und wir gingen gerne dorthin. Weihnachten war durch viele gemeinsame Rituale geprägt, durch die Feier am Heiligabend, bei der

der Vater das Evangelium vorlas, durch das gemeinsame Singen am Christbaum, durch die Häuserweihe an Dreikönig, an dem wir unser Haus überall mit Weihrauchduft erfüllten. In der Fastenzeit gab es das Ritual, dass wir alle Süßigkeiten, die wir geschenkt bekamen, sammelten, um sie erst an Ostern anzurühren. Diese Rituale gaben dem Jahr ihr eigenes Gepräge. Jede Jahreszeit hatte dadurch ihre besondere Bedeutung. So war das ganze Leben vom Geheimnis durchwaltet. Das gab unserem Leben Sinn, das Gefühl von Transzendenz, von Würde, von göttlichem Wert.

Nachdem viele Familienrituale verloren gegangen sind, ist heute wieder ein neues Gespür dafür erwacht, wie man gemeinsame Familienrituale praktizieren kann. Vor allem im Hinblick auf die Feste des Kirchenjahres gibt es viele Versuche, sie wieder bewusster zu feiern. In manchen Familien ist es üblich, im Mai einen kleinen Maialtar aufzubauen, an dem man Marienlieder singt. Für das Fest Mariä Himmelfahrt am 15. August sammeln viele Familien Heilkräuter und schöne Blumen, um kunstvolle Kräuterbüschel zu flechten, die in der Kirche geweiht werden. Sie drücken das Geheimnis dieses Festes aus: Unser Leib ist wertvoll, er wird in der Auferstehung verwandelt werden und wir werden mit Leib und Seele zu Gott kommen. Gottes Schöpfung ist gut, sie hält heilende Kräfte für uns bereit. Das gemeinsame Sammeln von Heilkräutern schafft nicht nur Gemeinschaft. Die Kinder lernen dabei auch, die Pflanzen genauer zu betrachten und zu unterscheiden, welche Kräuter wofür gut sind. Solche Rituale haben auch die Funktion der Wissensvermittlung und sie weisen ein in einen anderen Umgang mit der Natur.

Natürlich gibt es in Familien auch genügend Beispiele für Rituale, die nicht mehr stimmen, die leer geworden sind. Vor allem an Weihnachten gibt es da oft genug Streit. Da werden jährlich irgendwelche Rituale wiederholt, oft genug aus dem unbewussten Gefühl heraus, sonst könnte etwas Schlimmes passieren. Dann haben die Rituale nur noch eine magische Funktion und kommen dem Aberglauben nahe. Manchmal möchte man mit den Ritualen auch die schönen Gefühle der Kinderzeit wieder herholen. Aber wenn die Rituale leer geworden und wenn sie nicht mehr vom Glauben an das, was sie ausdrücken, erfüllt sind, dann bewirken sie gerade das Gegenteil, dann decken sie die innere Leere und die Verzweiflung auf, die unbewusst auf dem Grund mancher Seele schlummern. Deshalb hat es keinen Zweck, Rituale nur durchzuführen, weil es schon immer so war, oder um ein bestimmtes Gefühl zu erzeugen. Das muss scheitern. Rituale können nur Sinn vermitteln, wenn man an das glaubt, worauf sie hinweisen. Aber der Glaube, den Rituale vermitteln, ist kein dogmatischer Glaube, in dem wir alles für wahr halten müssen, was die Kirche sagt. Er ist vielmehr ein viel grundlegenderer Glaube, der Glaube an den Gott, der uns trägt und der Grund unseres Miteinanders ist, an den Gott, der uns in den Ritualen greifbar nahekommt, der erfahren werden möchte als der barmherzige und segnende Gott, als die Quelle unserer Liebe und unseres Lebens.

Eine Frage der Atmosphäre

Anregungen für Familienrituale

Beobachten Sie zuerst einmal, welche gemeinsamen Rituale Ihre Familie kennt. Vielleicht üben Sie diese Rituale schon bewusst, vielleicht haben Sie sich unbewusst einfach daran gewöhnt. Was bewirken diese Rituale bei Ihnen? Fühlen Sie sich wohl dabei, oder haben Sie das Gefühl, dass sie nicht mehr stimmen, dass sie nur noch leere Riten sind, die Sie tun, um ihre unbewussten Ängste zu besänftigen? Und dann überlegen Sie, welche gemeinsamen Rituale Ihnen gut täten und wie Sie sie so gestalten könnten, dass sie stimmig sind:

Beginnt jeder den Morgen für sich? Wie begrüßen Sie sich am Morgen? Welche Formen des gemeinsamen Betens oder

Meditierens wären für Sie möglich und auf welche würden Sie sich freuen? Es hat keinen Zweck, etwas einführen zu wollen, das mit dem gemeinsamen Leben nicht übereinstimmt. Man muss sehr behutsam mit gemeinsamen Ritualen umgehen. Denn sie berühren ja immer auch den andern. Und dem darf ich nichts überstülpen. Ich kann nur mein Bedürfnis äußern, aber ich darf den andern nicht überfordern mit meinen Formen. Gerade Rituale sind immer auch besetzt mit ganz bestimmten Erinnerungen. Ein Ritual kann noch so gut sein, aber wenn es in meiner Familie ein Zwangsritual war oder wenn es mich erinnert an die Unaufrichtigkeit des Vaters oder das Angepasstsein der Mutter, dann sind die Aversionen gegen so ein Ritual so groß, dass es keinen Zweck hat, es gemeinsam zu üben.

Rituale in der Familie müssen natürlich auch dem Alter der Kinder angepasst sein. Solange die Kinder klein sind, ist es ganz wichtig, die immer gleichen Rituale zu vollziehen. Aber zugleich muss man auch sensibel dafür sein, wieweit diese Rituale für die größer werdenden Kinder noch stimmen, wieweit sie verändert oder ganz gelassen werden sollten. So wird man etwa die Geburtstage und Namenstage der Eltern und Kinder je nach Alter anders feiern müssen. Die Rituale solcher Familienfeiern sagen viel aus über das Zusammenleben einer Familie. Sie könnten eine Hilfe sein, Gefühle zueinander zu äußern, die sonst kaum einmal Ausdruck finden.

Geburtstage

In vielen Familien werden die jährlichen Geburts- und Namenstage kaum mehr gefeiert, oder höchstens dadurch, dass es ein Geschenk gibt. Aber gerade an solchen Tagen könnten klare Rituale helfen, den Wert des Einzelnen und die Verbundenheit mit der Familie auszudrücken. Da viele sich schwertun, ihre Gefühle angemessen zum Ausdruck zu bringen, hier ein Beispiel für ein Gebet, mit dem Sie das gemeinsame Frühstück beginnen können:

»Barmherziger und guter Gott.
Wir feiern heute den Geburtstag/Namenstag von …
Wir danken dir, dass du uns … geschenkt hast.
Wir danken dir dafür, dass er/sie unsere Familie mit seiner/ihrer Art zu leben bereichert,
und er/sie etwas in unser Miteinander einbringt, was er/sie allein vermitteln kann.
Wir danken dir für das vergangene Jahr, für alles, was in ihm/ihr in dieser Zeit gewachsen ist.
Wir bitten dich für …, dass du ihn/sie im kommenden Jahr beschützen und begleiten mögest, damit wir alle uns an ihm/ihr freuen dürfen.
Und wir bitten dich auch für uns, dass wir ihm/ihr gerecht werden
und gut hinhören, was du uns durch ihn/sie sagen möchtest.«

Das Entscheidende an solchen Familienritualen ist einmal die Zeit, die man bewusst miteinander und füreinander investiert, und zum andern die Möglichkeit, seine Gefühle in einer guten Weise zum Ausdruck zu bringen. Es wäre eine lohnende Aufgabe, dass die Familie selbst ein Gebet verfasst, das sie am Geburtstag oder Namenstag eines ihrer Mitglieder vorbetet. Es könnte jedes Jahr und bei jedem das gleiche Gebet sein. Noch besser wäre es, wenn man zur Vorbereitung dieser Tage in jedem Jahr neu überlegt, welches Gebet heute diesem Kind, dem Vater oder der Mutter entsprechen würde, und es dann neu formuliert.

Gerade bei runden Geburtstagen wäre die Phantasie der Familienmitglieder gefragt. Dabei geht es nicht um teures Essen, sondern um den Stil des Feierns. So könnte zum Beispiel beim 70. Geburtstag des Vaters oder der Mutter jedes der Geschwister etwas dazu beitragen, was es mit dem Vater oder der Mutter verbindet, was es von ihnen übernommen hat, wofür es dankbar ist und woran es sich gerne erinnert. Wo es möglich ist, kann man wichtige Geburtstage auch mit einem Gottesdienst feiern oder mit einer häuslichen Liturgie, in der man im Gebet seine Gedanken und Gefühle der Dankbarkeit und seine Wünsche ausdrücken kann. Es braucht Rituale, um solche persönlichen Worte im Kreis der Familie sagen zu können. Wo aber das einzige Ritual darin besteht, in eine mondäne Gastwirtschaft zu gehen, da verkümmert das Miteinander.

Rituale für Söhne und Töchter

Wenn die Kinder in die Pubertät kommen, könnten ihnen Rituale helfen. In andern Völkern gibt es die Initiationsrituale. In Afrika zum Beispiel werden die Jungen in den Busch geführt und in die Geheimnisse des Erwachsenwerdens eingeführt. Dabei werden sie beschnitten. Bei uns hat die Firmung beziehungsweise die Konfirmation diese Rolle übernommen. Aber es wäre auch wichtig, dass die Familie intern Wege findet, den Beginn der Lehre, den Abschluss der Schule, den Auszug von daheim, den Beginn des Studiums in einem eigenen Ritual bewusst zu feiern. Einfach nur in eine andere Stadt zu fahren, um sich für die Zeit des Studiums ein Zimmer zu suchen, wird dem inneren Umbruch, der da in dem jungen Menschen stattfindet, nicht gerecht. So könnte man sich bewusst zu einem festlichen Abschiedsmahl zusammensetzen, bei dem das ausziehende Kind nochmals erzählt, was ihm in dieser Familie wichtig war. Und dann könnten die Eltern und Geschwister erzählen, was sie mit dem Ausziehenden verbindet, welche Erinnerungen da in ihnen hochkommen, woran sie sich gerne erinnern und was ihnen schwerfiel im Umgang mit ihm, was sie jetzt loslassen möchten, damit Neues wachsen kann. Oder man kann gemeinsam zu einer kleinen Wallfahrtskirche oder Kapelle wandern, um den Segen für den Auszug beten und dann den Tag mit einem gemeinsamen Essen beschließen.

Ein neues Ritual für den Pensionär

Von älteren Ehepaaren höre ich immer wieder, wie das Zusammenleben nach der Pension oft sehr schwierig wird. Solange der Mann arbeitete, hatte er seine festen Rituale. Jetzt wissen Pensionäre oft nichts mit sich anzufangen. Sie sitzen der Frau in der Küche herum und kritisieren an ihrer Arbeit herum. Das erzeugt oft Spannungen und Konflikte. Ein älteres Ehepaar erzählte mir, wie sie nach der Pensionierung des Mannes bewusst miteinander Rituale ausprobiert und gefunden haben, die ihnen guttun. Da meditieren sie zuerst gemeinsam. Dann frühstücken sie in aller Ruhe miteinander. Dann geht jeder auf sein Zimmer, um für sich zu sein. Dann erst werden die Arbeiten verteilt. So hat jeder genügend Raum für sich, und es ist auch ein gutes Miteinander. Wenn Pensionäre ihre Zeit nicht bewusst strukturieren, werden sie oft für den Ehepartner eine Last. Daher wäre es gerade für sie eine wichtige Aufgabe, nach neuen Ritualen zu suchen, die für ihren persönlichen Lebensabend passen und die ihnen Freude an der ihnen nun neu geschenkten Zeit vermitteln.

Das Kirchenjahr in der Familie

Wie gestalten Sie das Kirchenjahr? Haben Sie für die Adventszeit Rituale gefunden? Sie könnten überlegen, ob Sie nicht jeden Adventssonntag bewusst beginnen, indem Sie gemeinsam die nächste Adventskerze anzünden und dazu zum Beispiel das Evangelium vom Adventssonntag vorlesen oder einen anderen adventlichen Text. Und Sie könnten gemeinsam Adventslieder dazu singen.

Stimmen die Rituale noch, mit denen Sie Weihnachten feiern? Zur Vorbereitung von Weihnachten gehört nicht nur, dass man Geschenke einkauft, sondern sich auch gemeinsam überlegt, wie man den Heiligen Abend begehen möchte, wie man die häusliche Liturgie um den Christbaum und die Krippe so gestalten könnte, dass alle Familienmitglieder etwas dazu beitragen.

Wie feiern Sie den Jahreswechsel? Die vielen Jugendlichen, die zu unseren Silvesterkursen kommen, zeigen, dass sie nicht mehr zufrieden sind mit der Art und Weise, wie daheim der Jahreswechsel begangen wird. Eine Möglichkeit wäre, bewusst Rückschau zu halten, was im vergangenen Jahr innerhalb der Familie erlebt worden ist. Man könnte das still machen, indem jeder ein Bild malt, um die vergangenen zwölf Monate für sich und für die andern darzustellen. Man könnte es einander auch erzählen. Dann wäre es gut, diesen Rückblick damit zu beschließen, dass man das vergangene Jahr bewusst Gott hinhält und Gott übergibt.

Bei einem Silvesterkurs habe ich den Teilnehmern in meiner Schweigegruppe ein Ritual angeboten, mit dem sie das vergangene Jahr Gott übergeben konnten. Und es war erstaunlich, wie intensiv sie sich darauf eingelassen haben. Jeder, der wollte, konnte vor die Christusikone treten und in der Gebärde der offenen Hände langsam die feste Formel sagen:

»Jesus Christus, ich lege die Frucht des vergangenen Jahres vor dich hin.
Ich danke dir für das, was gewachsen ist.
Ich bitte um Vergebung, wo ich aus Angst nicht gelebt habe.
Ich vertraue darauf, dass du das neue Jahr segnest.«

Vorformulierte Worte helfen, die eigenen Gefühle vor Gott und vor den andern auszudrücken. So eine Formulierung könnte man ja bewusst vorher besprechen, um die Worte zu finden, die für alle stimmen und der jeweiligen Gefühlslage gerecht werden. Das gemeinsame Finden solcher Worte kann schon ein intensiver Prozess werden und der Auseinandersetzung mit sich und dem vergangenen Jahr dienen.

Rituale der Trauer

Heilende Rituale sind vor allem in schwierigen Situationen des Familienlebens wichtig, etwa wenn es offene Konflikte gibt oder bei einem Trauerfall. Da geht es nicht nur um die Gestaltung der offiziellen Liturgie, sondern auch um die Rituale innerhalb der Familie. Wie nehmen wir im Kreis der Familie Abschied von der verstorbenen Großmutter oder von dem tödlich verunglückten Sohn? In vielen Familien wird nicht über den Verstorbenen gesprochen. Da wird alles tabuisiert. Viele Therapeuten müssen sich dann Jahre später um die übersprungene Trauer kümmern. Denn wenn in einer Familie nicht gemeinsam getrauert werden kann, frisst sich die verdrängte Trauer in der Seele fest. In vielen Familien war es einst üblich, für den Verstorbenen einen Rosenkranz zu beten. Da saß man bewusst wegen des Verstorbenen zusammen und dachte gemeinsam über ihn im Gebet nach, auch wenn man die Erinnerungen an ihn nicht austauschte. Aber manchmal entstand dann nach dem gemeinsamen Rosenkranz auch ein gutes Gespräch, in dem man ausdrücken konnte, was einem der Verstorbene bedeutet hatte.

IV.
Gemeinschaft stiftende und ordnende Rituale

Im öffentlichen Leben gibt es mehr Rituale, als man auf den ersten Blick meint. Rituale werden immer dann eingesetzt, wenn eine Gemeinschaft zwischen Fremden entstehen oder wenn eine gute Beziehung aufkommen soll zwischen Menschen, die sich das erste Mal sehen. Wenn ein Referent einen Vortrag hält, dann wird er vorher vom Gastgeber begrüßt. Und nach dem Vortrag bedankt sich der Hausherr für den Vortrag und lädt alle ein, sich an der Aussprache zu beteiligen. So ein Begrüßungsritual schafft Klarheit.

Unternehmenskultur

Ritualisiert sind im Berufsleben die Kundengespräche, die Vertreterbesuche, die Beratung am Bankschalter oder im Kaufhaus, das Zahlen an der Kasse. Überall gibt es gleiche Abläufe des Tuns, die das Miteinander vereinfachen und klären. Eine gute Firma legt heute großen Wert darauf, wie sie mit den Kunden umgeht und welchen Umgangsstil sie innerhalb der Firma pflegt. Das gehört zur Unternehmenskultur. Manche Firmen möchten sich bewusst vom üblichen Umgangsstil unterscheiden und schaffen für sich neue Formen, wie sie mit dem Kunden sprechen, was sie ihm anbieten, was sie ihm zum Abschied als Erinnerungszeichen schenken. Das gibt der Firma ein Wir-Gefühl und schafft für die Kunden eine Atmosphäre von Vertrautsein, Angenommensein, Wertsein.

Aber nicht nur der Umgang mit den Kunden ist für das Betriebsklima einer Firma wichtig, sondern auch die Rituale, die eine Firma für den Umgang miteinander entwickelt, etwa für gemeinsame Betriebsausflüge, für die Feier von Geburtstagen oder bestandenen Prüfungen, für die Gestaltung der Pausen und so weiter. Die Angestellten merken sofort, ob man sie nur phantasielos mit Geld abspeist oder ob man da mit viel Liebe Formen findet, die allen gut tun.

Schule und Ritual

Der Direktor einer Schule, der auf gute Umgangsformen und Rituale großen Wert legt, erzählte mir, dass er eine Schulklasse im Landschulheim besucht habe. Das Essen war eine einzige Katastrophe. Da kämpfte jeder darum, möglichst viel zu bekommen. Da gab es keinen gemeinsamen Anfang und keinen Abschluss. Alles war Chaos. Der Direktor stellte den Lehrer zur Rede. Er verlange, dass er die Mahzeit gemeinsam beginne, entweder mit einem Lied oder einem Tischgebet oder mit einer kurzen Stille. Er ist davon überzeugt, dass die Schulen heute eine wichtige Aufgabe darin hätten, den jungen Menschen wieder gute Rituale zu vermitteln. Denn viele leiden heute unter der Formlosigkeit, die in manchen Familien herrscht. Sie fallen auseinander, weil sie keine guten Formen entwickelt haben. Sie wissen nicht, wer sie sind. Alles wird gleichgültig, die Menschen, die Sachen, die Schulstunden, die Mahlzeiten. Es gibt nichts mehr, auf das man sich freuen könnte, weil alles gleich formlos und chaotisch ist. Durch gesunde Rituale kann eine Schule heilend auf die Schüler wirken. Der Direktor erzählte mir auch, dass er einen Referendar in einer fremden Schule besucht habe. Da sei schon der Schulbau hässlich und lieblos gewesen. Genauso waren dann auch die Umgangsformen. Er hatte Mühe, sich durch das Schülergewirr überhaupt durchzuwühlen, ohne ständig angerempelt zu werden. Die Formlosigkeit des Gebäudes führte zur Formlosigkeit im Umgang miteinander, zur Brutalität im Umgang mit Personen und Sachen.

Meine Schwester erzählte mir, dass der neue Direktor den schlechten Ruf des Gymnasiums, in das sie ihre Kinder schickte, in kurzer Zeit verbessern konnte. Er verlangte, dass die Kinder zu den Schulfeiern gut angezogen kämen. Anfangs gab es natürlich Proteste. Doch dann setzte es sich durch. Die Schüler selbst fanden Gefallen daran. Die Schulfeiern wurden etwas Besonderes, auf das man sich freute. Auch hier zeigt sich, dass die Rituale nicht nur Klarheit stiften und Gemeinschaft schaffen, sondern dass sie auch Lust am Leben vermitteln. Eine Feier, die stillos ist, zieht die Schüler nicht an. Wenn die Feier sich durch ihre Rituale heraushebt aus dem Alltag, wenn sie mit Phantasie gestaltet wird, dann spüren die Schüler, dass ihr Leben mehr ist, als nur zu lernen und benotet zu werden, dass sie selbst einen Wert haben und dass es Spass macht, miteinander zu feiern.

Wie eine Schule ihr Schulfest feiert, wie sie die Abiturienten verabschiedet, wie sie die Neuanfänger der 5. Klasse empfängt, das prägt das Klima einer Schule. Und das wirkt sich auch auf den Umgang der Schüler daheim in ihren Familien aus. Das regt ihre Phantasie an, auch für sich selbst Formen zu finden, die ihnen gut tun. Rituale zeigen, dass nichts in unserem Leben selbstverständlich ist, dass es Augenblicke gibt, die besonders hervorgehoben werden müssen, weil da etwas Neues in unser Leben einbricht, weil da Gott uns neue Chancen und Möglichkeiten schenkt. Rituale geben uns das Gefühl, dass unser Leben wertvoll ist, dass sich Menschen unseretwegen Gedanken machen und Zeit investieren, um das Zusammensein mit uns bewusst zu feiern. Das allein schenkt das Gefühl von Angenommensein, Ernstgenommenwerden, von Würde und Reichtum des menschlichen Lebens.

Rituale in Jugendgruppen

Zu Jugendkursen kommen zwischen 200 und 300 Jugendliche in die Abtei Münsterschwarzach. Wir beginnen jede Mahzeit mit einem Kanon und beschließen sie wieder mit einem gemeinsamen Lied. Ohne dieses Singen wären die Mahlzeiten nur ein Abfüttern und in diesem Chaos würde sich keiner wohl fühlen. Formen strukturieren die große Gemeinschaft und vermitteln allmählich ein Gefühl der Verbundenheit. In unsern Kursen haben wir auch verschiedene Rituale, die wiederkehren. So ist es Tradition, dass wir am Silvesternachmittag schweigend nach Dimbach, einem kleinen Wallfahrtsort etwa fünf Kilometer von der Abtei entfernt, wandern, um aus dem alten Jahr auszuwandern. Die Silvesternacht wird mit einem gemeinsamen Gottesdienst gefeiert, der immer eine ähnliche Struktur hat, jedoch auch genügend Raum für Kreativität und Spontaneität lässt. Diese festen Rituale sparen uns Kursleitern Energie. Wir müssen nicht jedesmal von vorne anfangen, um einen Kurs zu planen. Und wir brauchen uns nicht unter Druck zu setzen, jedesmal originell sein zu müssen. Und die Rituale geben den Teilnehmern ein Gefühl von Sicherheit. Sie bewirken, dass in kurzer Zeit aus den 300 jungen Menschen, die aus ganz Deutschland kommen und einander kaum kennen, eine Gemeinschaft entsteht.

Heute verzeichnen diejenigen Vereine und Jugendgruppen regen Zulauf, die Wert legen auf gemeinsame Rituale. Bei den Jugendgruppen sind die am begehrtesten, die den Jugendlichen ihre Rituale zumuten. Die Pfadfinder haben zum Beispiel noch wesentlich mehr Rituale als manche Pfarrjugend, bei der das Zusammenkommen manchmal nur noch im gemeinsamen Biertrinken besteht. Rituale schenken einer Gruppe ein Gefühl der Identität. Die Pfadfinder unterscheiden sich eben von andern Jugendgruppen durch ihre Rituale, durch ihren Umgang mit der Natur, durch ihre Feiern und Fahrten. Natürlich müssen diese Rituale immer wieder neu bedacht werden, damit sie nicht leer werden. Aber wo es überhaupt keine Rituale gibt, wird eine Gruppe wohl kaum auf Dauer zusammenwachsen und Freude aneinander finden. So haben etwa Rotary- und Lionsclubs ihre festen Formen gefunden, die den Zusammenkünften eine gute Struktur geben und den Teilnehmern Sicherheit.

Phantasie ist gefragt

Anregungen für Gemeinschafts-Rituale

Wohl jeder ist neben seiner Familie eingebunden in andere Gruppierungen, in die Gemeinschaft einer Schule, einer Behörde, einer Firma, eines Vereins, einer Jugendgruppe. In welchen Vereinen und Gruppen fühlen Sie sich am wohlsten? Was bewirkt dieses Gefühl? Sind es nur die Menschen, die Ihnen sympathisch sind, oder auch die Formen des Miteinanders? Welche Rituale herrschen dort? Welche gehen Ihnen auf die Nerven, und welche schaffen ein Wir-Gefühl, ein Gefühl von Sicherheit, Heimat und Geborgenheit?

Wo können Sie aber auch selbst dazu beitragen, dass Sie in Ihrer Firma, in Ihrer Schule, in Ihrem Verein Rituale entwickeln, die Ihnen Spass machen, die anderen Menschen vermitteln, dass sie wichtig sind, dass Sie gerne mit ihnen zusammen sind, dass unser Miteinander es wert ist, gefeiert zu werden? Vergleichen Sie Ihre Firma oder Gruppe mit andern Firmen. Was fasziniert Sie bei andern Gemeinschaften?

Wenn Sie über die Formen des Miteinanders nachgedacht und sie bei Ihrer eigenen und bei fremden Gruppen bewusst beobachtet haben, ist es wichtig, nach Wegen zu suchen, wie Sie in Ihrer Gruppe bewusster Rituale entwickeln können. Dabei geht es einmal um die alltäglichen Rituale, wie man sich in einer Firma begrüßt, wie man miteinander umgeht, wie man die täglichen Pausen, das gemeinsame Kaffeetrinken gestaltet und so weiter. Dann aber geht es auch um die Betriebsfeiern, um die Feier der Geburtstage, um die Ehrung der Mitarbeiter, um die Feier der Feste des Kirchenjahres. In manchen Betrieben ist die Weihnachtsfeier zu einer Horrorfeier verkommen. Jeder spürt, dass es so nicht stimmt, aber keiner traut sich, die Feier entweder abzuschaffen oder neu zu gestalten.

Als Cellerar (Ökonom, Verwalter) der Abtei habe ich gleich zu Beginn meiner neuen Aufgabe eine Feier für Mitarbeiter eingeführt, bei der alle Mitarbeiter geehrt werden, die zehn, fünfundzwanzig oder vierzig Jahre bei uns sind. Wir mussten erst Formen finden, wie diese Ehrung sinnvoll gefeiert werden kann. Anfangs ehrte ich jeden Mitarbeiter und jede Mitarbeiterin mit persönlichen Dankesworten. Aber ich spürte, wie daraus schnell Floskeln wurden, weil ich jedesmal Ähnliches ansprechen musste. In den letzten Jahren beauftrage ich jede Abteilung (zum Beispiel Schule, Druckerei, Gästehaus, Küche usw.), sich selbst Gedanken zu machen, wie sie die Ehrung vornehmen will. Da der Konrektor gut dichten kann, besingt er mit zwei Kollegen jeweils die Eigenarten der zu ehrenden Lehrer. Darauf freuen sich schon alle. Andere Betriebe spielen einen Sketch. Für die andern Bereiche versuche ich selbst, etwas über den Mitarbeiter zu dichten. Es gibt sicher viele Formen, wie ein Betrieb miteinander feiern kann. Aber wichtig ist, dass wir Phantasie aufbringen, damit alle gerne zusammen feiern und sich die zu ehrenden Mitarbeiter wirklich angenommen und ernst genommen fühlen. Nichts ist schlimmer als Feiern, zu denen jeder erscheinen muss, obwohl keiner Lust dazu hat. So habe ich es von manchen Schulen gehört, bei denen das gemeinsame Lehreressen nur Aggressionen hervorruft. Da wäre wichtig, dass sich die Schulleitung neue Rituale ausdenkt, um das Miteinander zu gestalten.

V.
Neue Rituale

Frauengruppen

In letzter Zeit erzählen mir viele von neuen Ritualen, die sie spontan für sich entwickeln, oder aber von Ritualen, die sie in andern Religionen gefunden haben und die ihnen Antwort geben auf Fragen, die sie schon lange bewegen. Vor allem in Frauengruppen beobachte ich eine große Kreativität im Hinblick auf das Ausprobieren neuer Rituale.

Schöpfungsspiritualität

Frauen haben vor allem ein Gespür für Schöpfungsrituale, wie sie in früheren Kulturen üblich waren. Offensichtlich sind Frauen näher dran an der Schöpfungsspiritualität, die Matthew Fox auch für unsere Zeit fordert. Was die Frauen heute neu ausprobieren, entspricht durchaus der christlichen Tradition. Denn die frühe Kirche hat in den ersten Jahrhunderten Schöpfungsrituale aus ihrer heidnischen Umwelt auch in das Christentum integriert, so etwa, wenn sie die römischen Umgänge zur Zeit der Aussaat in Bittgänge umgewandelt hat, die heute noch an den Tagen vor Christi Himmelfahrt stattfinden, oder wenn sie die römische Feier des unbesiegbaren Sonnengottes, des sol invictus, zum Weihnachtsfest umgeformt hat. Die Schöpfungsspiritualität entspricht unserem heutigen Gespür für den Wert unserer Umwelt. Die Schöpfung atmet Gottes Geist und ist genauso wie die Geschichte ein entscheidender Ort, an dem wir Gott erfahren können.

Ein Weg, die Schöpfungsspiritualität für uns neu zu entdecken und zu leben, sind die Rituale, wie sie heute in vielen Frauengruppen geübt werden. Gertrud Erni, Frau eines evangelischen Pfarrers, beschreibt, wie sie mit ihrer Frauengruppe ein Erdritual, »Geister der Erde«, gefeiert hat und wie sie die heilende Kraft anderer Rituale erfahren hat, etwa eines Rituals der Sonnenwende oder eines Ganges durch das Labyrinth. Das Erdritual spielte sich in der Nacht ab. Frauen wanderten durch den nächtlichen Wald und ließen sich dort an verschiedenen Orten nieder, an einem Feuerplatz, in einer Höhle und an Weihern, um dort die tanzenden Erdgeister und Feuergeister zu beobachten. Die Erfahrung der geheimnisvollen nächtlichen Natur hinterließ bei allen einen tiefen Eindruck und vermittelte ihnen neue Energie, sodass sie den fehlenden Schlaf gar nicht bemerkten.[33] Die Frauengruppe hat auch das Ritual eines ökumenischen Morgengebetes entwickelt. Am frühen Morgen sitzen Frauen zusammen, eine spricht das Wort zum Tag, sie beobachten schweigend das Anbrechen des Tages. Frauen haben ein Gespür dafür, wie sie den Raum geschmackvoll gestalten, sodass sich alle geborgen wissen in der gemeinsamen Stille.

Die Erfahrungen, die Gertrud Erni mit den Ritualen in ihrer Gruppe gemacht hat, führten dazu, dass die Frauen den Ablauf des Jahres bewusster erleben wollten. Sie begingen Sonnenwenden und Tagundnachtgleichen. Sie spürten, dass das Kirchenjahr nicht nur geschichtlicher Ereignisse gedenkt, sondern auch die Symbole der Jahreszeiten aufgreift und sie durchlässig werden lässt für das Geheimnis unserer Erlösung. Viele Feste des Kirchenjahres gehen auf heidnische Feste des Jahreskreises zurück, so zum Beispiel das Osterfest auf ein kanaanäisches Frühlingsfest. Matthew Fox hat aufgezeigt, dass vor allem die Rituale Ausdruck der neuen Schöpfungsspiritualität sind, die er für unsere Zeit fordert. Für ihn sind die Rituale Ausdruck unserer kreativen Beziehung zur Schöpfung. Sie haben für ihn eine heilende Wirkung und sie verbinden uns mit der Weisheit der anderen Religionen, weil sie in allen Religionen ähnliche Formen entwickelt haben. Er meint, er hätte noch nie Rituale mit einer Gruppe von Menschen gehalten, ohne dass sich Zuschauer eingefunden hätten. »Wenn schöpfungsbezogene Rituale gefeiert werden, stellen Jungen ihre Räder ab, legen Jugendliche ihre Skateboards weg und drücken alte Männer ihre Nasen an die Glasscheiben, um hineinzusehen.«[34] Frau Erni hat die Erfahrung gemacht, dass ein Ritual Menschen an Leib und Seele nähren kann, dass es »ihnen Halt gibt und die Richtung weist, die sie gehen können«[35].

Salbungen

Frauen lieben auch besonders Rituale des Segnens und Salbens, des Heilens und des Berührens. Die Salbung mit Öl spielt ja nicht nur bei den christlichen Sakramenten eine große Rolle, sondern in vielen außerchristlichen Ritualen auch. In vielen Frauengruppen ist heute der Ritus des Salbens mit Öl neu entdeckt worden. Da salbt eine Frau der anderen die beiden Hände mit einem wohlriechenden Öl. Dabei entsteht immer eine dichte Atmosphäre, ein Raum liebender und zärtlicher Zuwendung. Öl hat seit jeher eine heilende Wirkung. Die Salbung mit Öl macht fühlbar, dass Gott uns berührt mit seiner heilenden Kraft, dass sie in unseren Leib eindringt und all die schädlichen Einflüsse, die sonst in uns einfallen, zurückdrängt. Seine Gegenwart umgibt uns, ist heilend und befreiend. Oft salben die Frauen einander schweigend die Hände. Manchmal sprechen sie dabei einen Wunsch, einen Segen oder eine Fürbitte aus und verleihen den Worten mit der Salbung eine größere Wirkung. Die Frauen spüren, dass Segnen nicht nur etwas rein Geistiges ist, sondern das Vermitteln von Leben und Liebe, von Kraft und Lebendigkeit. Gottes Segen kann in so einem Ritual als zärtliche Zuwendung und als kostbares Geschenk erfahren werden.

Wenn ich mit einer Frauengruppe eine Eucharistiefeier vorbereite, erlebe ich oft, dass die Frauen zeichenhafte Handlungen lieben. Das gilt vor allem für die Fürbitte. Man kann die Fürbitte spontan formulieren lassen. Das geht je nach Gruppe verschieden gut. Intensiver wird es, wenn die Fürbitte mit einer Handlung verbunden wird. Eine Möglichkeit ist zum Beispiel, dass jeder Gottesdienstteilnehmer ein Teelicht bekommt. Bei den Fürbitten kann er sein Teelicht dann entweder schweigend für einen bestimmten Menschen oder ein bestimmtes Anliegen anzünden oder er kann dabei laut eine Fürbitte sprechen. Eine andere Möglichkeit ist, dass jede Frau im Kreis ein paar Weihrauchkörner nimmt und sie in die vorbereitete Kohle streut, schweigend oder mit Worten. Oft lasse ich bei den Fürbitten bei der Eucharistiefeier auch die Hostienschale herumreichen. Jeder nimmt sie in die Hand und legt entweder mit einer stillen Gebärde oder mit Worten etwas von sich selbst, einen Menschen, der ihm am Herzen liegt, oder ein anderes Anliegen in die Schale hinein – mit der Bitte, dass Gott das Hineingelegte verwandeln möge. Dabei hilft oft eine feste Formel, wie: »Ich lege in diese Schale ...« Dann wird die Eucharistiefeier zur Feier unserer eigenen Verwandlung. Wenn ein Gottesdienst mit solchen sinnenfälligen Zeichen gefeiert wird, entsteht eine intensive Gebetsatmosphäre, ein heilender Raum, in dem jeder mit seinen Wunden und in dem unsere zerrissene Welt Heilung finden kann.

Übergangsrituale

Ein weiteres Bedürfnis der Frauengruppe um Gertrud Erni war, die Übergänge des Lebens durch Rituale auszudrücken. Auch damit antworteten sie auf ein Urbedürfnis der Menschheit. Denn seit jeher hat man gerade an den Übergängen des Lebens Rituale vollzogen, die so genannten »Rites de passage«. Die Frauen haben dabei erfahren, wie hilfreich Rituale sein können, »um Übergänge des Lebens vorauszunehmen oder zu verarbeiten. Abschiednehmen, Trauern, Loslassen von Menschen oder Lebensphasen, Neuanfänge, Veränderungen – das alles sind Situationen in unserem Leben, die Krisen hervorrufen können. Rituale bieten in diesen Übergangssituationen Hilfe und Halt.«[36] Wir alle sollten heute neu nachdenken, wie wir Rituale entwickeln könnten, die die Krise der Lebensmitte angemessen ausdrücken und verwandeln. Und wir sollten den Mut finden, Abschiedsrituale, etwa beim Umzug, bei der Trennung von Freunden oder Ehepaaren, und Rituale des Neuanfangs in einer Partnerschaft oder in einer Gemeinschaft zu entwickeln, die der jeweiligen Situation gerecht werden.

Seitdem ich mich bewusst mit heilenden Ritualen beschäftige, erzählen mir immer mehr Menschen von ihren positiven Erfahrungen mit persönlichen, aber auch mit gemeinsamen Ritualen. Ein Priester erzählte mir, dass ein lesbisches Paar, das sich nach einigen Jahren getrennt hat, diese Trennung bewusst durch ein Ritual vollziehen wollte, bei dem der Priester anwesend sein sollte. Sie hatten das Bedürfnis, nicht einfach voneinander weggehen. In diesem Ritual konnten sie für all das Schöne danken, das sie miteinander erlebt hatten. Und sie konnten auch aussprechen, was sie bewogen hat, sich zu trennen. Sie konnten einander segnen und der andern einen guten Weg wünschen, der sie tiefer in die eigene Wahrheit und in die Wahrheit Gottes hineinführen möge. Bei vielen Menschen entstehen heute solche spontanen Bedürfnisse nach neuen Ritualen, die geeignet sind, eine schwierige Situation auszudrücken und Kräfte für einen Neuanfang zu formen.

Therapeutische Rituale

Nor allem die Ehetherapie arbeitet heute mit heilenden Ritualen. Hans Jellouschek hat über seine Erfahrung mit Ritualen in der Paartherapie berichtet.[37] Gerade in Krisen des Miteinanders, in Situationen von Schuldverstrickung, bei der Trennung, bei der Verarbeitung von Trauer schaffen Rituale einen Raum, in dem das sonst nicht Aussprechbare in Worte gefasst werden kann. In Übergängen drohen uns die Gefühle zu überschwemmen. Wir können sie nicht adäquat ausdrücken. Die Rituale stellen uns Ausdrucksmittel für unsere Gefühle zur Verfügung. Und sie geben uns die Möglichkeit, in schwierigen und komplexen Situationen unsere Ohnmacht und unseren Kleinmut zu überwinden und Schritte zu unternehmen, die uns weiterhelfen. Vor allem die systemische Therapie nutzt die Rituale für die Familientherapie. Sie weiß um die gemeinschaftstiftende Funktion der Rituale. Rituale stellen den Einzelnen in einen größeren und umfassenden Zusammenhang. Sie sind eine Gegenkraft gegen Vereinzelung und Sinnentleerung.

In einem Vortrag hat Jellouschek einige solcher heilenden Rituale beschrieben.[38] Da ist das Versöhnungsritual in einer Ehe. Schwierig ist in einer Ehe immer der Umgang mit Verletzungen, die schon lange zurückliegen, aber nicht vergeben sind und daher bei jedem Alltagskonflikt wieder hervorgeholt und als Waffe gegen den Partner benutzt werden. Oft hilft das Diskutieren über die vergangenen Verletzungen nicht weiter. Ein Ritual kann da Heilung bewirken. Jellouschek erzählt von einem Paar, das alle Verletzungen der Vergangenheit auf je verschiedene Zettel schrieb. Dann sollte jeder für sich seine Zettel durchsehen, was er weggeben und was er noch nicht loslassen kann. Diese Verletzungen sagen sich dann die Partner gegenseitig, und zwar mit einer klaren Formel, auf die sie sich vorher geeinigt haben beziehungsweise die ihnen der Therapeut angeboten hat. Wenn ein Partner alle seine Verletzungen ausgedrückt hat, antwortet der andere mit den Worten: »Ich habe gehört, womit ich dich verletzt habe. Ich anerkenne, dass ich dich damit verletzt habe, auch da, wo ich es nicht absichtlich wollte. Es tut mir Leid, dass ich dich damit verletzt habe. Bitte, verzeih mir.« Der andere sagt darauf: »Ich höre und sehe, dass du meine Verletzungen anerkennst und dass sie dir Leid tun. Ich nehme deine Bitte an, ich verzeihe dir, und ich bin bereit, meine Verletzungen loszulassen. Darum sichere ich dir zu, dass ich sie in Zukunft bei Auseinandersetzungen nicht mehr nennen werde. Befreit von dieser Last will ich mit dir zusammen in eine neue Zukunft gehen.«[39] Dann wechseln die Partner die Rolle und sprechen mit der gleichen Formel über die Verletzungen des andern. Dann kann der Therapeut oder die Gruppe, die diesem Ritual beiwohnt, einen Vorschlag machen, was mit den Zetteln geschehen sollte. Manchmal verbrennt das Paar dann die Zettel oder es vergräbt sie im Garten. Gerade in Situationen, in denen es um Schuld und Schuldeingeständnis geht, fehlt uns heute eine angemessene Sprache. So ein Ritual bietet uns die Sprache, mit der wir auf gute Weise über unsere Schuld und unsere Bereitschaft zu vergeben sprechen können. Das Ritual verhindert eine Diskussion, die in diesem Falle nichts bringen, sondern nur neue Wunden aufreißen würde. Es ist interessant, dass so ein Ritual entweder einen objektiven Beobachter braucht oder eine Gruppe. Es ist genauso wie bei den Sakramenten, die entweder – wie bei der Beichte – den Priester brauchen oder die Gemeinde als Beobachter und Schutzraum. Die Parallelen zwischen den heilenden Ritualen der Paartherapie und den Riten der Sakramente sind verblüffend, vermutlich auch deshalb, weil sowohl Hans Jellouschek als auch Bert Hellinger früher Priester waren und ihre Erfahrungen als Priester auch in die Therapie einbringen, offensichtlich mit großem Erfolg.

VI.
Kirchliche Rituale

Die Sakramente

Obwohl die Psychologie die heilende Bedeutung der Rituale neu entdeckt hat, wirken unsere kirchlichen Rituale oftmals kaum heilend. Im Gegenteil, viele Menschen klagen darüber, dass die Rituale erstarrt seien und sie nichts damit anfangen könnten. Es würde da etwas ablaufen, was mit ihnen nichts zu tun habe.

Diese Kritik wird vor allem bei der Eucharistiefeier laut, an der man sonntags teilnimmt. Da sei es langweilig. Alles sei immer gleich und es berühre sie nicht. Bei Taufen und Hochzeiten mache ich allerdings eine andere Erfahrung. Die Menschen sind dankbar für die wunderbaren Rituale, die uns die Sakramente der Taufe und der Trauung anbieten. Es kommt nur darauf an, diese Rituale neu zu bedenken und sie dementsprechend phantasievoll zu gestalten. Es hilft nicht, wenn man die Rituale einfach nur gedankenlos herunterspult. Dann werden sie entwertet als bloße Relikte aus einer vergangenen Zeit oder als eine interessante Verzierung. Wenn die kirchlichen Rituale leer sind, dann wird eine Hochzeitsgesellschaft umso mehr Wert auf ihre weltliche Feier legen.

Wenn ich im Folgenden über die sieben Sakramente der katholischen Kirche und über den Beerdigungsritus schreibe, bin ich mir dessen bewusst, dass viele Pfarrer da andere Erfahrungen machen. Zu mir kommen meistens nur Menschen, die die Taufe ihres Kindes oder die ihre Trauung bewusst gestalten möchten. Allerdings kommen da auch viele, die mit der Kirche nicht mehr viel anfangen können, aber das Bedürfnis haben, ihr gemeinsames Leben oder das Leben ihres Kindes unter den Segen Gottes zu stellen und einen Ritus zu feiern, der besser als alle selbst inszenierten Feiern das Geheimnis unseres Lebens darstellt.*

Riten der Taufe

Wenn junge Eltern zu mir kommen, um ihr Kind taufen zu lassen, dann spreche ich mit ihnen nicht über christliche Kindererziehung oder über die Vermittlung eines dogmatisch richtigen Glaubens, sondern über den Ritus der Taufe. Manchmal kommen zu mir Eltern, die sich kirchlich engagieren und daher besonderen Wert auf die Taufe legen. Oft aber kommen auch Eltern, die der Kirche eher reserviert gegenüberstehen und die an Verletzungen leiden, die sie von der Kirche erfahren haben. Dennoch haben sie das Bedürfnis, ihr Kind taufen zu lassen. Sie spüren, dass es zu wenig wäre, einfach ein Kind zu gebären und zu erziehen. Es braucht den Ritus, um zu entdecken, welches Geheimnis ein Kind ist. Wenn ich die einzelnen Riten durchspreche und erkläre, dann sind auch solche kirchenfernen Menschen fasziniert von der tiefen Bedeutung, die unsere kirchlichen Riten haben.

Die Eltern bringen oft sehr diffuse Vorstellungen von der Bedeutung der Taufe mit. Die einen haben ein eher magisches Ver-

* Von vielen Pfarrern höre ich die Klage, dass sie sich von vielen Menschen als Sakramentenspender benutzt fühlen, die aber sonst nichts zu sagen haben. Ich möchte nicht in die Diskussion eingreifen, ob man ein Sakrament verweigern sollte, wenn keine Voraussetzungen dafür gegeben sind, oder ob man im Wunsch nach dem Sakrament nicht doch einen Ansatzpunkt sehen sollte, um mit den Menschen ins Gespräch zu kommen und ihre Sehnsucht zu entdecken. Ich möchte nur einige Erfahrungen erzählen, die ich selbst mit den Sakramenten gemacht habe, und einige Anregungen geben, wie wir sie heute so feiern können, dass es heilende Rituale sind.

ständnis von Taufe. Sie befreie das Kind von der Erbsünde. Sie sehen die Erbsünde gleichsam als Verschmutzung, die abgewaschen werden müsse. Andere meinen, die Taufe sei die Bedingung für die Erlösung des Kindes. Ohne Taufe würde das Kind nicht in den Himmel kommen. Andere wiederum wehren sich gegen solch magische Vorstellungen und sehen in der Taufe die persönliche Entscheidung für den Glauben. Deshalb verwerfen sie die Kindertaufe und meinen, das Kind müsse sich irgendwann in der Jugend selbst für die Taufe entscheiden. Das halte ich auch für unrealistisch. Denn wann kann sich ein Mensch denn wirklich frei entscheiden? Ich versuche, den Eltern zu erklären, was für mich Taufe bedeutet.

Das weiße Taufkleid

Die Riten der Taufe zeigen uns, wer das Kind wirklich ist, dass es eben nicht nur das Kind dieser Eltern, sondern ein Kind Gottes ist und eine göttliche Würde hat, absolut daseinsberechtigt, und dass in ihm ein unzerstörbarer Kern liegt. Die Eltern brauchen den Ritus der Taufe, um dem Kind gerecht zu werden. Durch die Taufe können sie das Kind mit neuen Augen anschauen. Sie spüren, dass es nicht nur ihr Kind ist, sondern dass es eine königliche Würde hat, Gottes Geist in ihm strömt und es teilhat an einem göttlichen Leben, das auch durch den Tod nicht zerstört werden kann.

Die Riten zeigen nicht nur, wer das Kind ist, sondern sie sind auch eine Einübung in ein neues Verhalten dem Kind gegenüber. Wir spielen uns in den Riten in neue Formen hinein, wie wir mit dem Kind umgehen wollen. Wenn wir dem Kind in der Taufe ein weißes Kleid anziehen, dann zeigt dies einmal, dass es Christus angezogen hat und mit ihm zusammengewachsen ist. Aber zugleich stellen wir damit einen neuen Umgang mit dem Kind dar. Wie sieht das in unserem Alltag aus, so mit dem Kind umzugehen, dass es sich gleichsam mit einem weißen Kleid umhüllt fühlt? Man kann ein Kind mit einem durchbohrenden

Blick anschauen, sodass es sich »ausgezogen« fühlt. In der Taufe stellen wir spielerisch neue Möglichkeiten dar, dem Kind zu begegnen, Möglichkeiten, die uns und dem Kind gut tun und der Würde des Kindes gerecht werden.

Das Kreuz auf die Stirn

Wenn ich mit den Eltern den Sinn der einzelnen Riten durchgehe, überlegen wir zusammen, wie wir sie gestalten wollen. Es geht nicht darum, den Ritus immer gleich zu vollziehen, sondern darum, ihn neu für uns zu entdecken und ihn so zu formen, dass er für uns bedeutungsvoll wird. Da bitte ich die Eltern zu Beginn der Taufe, dass sie vor allen Freunden erklären, warum sie das Kind taufen lassen und was ihnen an der Taufe wichtig ist. Um diese Frage beantworten zu können, machen sich die Eltern mehr Gedanken über die Taufe und den Glauben, als wenn ich sie mit christlichen Wahrheiten indoktriniert und sie zu christlicher Kindererziehung angehalten hätte. Dann frage ich auch die Paten, wie sie ihr Amt verstehen. Unter dem Schutz des Rituals kommen da oft ganz persönliche Sätze, die sich ein Pate sonst nie getraut hätte auszusprechen. Dann lade ich alle ein, als Zeichen des Schutzes, den die christliche Gemeinschaft dem Kind bietet, und als Zeichen, dass dieses Kind Gott gehört und von seiner Liebe berührt ist, ein Kreuz auf die Stirne des Kindes zu zeichnen. Da darf sich jeder liebevoll dem Kind zuwenden. Viele Kinder fühlen sich sehr wohl, wenn sie so im Mittelpunkt stehen und alle sie freundlich berühren.

Anrufung der Heiligen

Nach der Lesung und einer kurzen Ansprache sieht der Ritus die Fürbitten und die Anrufung der Heiligen vor. Einmal feierten wir in einem Ostergottesdienst mit den etwa 300 Jugendlichen, die zu diesem Kurs gekommen waren, die Taufe eines Kindes.

Die Eltern waren selbst immer wieder Teilnehmer an den Jugendkursen gewesen. Statt der vorgesehenen Heiligenlitanei wurden alle eingeladen, die Heiligen zu nennen, von denen sie fasziniert sind und von deren Eigenschaften sie dem Kind etwas wünschen. Da wollte die Liste der Menschen gar nicht aufhören, von deren Qualität die Jugendlichen gerne etwas in dem Kind verwirklicht sehen würden. Es waren nicht nur kanonisierte Heilige, sondern Menschen wie Martin Luther King oder Gandhi, deren Gespür für den Frieden sie dem Kind wünschten. Da wurde deutlich, dass in jedem Kind die Verheißung liegt, dass etwas Heilendes und Befreiendes durch es in unserer Welt erscheinen möge. Manchmal bitte ich alle Anwesenden, den eigenen Namenspatron anzurufen, damit er für das Kind eintritt.

Salbung mit Katechumenenöl

Dann kommt im Ritus das so genannte Exorzismusgebet. Ich lade die Eltern ein, mit mir zusammen dem Kind die Hände aufzulegen. Dabei bete ich darum, dass sich das Kind immer von Gott geschützt und von Christus berührt fühlt. Dann salbe ich das Kind mit Katechumenenöl, dem Öl der Heilung. Jedes Kind wird in seinem Leben verletzt werden. Aber die Salbung mit dem Öl soll zeigen, dass die heilende Wirkung Christi stärker ist als die verletzende der Menschen, dass die Wunden verwandelt werden können in kostbare Perlen. Das entlastet die Eltern von dem Druck, alles richtig machen zu müssen.

Absage an das Böse

Die Absage an das Böse, die dann im Ritus folgt, bereitet mit ihren formalisierten Sätzen vielen Probleme. Daher frage ich immer, was der Sinn dieser Absage an das Böse ist und wie die Eltern sie für sich gestalten wollen. Es geht ja darum, sich bewusst für das Gute zu entscheiden und dem Kind mitten in einer Umwelt, die auch vom Bösen geprägt ist, einen Schutzraum des Guten zu schenken, einen Raum, in dem es aufblühen kann, in dem es den Geist Gottes erfährt und nicht den Ungeist dieser Welt. Manche Eltern gestalten dann die Absage so, dass sie einen schützenden Kreis um das Kind bilden und alle bitten, ihre schützende Hand auf das Kind zu legen. Dabei singen sie »Ubi caritas« als Ausdruck dafür, dass die Liebe Gottes in uns es ist, die das Kind am wirksamsten vor dem Bösen zu schützen vermag. Die Eltern und auch die Taufgemeinde spüren dann, dass es auf ihre Entscheidung für das Leben ankommt, damit das Kind auch gut leben kann.

Übergießen mit Wasser

Nach diesen vorbereitenden Riten kommt der eigentliche Taufritus, der mit der Segnung des Taufwassers beginnt. Manchmal erkläre ich die einzelnen Riten kurz oder drücke den Sinn des Ritus in dem begleitenden Gebet so aus, dass die Menschen ihn verstehen. Das Begießen mit Wasser symbolisiert, dass das Kind schon jenseits der Schwelle lebt, dass der Tod keine Macht mehr über es hat, dass es nie aus der Liebe fallen wird, die Gott dem Kind in seiner Zusage zuspricht: »Du bist mein geliebter Sohn/meine geliebte Tochter, an dir habe ich mein Wohlgefallen.« Und es wird nie mehr aus der Liebe fallen, mit der wir das Kind lieben und die wie ein Himmel ist, der sich über dem Kind öffnet. Als Jesus im Wasser des Jordan getauft wurde, öffnete sich über ihm der Himmel. So ist der Ritus der Taufe gleichsam auch ein offener Himmel, der sich über das Kind breitet und ihm vermittelt, dass es sich seinen Wert nicht durch Leistung, durch Anpassung, durch Bravsein erkaufen muss, sondern dass es so, wie es ist, in seiner Einmaligkeit angenommen und geliebt ist, weil es vom ersten Augenblick seines Lebens an unter der liebenden Sorge Gottes steht.

Salbung mit Chrisamöl

Nach dem Übergießen mit Wasser folgt die Salbung mit Chrisam. Chrisam ist das Öl, mit dem der König gesalbt wurde. Ich salbe meistens nicht nur das Kind, sondern auch die Eltern und Paten – als Zeichen dafür, dass wir alle königliche Menschen sind und eine göttliche Würde haben. Die Salbung mit Chrisam bedeutet zugleich Salbung zum Priester und Propheten. Jeder Christ ist Priester, das heißt, jeder hat die Aufgabe, Menschliches in Göttliches zu verwandeln, in seinem Menschsein durchlässig zu werden für Gott, in seinen Stärken und Schwächen transparent zu werden für Gottes Liebe und Barmherzigkeit. Und jeder Christ ist Prophet. Jeder hat eine prophetische Sendung. Jeder kann mit seinem Leben etwas ausdrücken, das nur er allein zu verkünden vermag. Jeder ist ein einmaliges Bild Gottes. Und seine Aufgabe besteht darin, dieses einmalige Bild in dieser Welt aufleuchten zu lassen. Dieses einmalige Bild wird auch in dem weißen Kleid ausgedrückt, das dem Kind angezogen wird, als Zeichen dafür, dass es Christus wie ein Gewand anzieht, dass es mit Christi Gestalt zusammenwächst und in sich Christus auf einzigartige Weise darstellt.

Taufkerze

Dann wird die Taufkerze an der Osterkerze entzündet und dem Kind beziehungsweise den Eltern übergeben mit dem Wunsch, dass Christus dieses Kind erleuchten möge und das Kind selbst Licht sein möge für die Welt, dass es durch sein Dasein die Augen vieler erhellen und die Kälte der Herzen erwärmen möge. Manche Eltern gestalten selber die Taufkerze, andere lassen sie sich von Freunden mit persönlichen Symbolen formen. Für viele gehört es dann zum jährlichen Ritual, am Geburtstag oder am Tauftag die Taufkerze anzuzünden und sich gemeinsam daran zu erinnern, wer dieses Kind eigentlich ist. Manchmal lade ich alle Taufgäste ein, eine kleine Kerze oder ein Teelicht an der

Taufkerze zu entzünden und eine Fürbitte oder einen Wunsch für das Kind auszusprechen. Oft entsteht dabei eine sehr dichte und persönliche Atmosphäre. Jeder spürt, dass das Kind ein Geheimnis ist. Am Symbol des Lichtes wird deutlich, dass in jedem Kind eine Verheißung steckt, dass diese Welt heller und heiler, wärmer und liebevoller wird. Und viele können das in sehr persönlichen Worten ausdrücken.

Der Effata-Ritus

Der letzte Taufritus ist dann der so genannte Effata (Öffne-dich)-Ritus. Er erinnert daran, dass Jesus dem Taubstummen die Ohren und den Mund geöffnet hat. Ich erweitere diesen Ritus, indem ich auch die Eltern und die Paten auffordere, alle Sinne zu öffnen, die Augen, den Mund, die Ohren, die Hände und Füße. Es ist oft erstaunlich, was den Eltern und Paten an persönlichen Wünschen einfällt, wenn sie die Augen oder die Hände des Kindes berühren. Ich habe einmal einen arbeitslosen Moslem getauft. Dessen 14-jähriger Sohn nahm beim Effata-Ritus die Hände des Vaters, umschloss sie mit seinen Händen und bat Gott, dass diese Hände immer eine sinnvolle Arbeit finden mögen. Der Sohn hätte sich nie getraut, so persönlich für seinen Vater zu beten. Der Ritus ermöglichte es ihm, Worte zu sagen, die ihm sonst nie über die Lippen gekommen wären. Eltern und Paten finden in diesem einfachen Ritus eine Ausdrucksmöglichkeit für ihre persönlichen Gefühle und Wünsche und für ihren Glauben, dass das Kind in allen seinen Sinnen von Gottes heilender Liebe berührt wird.

Vaterunser

Der Taufritus schließt mit dem gemeinsamen Vaterunser. Wir stellen uns im Kreis auf und fassen uns an den Händen. So entsteht eine Gemeinschaft, in die der Täufling aufgenommen wird. Und stellvertretend für ihn beten wir alle das Gebet des Herrn und schaffen so einen Raum des Segens für das Kind.

Segen

Dann folgt der Segen über die Mutter und den Vater. Ich spreche immer ein persönliches Segenswort, indem ich zuerst der Mutter und dann dem Vater die Hände auflege. Dann lade ich die Eltern ein, gemeinsam mit mir einen Segen für die ganze Gemeinde zu sprechen. Wenn die Eltern die Riten mitgestalten können, wird der Taufritus nicht einfach abgespult. Vielmehr spüren die Eltern, wie reich diese Riten sind, wie sie uns die Möglichkeit geben, miteinander auf eine andere und neue Weise umzugehen, uns gegenseitig zu vermitteln, welch ein Geheimnis dieses Kind ist und wie Gott es selbst an die Hand nimmt und sich über ihm der Himmel öffnet.

Katholische Taufe für evangelische Christen

Es ist offensichtlich ein großes Bedürfnis vieler junger Menschen, neue Formen zu finden, um das Geheimnis ihres Kindes zu feiern. Ein Freund erzählte mir von Bekannten, die aus der Kirche ausgetreten sind. Sie suchten sich aus vielen Religionen und Kulturen Rituale zusammen und gestalteten damit eine Art Tauffeier. Sie gaben sich viel Mühe damit. Aber irgendwie hinterließ die Feier doch den Eindruck, dass da etwas künstlich war. Die Rituale der christlichen Taufe sind in sich stimmig. Aber sie müssen immer wieder neu entdeckt werden, sonst werden sie leer und gehen an den Menschen vorbei. Evangelische Pfarrer und Pfarrerinnen baten mich, ihnen den katholischen Ritus zu kopieren. Sie haben das Bedürfnis, die Taufe sinnenfälliger zu gestalten. Einmal bat mich ein evangelisches Ehepaar, sein Kind zu taufen. Zunächst hatte ich damit Probleme, weil das Kind in der Taufe ja in die evangelische Kirche aufgenommen wird. Aber bei der Taufe ihres ersten Kindes waren sie so enttäuscht gewesen, weil der Ritus nur fünf Minuten gedauert hatte. Das war ihnen zu wenig. Ich sagte, sie sollten zu ihrem evangelischen Pfarrer gehen. Wenn der nichts dagegen hätte, würde ich gerne ihr Kind taufen. Der meinte, das sei kein Problem, er würde sofort eine »Überweisung« schreiben. So habe ich zum ersten Mal als katholischer Priester eine evangelische Taufe gehalten, natürlich nach dem katholischen Ritus. Danach hatte ich ein gutes Gefühl. Denn die Taufe haben wir ja gemeinsam. Und so war es für mich ein Zeichen gelebter Ökumene.

Die sieben Sakramente und das Heute Gottes

Es geht mir hier nicht um eine Theologie der sieben Sakramente. Katholische und evangelische Theologen streiten sich ja darum, ob es nun zwei Sakramente oder sieben gebe. Manche meinen, Jesus habe mit einem ausdrücklichen Akt die sieben Sakramente eingesetzt. So einfach darf man sich das jedoch nicht vorstellen. Die sieben Sakramente haben sich im Laufe der Kirchengeschichte entwickelt. Natürlich entsprechen sie durchaus dem Geist Jesu. Aber er hat sicher nicht ausdrücklich an ein System von sieben Sakramenten gedacht. Die Sieben ist eine archetypische Zahl. Sie meint die Verbindung von Gott und Mensch, von Irdischem und Göttlichem. Es geht in den sieben Sakramenten darum, dass unser Leben ganz und gar von Gott durchdrungen und so geheilt und zu seiner wahren Gestalt geführt wird. Im Lukasevangelium steht siebenmal das Wort »heute«. In den sieben Sakramenten geht es darum, dass dieses siebenmalige »Heute« Gottes an uns geschieht. Die Kirchenväter glaubten, dass in den Sakramenten die Hand des geschichtlichen Jesus uns berühre, dass Jesus heute an uns genauso handele wie zu seinen Lebzeiten. In den Sakramenten wirkt sich die Menschwerdung Gottes in Jesus Christus an uns heute handgreiflich aus. Wenn wir das siebenmalige Heute bei Lukas mit den sieben Sakramenten vergleichen, entdecken wir erstaunliche Parallelen.

Das erste Heute steht im Zusammenhang mit der Geburt Jesu: »Heute ist euch in der Stadt Davids der Retter geboren; er ist der Messias, der Herr« (Lukas 2,11). In der Taufe eines Kindes leuchtet etwas auf von der erlösenden und befreienden Geburt Jesu Christi, da wird etwas von der Verheißung wahr, dass Gott gnädig an seinem Volk handelt. In jeder Geburt steckt eine Ahnung von einer neuen Welt, in der Liebe und Frieden herrschen.

Das zweite Heute begegnet uns bei der Taufe Jesu: »Mein Sohn bist du, heute habe ich dich gezeugt« (Lukas 3,22). Hier geht es um die Geistsalbung und um die Sendung ins Leben, die bei uns in der Firmung gefeiert wird.

Das dritte Heute: Als Jesus in der Synagoge von Nazaret die Stelle aus Jesaja liest: »Der Geist des Herrn ruht auf mir, denn der Herr hat mich gesalbt. Er hat mich gesandt, damit ich den Armen eine gute Nachricht bringe« (Lukas 4,18), da verkündet er seinen Zuhörern: »Heute hat sich das Schriftwort, das ihr eben gehört habt, erfüllt« (Lukas 4,21). Man könnte diese Stelle in Verbindung mit der Priesterweihe sehen. Da geht es um die Berufung des Einzelnen. Aber die Stelle zeigt auch, dass die Priesterweihe nicht ausschließlich im Blick auf die Priester zu sehen ist, sondern als Beauftragung jedes Menschen zu seinem persönlichen Werk. Es geht also um das Ritual des Berufsbeginns. Der soll ja, wie das Wort selbst sagt, nicht einfach das Ausprobieren eines Jobs sein, sondern Berufung, Sendung, ganz persönliche Aufgabe, in der ich mein Charisma für die andern leben kann. Die tiefste Berufung des Menschen besteht letztlich darin, den Menschen wie Jesus die gute Nachricht von Gott zu bringen, Gefangene zu befreien, Menschen, die die Augen vor ihrer Wahrheit verschließen, die Augen zu öffnen und Verletzte und Verwundete zu heilen.

Das vierte Heute: Als Reaktion auf die Heilung des Gelähmten und auf die Vergebung seiner Sünden durch Jesus heißt es: »Heute haben wir etwas Unglaubliches gesehen« (Lukas 5,26).

Dieses Heute wird in der Beichte an uns Wirklichkeit. Es zeigt, dass Beichte nicht nur Vergebung der Sünden bedeutet, sondern auch Heilung meiner seelischen und körperlichen Wunden, Befreiung von Zwängen und Blockaden, von Hemmungen und Bindungen, die mich in meiner Freiheit einengen.

Das fünfte und sechste Heute finden wir in der Zachäusgeschichte. Jesus sagt zu dem Zöllner Zachäus: »Heute muss ich in deinem Haus zu Gast sein« (Lukas 19,5). Und während des Mahles im Hause des Zöllners sagt Jesus: »Heute ist diesem Haus das Heil geschenkt worden« (Lukas 19,9). In den Mahlzeiten sieht Lukas immer ein Abbild der Eucharistie, in der Jesus mit uns Mahl hält und uns Gottes Güte und Menschenfreundlichkeit leibhaft erfahren lässt. Man könnte in diesem Mahl der Freude auch ein Bild für die Hochzeit sehen, die ja immer auch als Mahl gefeiert wird. So wie Jesus einkehrt im Hause der Menschen, um mit ihnen im Mahl eins zu werden, so symbolisiert die Hochzeit im Einswerden von Mann und Frau auch das Einswerden von Gott und Mensch.

Das letzte Heute spricht Jesus dem Mann zu, der neben ihm am Kreuz hängt und ihn darum bittet, an ihn zu denken, wenn er in sein Reich komme: »Amen, ich sage dir: Heute noch wirst du mit mir im Paradies sein« (Lukas 23,43). Hier kann man an die Krankensalbung denken, die früher ja als letzte Ölung auch ein Sterbesakrament war. Oder man kann an die Beerdigungsriten denken, die zwar nicht als Sakrament verstanden werden, in denen aber diese Zusage Jesu dargestellt wird.

Die Liturgie greift das siebenmalige Heute bei Lukas immer wieder auf, wenn sie etwa in der Weihnachtsantiphon singt: »Hodie Christus natus est: Heute ist Christus geboren.« In den sieben Sakramenten geht es darum, dass Christus heute an uns handelt, uns berührt, dass er unsere Wunden heilt, uns die Sünden vergibt und uns zu unserem Werk sendet, dass er mit uns Mahl hält und uns die Gewissheit schenkt, dass wir im Tod zusammen mit ihm im Paradies sein werden. In den Riten der Sakramente wird sichtbar dargestellt, was Christus damals getan hat und was er heute an uns tun will, damit wir wie die Menschen damals das Heil erfahren, das er als der Messias der Menschheit gebracht hat. Genauso wie Jesu Tätigkeit sich nicht nur auf das Heilen beschränkte, so ist in den Sakramenten sein ganzes Tun gegenwärtig. In den Sakramenten zeigt uns Jesus den Sinn unseres Lebens. An den Übergängen unseres Lebens verweist er uns auf eine tiefere Dimension unserer menschlichen Existenz. Wir sind nicht nur Menschen der Erde, sondern zugleich auch Menschen des Himmels. Alle sieben Sakramente zeigen Stationen unseres Weges, den Jesus mit uns geht, um auch uns durch die Bedrängnisse und Krisen dieses Lebens in das Reich Gottes zu führen.

In allen Situationen, die vom Heute Gottes geprägt sind, wird die Gemeinsschaft stiftende Funktion der Sakramente deutlich. Da loben auf einmal Menschen miteinander Gott. Sie müssen einander erzählen, was Gott heute an ihnen Großes getan hat. Sie erleben in ihrer Einsamkeit Jesus als den, der sie im Staunen über Gottes Großtaten zu einer Gemeinschaft formt. Jesus ist im Lukasevangelium der, der in der Kraft des Heiligen Geistes, der in der Taufe über ihn kam, »Machttaten« (dynameis) vollbringt. Die Sakramente schenken uns Anteil an der Macht Jesu Christi. Sie haben die Wirkung der Energietransformation, wie C. G. Jung sie sieht. Denn gerade in Augenblicken unserer Schwäche, unserer Geburt, unserer Schuld, unserer Krankheit, unserer Einsamkeit, unserer Unsicherheit sagen sie uns die Kraft des Heiligen Geistes zu, der uns dazu stärkt, die Situationen unserer Ohnmacht mit göttlicher Energie zu bewältigen. Die energietransformierende Funktion der Sakramente wird vor allem in der Beichte deutlich. Solange wir uns mit Schuldgefühlen zerfleischen, blockieren wir uns selbst in unserem Energiefluss. Die Vergebung wandelt die Energie, die in unserem Versagen steckt, in kreative Energie um.

Die Beichte

Das Sakrament der Beichte hat in den letzten Jahrzehnten an Anziehungskraft verloren, weil es so formalisiert worden ist, dass die eigentliche Intention nicht mehr sichtbar wird und die heilende und befreiende Wirkung nicht mehr erfahren werden kann. Aber wenn Ehepaare für sich persönliche Versöhnungsrituale entwickeln, dann zeigt das, dass auch die Kirche das Versöhnungsritual der Beichte neu bedenken müsste. Es geht nicht darum, jede kleine Untugend zu bekennen. Vielmehr tut es dem Menschen gut, von Zeit zu Zeit über sich zu sprechen, gerade darüber, wo er mit sich unzufrieden ist und spürt, dass etwas nicht stimmt. Das Gespräch kann dann zu dem Punkt führen, wo unsere Schuld liegt, wo wir Leben verweigern, wo wir uns selbst verschließen.

Neues Schuldverständnis

Wir sehen Schuld heute nicht einfach als Übertretung von Geboten, sondern als Lebensverweigerung, als Spaltung, in der wir an unserem eigentlichen Wesen vorbeileben. Wenn wir über ein Verhalten sprechen, das uns am meisten belastet, so ist es immer eine Mischung aus eigener Problematik, inneren Zwängen und Mustern sowie von Schuld. Es ist auch nicht so entscheidend, dass wir chemisch rein unsere Schuld herausfiltern. Wir halten vielmehr unser Verhalten Gott hin mit all dem, was da auch an Schuld dabei war.

Wir sollen uns weder beschuldigen noch entschuldigen, sondern uns Gott überlassen, damit er uns annehme mit allem, was in uns ist. Wenn wir uns selber beschuldigen, dann ziehen wir uns herunter, zerfleischen uns mit Selbstvorwürfen. Das ist sicher nicht im Sinne des barmherzigen Gottes. Wenn wir uns dagegen entschuldigen, müssen wir nach immer neuen Gründen suchen, uns selbst zu rechtfertigen. Da kommen wir nie zur Ruhe. Zu wissen, dass ich so, wie ich bin, auch mit all dem »Unannehmbaren« (Paul Tillich) von Gott angenommen bin, entlastet und befreit.

Ritus der Absolution

Die Beichte hat als Gespräch über uns und unsere Schattenseiten, über unser Leben und unsere Schuld, eine therapeutische Funktion. Aber sie ist mehr als ein Gespräch. Am Ende des Gespräches steht die Absolution, die Zusage der Vergebung von Gott her. Wenn einer wirklich Schuld auf sich geladen hat, dann genügt es ihm nicht, wenn ich ihm nur sage, Gott sei schon barmherzig, er werde ihm schon alles vergeben. Da braucht es einen Ritus, um an die Vergebung Gottes wirklich glauben zu können. Nach C. G. Jung spricht der Ritus das Unbewusste an. Er reicht bis an die Wurzeln unserer Verweigerung, uns selbst anzunehmen. Er überwindet die unbewussten Barrieren, die in unserem Inneren den Glauben an die Vergebung verhindern. Die Absolution sollte durch die Handauflegung des Priesters geschehen. Die Handauflegung vermittelt greifbar, dass wir so, wie wir sind, von Gott angenommen und von der menschlichen Gemeinschaft akzeptiert sind. Sie lässt erfahren, dass wir unter der bedingungslosen Zusage Gottes stehen und Gottes liebende Hände für uns ein Schutzraum sind, in dem wir uns geborgen und akzeptiert wissen.

Unter vier Augen

Viele verbinden mit der Beichte das unangenehme Gefühl von Zwang. Sie müssten beichten, um wieder zur Kommunion gehen zu können. Wir müssen nicht beichten. Die Beichte ist ein Angebot Gottes, das uns von Zeit zu Zeit gut tut. Aber sie braucht auch äußere Formen, um heilend wirken zu können. Ich selbst sitze sehr ungern im Beichtstuhl, wo ich den Beichtenden nur durch ein Gitter sehen und wo man nur flüsternd miteinander kommunizieren kann. Das Gespräch unter vier Augen, in dem der andere die Akzeptanz auch durch meinen Händedruck und meine Augen erfahren kann, ist für mich der Raum, in dem Menschen die heilende und befreiende Wirkung der Beichte erfahren können. Es tut ihnen gut, einmal über sich zu reden und bewusst auch über die Seiten, die man sonst immer verschweigt. In der Gesellschaft stehen wir ja eher unter dem Druck, unsere Erfolgsgeschichten zu erzählen. Die Geschichten unseres Misserfolgs, unserer Nöte und Bedrängnisse müssen wir für uns behalten oder werden sie höchstens in der Therapie los. Die Erfahrung von C. G. Jung, dass die Beichtpraxis häufig eine Therapie überflüssig macht, würde auch heute noch stimmen, wenn die äußeren Bedingungen für die Beichte die Menschen einlüden, sich unter dem Schutz des Beichtgeheimnisses einem Priester anzuvertrauen, der sie nicht verurteilt, sondern ihnen hilft, mitten in ihrer Schuld die Spur des Lebens und der Liebe zu entdecken.

Die Feier der Eucharistie

Die Eucharistie ist das wohl am häufigsten gefeierte kirchliche Ritual. Aber gerade hier haben viele das Gefühl, dass dieses Ritual nichts mehr mit ihnen zu tun hat. Es geht an ihnen vorbei, ohne dass es seine heilende Wirkung an ihnen entfalten kann.

Der Auferstandene ist gegenwärtig

Die frühen Christen brauchten nicht zur Eucharistiefeier gedrängt zu werden. Aus eigenem Antrieb brachen sie »in ihren Häusern das Brot und hielten miteinander Mahl in Freude und Einfalt des Herzens« (Apostelgeschichte 2,46). Das »Brotbrechen« war für die frühen Christen der Ort, an dem sie sich an die Worte und Taten Jesu immer wieder aufs Neue erinnerten und an dem sie Christus als den Auferstandenen unter sich als gegenwärtig erlebten. Die Worte Jesu, die sie hörten, waren Worte des in ihrer Mitte stehenden Auferstandenen. Die Geschichten, die sie sich von Jesus erzählten, waren nicht nur Erinnerungen, sondern sie wurden gegenwärtig, weil Christus selbst bei ihnen war. Die Heilungsgeschichten erzählten sie sich nicht, um sich an Jesus in Wehmut zu erinnern, sondern im Glauben daran, dass er die Menschen heute genauso berührt und heilt. Was sie im Evangelium hörten, das stellten sie im immer gleichen Ritus des Brotbrechens dar. Da erlebten sie mit allen Sinnen, dass Christus sie anschaut, anspricht, berührt und aufrichtet, so wie er die gekrümmte Frau aufgerichtet und ihr ihre unantastbare Würde wieder geschenkt hat.

Unsere Aufgabe wäre es heute, dass wir den Menschen in der Eucharistie vermitteln, dass Christus selbst unter uns ist und zu uns spricht, dass er uns in der Kommunion berührt und heilt, dass er uns mit seiner Kraft begabt, dass wir gemeinsam mit ihm unsern Weg im Alltag weitergehen können. Eucharistie wäre der Ort, an dem wir immer wieder erfahren, dass wir nicht nur Menschen der Erde, sondern auch des Himmels sind, dass wir mehr sind als die, die ihre Pflicht erfüllen und die Banalität ihres Alltags aushalten müssen, weil in uns etwas ist, über das die Welt mit ihren Maßstäben und Erwartungen keine Macht hat.

Viele Menschen erleben in der sonntäglichen Eucharistiefeier aber nicht Christus als den Auferstandenen in ihrer Mitte, sondern sie reiben sich an der konkreten Gestalt der Kirche, wie sie sich im Gottesdienst ihnen darstellt. Aber es geht nicht um die Demonstration der Kirche, sondern um das gemeinsame sich Scharen um Christus, den Auferstandenen. Wenn das erfahrbar wird, dann wird auch der Sinn vieler Riten wieder verstanden.

Dann ist der Ritus der Begrüßung nicht nur etwas Oberflächliches, sondern er ist der Gruß des Auferstandenen selbst, der in unsere Mitte tritt. Dann sind Lesung und Evangelium nicht nur zum Anhören von Texten da, die man nicht versteht, sondern das Wort des Auferstandenen, das uns einen neuen Horizont für unser Leben eröffnet. Dann ist die Gabenbereitung, in der Brot und Wein zum Altar gebracht und vom Priester emporgehalten werden, Ausdruck unserer Bereitschaft, unser Leben Gott hinzuhalten, damit er es verwandeln möge. In der Gestalt des Brotes bringen wir unser Leben dar mit all dem, was uns Tag für Tag aufreibt und zerreibt, mit der Tretmühle unseres Alltags. Das Brot, das aus vielen Körnern bereitet ist, steht für das viele, das wir in uns nicht zusammenbringen, für die vielen verschiedenen Wünsche, Bedürfnisse, Gedanken, Gefühle und Sehnsüchte, die nebeneinander in uns leben und uns oft genug zerreißen. Und der Wein steht für unsere Sehnsucht nach Liebe, nach Ekstase, nach einem neuen Geschmack in unserem Leben. Dann drückt die Gabenbereitung unsere Hoffnung aus, dass alles in uns durchlässig werden kann für Christus, dass wir über alles, was wir in uns oft schmerzlich erleben, sagen können: »Das ist der Leib Christi. Das ist das Blut Christi.« Alles hat einen Sinn, alles kann zum Ort der Gotteserfahrung werden.

In der Eucharistie geht es um die Einübung in die Menschwerdung, die nur über das Annehmen, Loslassen und Einswerden zum Neuwerden führt. Wir feiern den Weg Jesu, um gerade auf diesem Weg zum Geheimnis des eigenen Lebens zu finden. Wir üben uns darin ein, täglich neu Ja dazu zu sagen, dass wir durchkreuzt werden von Menschen, die uns in die Quere kommen, von Ereignissen, mit denen wir nicht gerechnet haben. In der Eucharistiefeier bekennen wir, dass dieses Durchkreuztwerden uns aufbricht für Gott, für das Neue, das in uns wachsen möchte. Und wir werden in der Eucharistie eins mit uns selbst und mit den Menschen, mit denen wir gemeinsam das heilige Mahl feiern.

Wenn Christus als der Auferstandene in unserer Mitte erfahrbar wird, dann ist das Hochgebet mit der Wandlung der Ort, an dem Jesus selbst uns das Brot bricht und den Lobpreis spricht, sodass uns die Augen aufgehen und das Herz uns brennt (vgl. Lukas 24,30ff). Dann beten wir gemeinsam mit ihm das Vaterunser, dann erfahren wir uns mit ihm als Söhne und Töchter des barmherzigen Vaters, die sich das im Friedensgruß auch gegenseitig ausdrücken. Dann wird die Kommunion zur leibhaften Begegnung mit Jesus Christus, in der er uns berührt und heilt, in der er sich selbst uns schenkt und im Essen und Trinken ununterscheidbar eins wird mit uns, damit wir nun, eins geworden mit ihm, als verwandelte und neue Menschen in unsern Alltag zurückkehren und dort den Frieden bringen, den er damals auf alle, die ihm begegnet sind, ausgestrahlt hat. Wenn der Auferstandene in der Eucharistiefeier im Mittelpunkt steht, dann geht es für Pfarrer nicht darum, jeden Tag neue Experimente zu machen und sich unter Leistungsdruck zu setzen, um die Eucharistie möglichst interessant zu gestalten. Die Riten müssen nur verständlich werden, sie müssen das Herz berühren. Sie müssen in sich stimmig sein als Ausdrucksformen, dem Auferstandenen zu begegnen. Nur so können sie unsere Wunden heilen und uns die Hoffnung schenken, dass auch für uns Tag für Tag Auferstehung möglich wird.

Beim Ritus der Eucharistie muss die Beziehung zu unseren alltäglichen Mahlzeiten deutlich werden. Und umgekehrt: In jedem Mahl ist etwas vom Geheimnis der Eucharistie gegenwärtig: In der Eucharistie bringen wir feierlich zum Ausdruck, was auch für unsere täglichen Mahlzeiten gilt, dass es immer Gottes gute Gaben sind, die wir in Dankbarkeit genießen dürfen. Daher hat der heilige Benedikt in seiner Regel die Mahlzeiten der Brüder ähnlich ritualisiert wie die Eucharistie. Da beten die Tischdiener und Tischleser die gleichen Psalmverse, mit denen die gemeinsamen Gebetszeiten eröffnet werden. Da waschen die Tischdiener zu Beginn und am Ende ihres Dienstes allen Brüdern die Füße, um die Beziehung jeder Mahzeit zum letzten Abendmahl zu zeigen, bei dem Jesus seinen Jüngern die Füße gewaschen hat als Ausdruck seiner Liebe, die sich im Tod am Kreuz bis in den Staub zu uns hinabbeugt. Die Parallele, die zwischen dem Wochendienst der Tischdiener und dem Altardienst besteht, zeigt, dass der Dienst am Tisch kultischen Charakter hat und das Mahl der Brüder und die Eucharistiefeier zusammengehören.

Die Firmung

Der Ritus der Firmung ist die Handauflegung und Sendung hinaus ins Leben. Es ist ein typisches Übergangsritual, das den Initiationsriten der Völker entspricht, die junge Menschen mit diesen Riten in das Erwachsenenleben einführen. Aber an unseren Firmungsgottesdiensten ist davon heute wenig zu sehen. Neuerdings gibt es immerhin an vielen Orten Versuche, die Vorbereitung auf die Firmung neu zu gestalten – als eine Art Einführung in das verantwortliche Leben als erwachsener Christ. Man macht es den Firmlingen dann nicht zu leicht. Sie werden herausgefordert, sich ihrer eigenen Wahrheit zu stellen, im Glauben erwachsen zu werden und die Verantwortung für ihr Leben zu übernehmen.

Nach so einer intensiven Vorbereitungsphase kann dann auch das Sakrament der Firmung selbst ganz neu als Initiationsritus gefeiert werden. Die Handauflegung ist dann ein eindrucksvolles Ritual, in dem der junge Mensch mit dem Geist Gottes begabt wird, der ihm seine eigenen Möglichkeiten entdecken hilft. Im Ritus der Salbung zeichnet der Bischof mit dem Chrisamöl ein Kreuz auf die Stirn des Firmlings. Der Firmling erhält dadurch ein unauslöschliches Siegel, das Siegel des Heiligen Geistes. Es zeigt zum einen, dass er nun Gott gehört und nicht der Welt, zum andern, dass er mit dem Heiligen Geist beschenkt nun in der Welt Christi Wohlgeruch (vgl. 2. Korinther 2,15) verbreiten und um sich eine Atmosphäre der Klarheit, der Liebe und der Güte schaffen soll.

In einem erneuerten Ritus könnte die Aufgabe deutlich werden, die Firmlinge heute erwartet. Sie sollten auch nicht nur an sich geschehen lassen, sondern – geistbegabt! – auch nach außen zeigen dürfen, wozu sie gesandt sind und was sie in andern Menschen an Leben wecken wollen. Das könnte zum Beispiel so geschehen, dass jeder Firmling seinen Eltern, Geschwistern und Freunden ein Kreuz auf die Stirne zeichnet und ihnen ein Wort zuspricht. Oder aber er geht auf zwei oder drei Menschen zu, die ihm wichtig sind, und legt ihnen schweigend die Hände auf.

Eine Gemeindereferentin erzählte mir, dass sie ihre Firmgruppe in Thüringen so vorbereitet, dass die Firmung der Beginn des Firmkurses ist, in dem sie gemeinsam über ihren Glauben reflektieren und ihn vertiefen. Was im Sakrament der Firmung geschieht, das wird dann ein Jahr lang in der Gemeinde konkret eingeübt. Die Bedingung, zur Firmung zugelassen zu werden, ist dieser einjährige Kurs nach der Firmung, in der alle aktiv am Gemeindeleben teilnehmen. Damit hat diese Gemeinde gute Erfahrungen gemacht. Die Firmlinge baten schließlich nach dem Jahr, ob sie die Gruppe nicht weitermachen könnten. Oft ist es so, dass die Firmlinge nach der Firmung nicht mehr in der Kirche gesehen werden. Ähnlich dürfte es bei der Konfirmation in der evangelischen Kirche sein, die für viele den endgültigen Auszug aus der Kirche bedeutet. So müsste man nach Formen suchen, wie die Firmlinge ihre Verantwortung als Christen aus der Geistbegabung heraus zeigen können.

Die Priesterweihe

Die Priesterweihe ist ebenfalls ein Übergangsritus, der den jungen Mann in seine Aufgabe als Priester einweiht. Dieser Ritus ist nur den Priestern vorbehalten. Er müsste aber ergänzt werden durch Riten, wie Frauen und Männer in ihren Beruf eingeführt werden. In den Handwerksberufen sind noch alte Rituale der Berufseinführung erhalten, auch wenn sie ihren tiefen Sinn zumeist verloren haben und nur noch als lustige Attraktion gefeiert werden. Immerhin gibt es bei wichtigen Ämtern eine Amtseinführung, so beim Bürgermeister, beim Landrat, bei der Regierung. Auch in Firmen gibt es die ritualisierte Einführung eines neuen Chefs. Natürlich befähigt der Ritus allein einen Menschen nicht, einen Betrieb oder eine Gemeinde zu leiten. Aber er zeigt, dass der Beruf mit Berufung zu tun hat. C. G. Jung hat wohl Recht, wenn er meint, so ein Ritus würde im Menschen verborgene Kräfte wachrufen. Zumindest motiviert er einen, sein Amt ernst zu nehmen und sich über seine Verantwortung Gedanken zu machen. Führen heißt, Leben in den Menschen zu wecken. Und dazu braucht es auch eine Berufung und Befähigung.

Im Ritus der Priesterweihe legen sich die Weihekandidaten zuerst einmal in der Gebärde der »prostratio« auf den Boden. Dort liegen sie auf dem Bauch, die beiden Hände unter die Stirne haltend, und hören schweigend zu, wie die Gemeinde über sie betet und in der Allerheiligenlitanei die Heiligen für sie anfleht. Sie müssen sich erst einmal mit ihrer Erdhaftigkeit konfrontieren, mit ihrer Ohnmacht und Schwäche, um dann zu erfahren, was es heißt, für andere einen Dienst zu übernehmen. Auch bei der Abtsweihe muss sich der Abt erst vor allen auf den Boden werfen, um dann in seine Verantwortung eingeführt zu werden. Das ist ein starkes Symbol. Es täte manchem Politiker und Manager gut, wenn er sich zunächst seiner menschlichen Hinfälligkeit bewusst würde, bevor er andere zu führen beginnt. Das könnte seiner Führungsaufgabe eine andere Dimension geben.

Der eigentliche Ritus der Priesterweihe ist die schweigende Handauflegung durch den Bischof und alle anwesenden Priester, in der der Heilige Geist auf die Weihekandidaten herabgefleht wird. In diesem Ritus steckt eine große Weisheit. Da werden nicht große Reden gehalten, um die Aufgabe des Priesters in grellen Farben zu schildern, wie das oft bei der Amtseinführung von Firmenchefs geschieht. Da wird schweigend um den Heiligen Geist gebetet, der den Priester so durchdringen möge, dass er sein ureigenstes Charisma im Dienst an den Menschen leben kann. Das wäre auch ein guter Weg für jede Übernahme eines Amtes oder für die Einführung in den Beruf, dass man in aller Stille um den Heiligen Geist betet, damit der beziehungsweise die Betreffende seinen oder ihren Beruf wirklich zum Heil der Menschen ausübt.

Die Trauung

Normalerweise kommen zu mir nur solche Brautpaare, die aus unseren Jugendkursen hervorgegangen sind und daher besonderen Wert darauf legen, die Trauungsfeier bewusst mitzugestalten. Aber es kommen auch Menschen, die der Kirche fern stehen und mit den Ritualen nichts anfangen können, die sie normalerweise bei einer Hochzeit erleben. Sie haben aber dennoch das Bedürfnis, ihren gemeinsamen Weg unter den Segen Gottes zu stellen und das Geheimnis ihrer Liebe vor Gott und vor den Menschen auszudrücken. Sie haben das Gefühl, dass ihr gemeinsames Leben es wert ist, gefeiert zu werden.

Eine junge Frau erzählte mir von ihrem Bruder, der nur standesamtlich geheirat hatte und danach mit den Trauzeugen in die Gastwirtschaft zum Essen gegangen war. Das war dann alles. Ich fragte mich, wie wenig wert die Menschen ihr gemeinsames Leben finden müssen, wenn sie den Anfang ihrer Ehe so phantasielos begehen. Wenn das Leben nicht mehr wert ist, gefeiert zu werden, wird es bald in der Banalität zerrinnen.

Die kirchliche Trauungsfeier bietet uns viele Möglichkeiten an, die gemeinsame Liebe in sinnvollen Ritualen zum Ausdruck zu bringen und daran auch die Gäste teilnehmen zu lassen. Ich gebe dem Brautpaar immer zur Aufgabe, selbst Texte aus der Bibel zu suchen, die ihnen wichtig geworden sind. Nachdem ich in einer kurzen Ansprache diese Texte dann ausgelegt habe, bitte ich das Brautpaar, vor allen zu sagen, warum sie jetzt gerade hier heiraten möchten und was sie unter dem Sakrament der Ehe verstehen. Da müssen sie sich vorher Gedanken darüber machen, was sie eigentlich möchten und was ihnen an ihrem gemeinsamen Weg wichtig ist. Dann segne ich die Ringe und bitte das Brautpaar, sie sich mit dem Vermählungswort anzustecken. Manche formulieren auch das Vermählungswort persönlich, manche halten sich lieber an die vorgegebenen Worte. Nach der Bestätigung spreche ich ein persönliches Segenswort, indem ich dem Brautpaar dabei die Hände auflege. Wenn das Brautpaar auch eine Brautkerze mitgebracht hat, segne ich die Kerze, zünde sie an und stelle sie auf den Altar. Sie ist dann an jedem Hochzeitstag eine Erinnerung an die Liebe, die Licht bringt in ihr Leben und Wärme in unsere kalte Welt, die Heimat schenkt für alle, die in dieses Haus als Gäste aufgenommen werden.

Die Fürbitten bieten den Freunden des Brautpaares eine gute Gelegenheit, ihre Wünsche und Bitten zum Ausdruck zu bringen. Manche tun das, indem sie ein Symbol mitbringen. Sie zeigen es allen und sprechen dazu einen Wunsch aus. Dann legen sie das Symbol, zum Beispiel ein Bild, einen Wecker, eine Gitarre, eine Blume, auf den Altar.

Brot und Wein vom Brautpaar

Für mich gehört die Eucharistiefeier zur Trauung, weil sie unübertrefflich zum Ausdruck bringen kann, worum es in der Hochzeit geht, und weil sie alle Gäste im heiligen Mahl der Liebe miteinander verbindet. So wird das Ja des Brautpaares zueinander zur Bejahung aller, und die Liebe, die die Eheleute einander versprechen, wird zur Quelle der Liebe, die für alle reicht, weil Gott selbst sie mit seiner göttlichen Liebe durchdringt. Damit das sichtbar wird, bitte ich das Brautpaar, zur Eucharistie selbst Brot zu backen und den Wein mitzubringen. Zur Gabenbereitung bringt dann das Brautpaar das Brot und den Wein zum Altar – als Zeichen dafür, dass das, was sie selbst mitbringen an gutem Willen und an Liebe, von Gott verwandelt wird in den Leib und das Blut Christi und dann allen ausgeteilt wird, damit alle an der Liebe Gottes, die darin sichtbar wird, teilhaben. Manche Brautpaare stellen sich dann auch rechts und links von mir an den Altar, um zu zeigen, dass die Verwandlung dieser Gaben mit ihrer von Gott verwandelten Liebe zu tun hat. Und bei der Kommunion reichen Braut und Bräutigam dann das Blut Christi den Kommunizierenden. Das ist ein schönes Symbol dafür, dass alle teilhaben am Geheimnis ihrer Liebe. Und da ihre Liebe von Gottes Liebe durchdrungen ist, geht sie nie aus und reicht für alle.

Die Krankensalbung

Das Sakrament hat beide Bedeutungen: Einmal ist es ein intensives Gebet um Heilung der körperlichen und seelischen Krankheiten. Es drückt aus, dass auch die Heilung unseres Leibes letztlich ein Geschenk von Gottes Gnade ist und wir darum beten dürfen. Zum andern will das Sakrament uns dazu führen, unsere Krankheit anzunehmen als Weg der Verwandlung und als Einübung in das Sterben, das einmal von uns allen gefordert wird. In jeder Krankheit treten Ängste auf. Viele haben Angst, an ihrer Krankheit zu sterben oder den Schmerzen nicht gewachsen zu sein, die sie mit sich bringt. Die Krankensalbung hat angstbannende Wirkung. Aber sie aktiviert auch die Kräfte des

Glaubens, die für die Heilung entscheidend sind, und die Bereitschaft, sich mit seiner Krankheit auszusöhnen. Nur so kann sie vom Fluch zum Segen verwandelt werden, zu einem Weg, der uns tiefer in das Geheimnis Gottes und in das Geheimnis der eigenen Menschwerdung hineinführt.

Die Beerdigung

Hier spürt man wohl am deutlichsten, welch heilende Bedeutung Riten auch heute noch haben können. Der Tod eines geliebten Menschen stürzt viele in Verzweiflung und abgrundtiefe Trauer. Oft findet diese Trauer keinen angemessenen Ausdruck. Man flüchtet sich in Geschäftigkeit, um alles Äußere an der Beerdigung zu regeln. Nach der Beerdigung fallen dann viele in ein dunkles Loch. Die Riten der Beerdigung ermöglichen uns, sowohl unserer Trauer als auch unserer Hoffnung auf ein Wiedersehen im Himmel angemessen Ausdruck zu verleihen. Die Beerdigung ist kein Sakrament im Sinne der klassischen sieben Sakramente, sondern ein so genanntes Sakramentale, ein heiliges Zeichen, durch das der Geist Gottes an uns Menschen wirkt. Als solche ist sie ein wichtiger Ritus.

In vielen Dörfern gibt es vorbereitende Riten für die Beerdigung. Da wird am Abend vor der Bestattung ein gemeinsamer Rosenkranz gebetet, in dem man sich betend mit dem Toten beschäftigt und ihn und sein Leben Gott hinhält.

Der Beerdigungsritus im Kloster

In unserem Kloster wird der Verstorbene vom ganzen Konvent in die Totenkammer geleitet, wobei wir Psalmen und Lieder singen, die uns zeigen, dass der Tod nicht das letzte Wort ist. In der Totenkammer wird der Tote aufgebahrt. Den ganzen Tag über halten Mitbrüder Totenwache und beten für den Verstorbenen, sodass er nicht allein gelassen ist.

Unmittelbar vor der Beerdigung feiern wir die Eucharistie, den Tod und die Auferstehung Jesu Christi. Es ist ein Totenmahl, das uns zeigt, dass die Grenzen zwischen Himmel und Erde und zwischen Leben und Tod aufgehoben sind und an unserem Mahl auch all die Toten teilhaben, die das ewige Hochzeitsmahl im Himmel feiern. Wir feiern die Verwandlung des Todes in einen Weg zur Auferstehung, zum wahren Leben bei Gott.

Dann tragen wir unter dem Gesang des alten lateinischen Hymnus »In paradisum deducant te angeli – in das Paradies mögen dich die Engel geleiten« den Sarg zum Friedhof. Während der Sarg in das Grab gelassen wird, singen wir entweder den Lobgesang des Zacharias (Lukas 1,68–79) oder das Lied des greisen Simeon: »Nun entlässt du deinen Knecht nach deinem Wort in Frieden.« Dazu wird das Wort aus dem Buch Hiob gesungen: »Ich weiß, dass mein Erlöser lebt. Meine Augen werden ihn schauen.« Es sind trostvolle Gesänge, die alle von der Überwindung des Todes künden und das Tun deuten. Gerade beim Tod eines Menschen werden viele sprachlos, weil sie sich nicht vorstellen können, was mit dem Toten geschieht. Die liturgischen Gebete und Gesänge deuten uns die Beerdigung als ein Zurückgeben des Toten an Gott, der ihn aufnimmt in seine Herrlichkeit. So können die Lebenden von ihm in angemessener Weise Abschied nehmen. Bei der Beerdigung eines Mitbruders, der einen tragischen Tod gestorben war, meinte nachher ein Therapeut aus der Verwandtschaft, der der Kirche sehr ferne stand, er sei fasziniert von den Ritualen der Beerdigung gewesen. Er entdecke in seiner Therapie gerade neu die Heilung durch Rituale. Aber die Kirche habe sie ja schon längst, und dass ihre Rituale eine heilende Wirkung haben, das habe er bei diesem Requiem und bei der Beerdigung erfahren.

Gerade bei einer Beerdigung ist es wichtig, dass die Angehörigen zusammen mit dem Priester diese Feier gestalten. Manche mögen die Beerdigung ganz schlicht und einfach, weil die Riten von alleine sprechen. Andere bringen etwas in die Feier ein, das für den Verstorbenen passend ist. So erzählte mir eine Schwester von der Beerdigung eines jungen Menschen, der an Krebs gestorben war. Der Priester las bei der Ansprache einen Brief des Verstorbenen an seine Familie vor und einen Brief seiner Geschwister. Der junge Mann hatte in einer Blaskapelle mitgespielt. Seine Freunde spielten ihm nun zur Beerdigung die Stücke, die er am liebsten hatte. – Das sind Rituale, die es allen ermöglichen, wirklich Abschied von dem Toten zu nehmen und in diesen Abschied nochmals die ganze Liebe hineinzulegen, die sie ihm gegenüber spüren.

Als ein Achtzehnjähriger tödlich mit dem Auto verunglückt war, luden seine Eltern die Freunde des Sohnes ein, um gemeinsam mit einem befreundeten evangelischen Pfarrer und mir die Beerdigung zu besprechen. Der Vater meinte, sie sei das letzte Fest, das er gemeinsam mit ihnen für seinen Sohn feiern könne. Die Jugendlichen erzählten ihre Erlebnisse mit dem Freund, was ihn bewegt habe, was seine Sehnsucht gewesen sei, und sie brachten sein Lieblingslied mit. Der Vater, die Mutter und der Bruder wollten alle ein Gebet oder ein Lied, das ihnen im Zusammenhang mit dem Sohn und Bruder wichtig geworden war, in die Feier einfließen lassen. So war es ein sehr persönlicher Gottesdienst, ein Fest, das bei aller Trauer und allem Schmerz die Grenzen zwischen Himmel und Erde, zwischen Leben und Tod aufhob und etwas erfahrbar werden ließ von der Gemeinschaft mit den Toten, die uns jede Eucharistie aufs Neue zeigt. Die Eltern und der Bruder teilten bei der Kommunion das Blut Christi an die Gottesdienstbesucher aus. Das Blut, das Christus aus Liebe für uns vergossen hat, wurde so auch zum Symbol für die Liebe, die ihr Sohn zu ihnen und die sie ihrem Sohn gegenüber fühlten. Die Kommunion war von der Gewissheit getragen, dass unsere Liebe mit dem Tod des geliebten Menschen nicht aufhört, sondern uns – verwandelt – neu geschenkt wird. Die Kommunion drückt aus, was Gabriel Marcel einmal von der Liebe gesagt hat: »Lieben, das heißt zum andern sagen: Du, du wirst nicht sterben.«

Heilige Zeichen

Die katholische Kirche spricht nicht nur von den sieben Sakramenten, sondern auch von Sakramentalien, die als heilige Zeichen die Sakramente in das konkrete Leben hinein fortsetzen und das gesamte Leben des Menschen heiligen und verwandeln. In ihnen kommt zum Ausdruck, dass die gesamte Schöpfung vom Geist Gottes durchdrungen ist und zum Zeichen seiner gütigen Zuwendung zu uns werden kann. »Sakramentalien sind ein Zeugnis für die Liebe zu allem Geschaffenen; diese äußert sich letztlich in einem Leben aus Dankbarkeit, im Blick für den Wert der Menschen und Dinge, im ehrfürchtigen und freiheitlich-verantwortlichen Umgang mit ihnen.«[40] Solche Sakramentalien sind etwa der Umgang mit dem Weihwasser, die verschiedenen Segnungen, etwa die Segnung eines Hauses, eines Kreuzes oder eines Autos, die Prozessionen und Wallfahrten und die Fußwaschung am Gründonnerstag.

Bei vielen ist heute ein neues Gespür für die heilende und helfende Wirkung solcher Sakramentalien gewachsen. So bitten mich manchmal Ehepaare, ihr neu gebautes Haus zu segnen. Wir gehen dann durch jeden Raum, und ich versuche, beim Besprengen mit Weihwasser jeweils in einem persönlichen Gebet auszudrücken, was die Familie und die Gäste in diesem Zimmer erfahren möchten. Durch die Haussegnung wird deutlich, dass unser gesamter Alltag von Gottes Segen begleitet ist, ob es das Kochen, das Essen, das Arbeiten, das Wohnen oder das Schlafen und Baden ist. Auch Wallfahrten erfreuen sich heute neuer Beliebtheit. Das gemeinsame Wandern – abwechselnd schweigend, betend und im Gespräch miteinander – ist schon eine heilsame Erfahrung. Die Wallfahrten, haben ein Ziel, eine Wallfahrtskirche, die sich meistens durch eine Legende auszeichnet. Auch wenn Gott an jedem Ort ist und sich überall den Menschen offenbaren will, zeigen uns Wallfahrtsorte doch, dass Gott dort, wo viele miteinander beten, auf besondere Weise erfahren werden kann.

VII. Die Wirkung christlicher Rituale

Eine Übersicht

Erikson hat sieben Elemente menschlicher Rituale aufgezählt. Ich möchte versuchen, nun aus den christlichen Ritualen, die ich in diesem Buch beschrieben habe, zwölf charakteristische Merkmale herauszufiltern. Diese zwölf Merkmale zeigen auf der einen Seite, was die Rituale bewirken können. Auf der andern Seite beschreiben sie die typischen Eigenschaften der Rituale. Dabei fällt es mir schwer, einfach von christlichen Ritualen zu sprechen. Denn viele Rituale, von denen ich erzählt habe, sind nicht typisch christlich, sondern allgemein menschlich. Aber ich habe versucht, die Rituale immer als Bestandteil eines spirituellen Weges zu zeigen, als Methoden auf dem inneren Weg, die mir helfen sollen, mein Leben vor Gott bewusst zu leben und mich von Gott mehr und mehr verwandeln zu lassen. Und Rituale sind ein Teil der geistlichen Kunst des gesunden Lebens, der christlichen Lebenskultur, wie ich sie vor allem in der Regel des heiligen Benedikt als typisch für die christliche Spiritualität gefunden habe.

Spiel

Rituale sind ein Spiel. Sie sind zweckfrei. Im Spiel spielen wir uns in die Möglichkeiten unseres Menschseins hinein. Wir entdecken im Spiel die Freiheit unseres Lebens. Wir sind nicht nur eingespannt in unsere Pflichten, sondern unser Leben ist ein Geschenk Gottes, das wir spielend erst in seinem ganzen Reichtum entdecken. In früheren Zeiten war es üblich, dass die Menschen die Erfahrungen ihres Lebens in kunstvollen Riten vor ihren Göttern ausgespielt haben. So spielen wir uns in den Ritualen hinein in das Leben, das Gott uns Tag für Tag gewährt, in Dankbarkeit und Freude an unserem erlösten und befreiten Dasein. Im Spiel werfen wir die Fesseln ab, die uns sonst gefangen halten, und wir erahnen etwas von der Freiheit der Kinder Gottes. Vom Spiel der Rituale gilt, was Hugo Rahner einmal über den spielenden Menschen geschrieben hat: »Das Spiel ist … die zur Geste gewordene Hoffnung auf ein anderes Leben. Spiel ist Verzauberung, Darstellung des ganz Anderen, Vorwegnahme des Kommenden, Leugnung des lastend Tatsächlichen.«[41]

Feier

Rituale feiern unser Leben, weil es wert ist, gefeiert zu werden. In der Feier drückt sich die göttliche Würde unseres Lebens aus. Der Autor des 2. Petrusbriefes schreibt an seine Leser: Durch die göttliche Macht »wurden uns die kostbaren und überaus großen Verheißungen geschenkt, damit ihr … an der göttlichen Natur Anteil erhaltet« (2. Petrus 1,4). Die Freude an dem göttlichen Leben, das in uns ist, verlangt nach der Feier. In den Ritualen feiern wir unser Leben. Feiern heißt, Ja sagen zu seinem Leben. Feier ist absolute Zustimmung zum Dasein. Und im Feiern drückt sich zugleich die Sehnsucht nach absoluter Geborgenheit und Liebe aus. In jedem Ritual steckt die Verheißung der Vollendung, die Verheißung absoluten Glücks. In der Feier des Rituals tauchen wir ein in das eigentliche Geheimnis unseres Lebens und trinken aus der göttlichen Quelle.

Kreativität

Rituale zeichnen sich aus durch Phantasie und Kreativität. Ich staune immer wieder, wie kreativ Menschen sind, wenn sie ihr Leben bewusst gestalten und für sich Rituale entdecken, die sie innerlich froh machen. Auch die Riten der Kirche, wie sie in den Sakramenten und in den Festen des Kirchenjahres gefeiert werden, zeugen von der Kreativität menschlicher Phantasie. Aber die Rituale sind nicht nur Ausdruck von Kreativität, sie fördern sie vielmehr auch. Rituale wecken die Energie, die in einem Menschen schlummert. Und sie verleihen seiner Arbeit Kreativität und Fruchtbarkeit. Von Thomas Merton wird erzählt, dass er jeden Tag nur zwei Stunden geistig gearbeitet habe. Aber da war er so fruchtbar, dass zwei Sekretäre nicht nachkamen, seine Gedanken aufzuschreiben. Diese Kreativität war offensichtlich Folge der Ritualisierung seines Tages, wie sie ihm der Trappistenorden anbot.

Freiheit

Rituale sind Ausdruck der menschlichen Freiheit, und sie führen zur Erfahrung innerer Freiheit. In den Ritualen drücken wir aus, dass nicht die Termine und nicht die Erwartungen der andern Menschen uns bestimmen, sondern dass wir unser Leben selbst gestalten. Wir leben selber, anstatt von außen gelebt zu werden. Wir sind frei, unser Leben so zu formen, wie wir es gerne möchten. Trotz allen Eingebundenseins in die Gemeinschaft der Familie, des Klosters, der Firma, der Gemeinde haben wir den Freiraum, unserem Leben unsere ganz persönliche Note zu geben. Wer sein Leben in gesunden Ritualen ausdrückt, der erfährt die Freiheit vom äußeren Druck, dem er ausgesetzt ist. Er hat das Gefühl, dass es etwas in seinem Leben gibt, über das andere nicht verfügen können, etwas, das ihm allein gehört, das das Geheimnis seines Lebens ausmacht. Das gibt ihm das Gefühl von Freiheit. Die tiefste Freiheit, die das Ritual uns vermitteln kann, meint jedoch etwas anderes. Im Ritual drücken wir aus, dass wir Gott gehören und nicht den Menschen. Das macht uns im Innersten frei gegenüber ihren Besitzansprüchen an uns.

Identität und Lust am Leben

Rituale sind nach Erikson wichtig, um die eigene Identität zu entdecken. Es ist mein eigenes Leben, das ich lebe. Darin drückt sich meine Persönlichkeit aus, mein eigener Gestaltungswille. Wer in den Ritualen seine eigene Identität vor Gott entdeckt, der lebt gerne, der hat »Lust am Leben«. Der heilige Benedikt verheißt denen, die in seine »Schule des Herrn« eintreten, in der er sie in die christliche Lebenskultur aus dem Evangelium einführt, Lust am Leben. Ich habe Lust, meinen Tag in meiner ganz persönlichen Weise zu beginnen. Es macht mir Spaß, ihn so abzuschließen, dass es mein eigener Tag war. Gerade die Abendrituale vermitteln mir das Gefühl, dass ich heute wirklich gelebt und nicht nur die Erwartungen der andern erfüllt habe.

Raum der Stille

Rituale verschaffen mir nicht nur einen Freiraum, in dem ich aufatmen kann, sondern auch einen Raum der Stille, einen Raum, in den der Lärm der Welt nicht vordringen kann. Viele Rituale sind Unterbrechungen des Lebens. Da wird die Arbeit unterbrochen, da wird das eigene Denken und Planen unterbrochen, um Gott eine Chance zu geben, in mein Leben einzutreten. Gerade die Morgen- und Abendrituale bestehen häufig darin, einen Raum des Schweigens zu schaffen, in dem ich mit dem inneren Raum der Stille in Berührung kommen kann, in dem Gott selbst in mir wohnt. Zu diesem inneren Raum haben die Menschen mit ihren Erwartungen und Wünschen keinen Zutritt, da bin ich wirklich frei, da bin ich ganz ich selbst. Da kann ich aufatmen. Da spüre ich, dass es etwas in mir gibt, das unberührt bleibt vom Lärm der Welt, von der Arbeit, von der Verantwortung, die ich für andere habe. Bei allem, was ich tue, gibt mir die Erfahrung dieses inneren Raumes das Gefühl von Weite, Freiheit und von Geborgensein in Gott.

Ästhetik

Rituale atmen einen Hauch von Schönheit und Ästhetik. Gerade die religiösen Rituale zeichnen sich aus durch den Sinn für das Schöne. Schönheit ist ein wesentlicher Aspekt christlicher Liturgie. Sie spiegelt Gottes Herrlichkeit wider. Die Benediktiner haben sich seit jeher um eine ästhetische Gestaltung ihrer Gottesdienste bemüht. Sie haben den Gesang des gregorianischen Chorals gepflegt, sie haben ihre Kirchen kunstvoll ausgestaltet und sie haben in den vielen Riten ihrer Liturgie die Herrlichkeit Gottes dargestellt, etwa in den Prozessionen, im Weihrauch, der bei keinem feierlichen Gottesdienst fehlen darf und über alles Alltägliche den süßen Geruch des Göttlichen breitet. Rituale geben aber auch dem Miteinander in der Familie oder in einer Firma einen Hauch von Schönheit. Es genügt nicht nur, miteinander zu essen. Es soll auch Stil haben, es soll schön sein. Die Ästhetik, mit der eine Firma eine gemeinsame Feier gestaltet, zeugt von ihrer inneren Lebendigkeit und fördert sie zugleich.

Ordnung

Rituale ordnen mein Leben. Sie geben dem Tag, der Woche und dem Jahr eine gesunde Struktur. Sie ordnen jeder Tageszeit die ihr gebührende Qualität zu. Rituale lassen mich die Frische des Morgens und die dankbare Müdigkeit des Abends auf je eigene Weise erfahren. Sie geben mir ein Gespür für die Jahreszeiten. Gerade das Kirchenjahr mit seinen Festen rhythmisiert meine Zeit. Es schenkt mir Zeiten der Entsagung und des Feierns, der Alltäglichkeit und der Besonderheit eines herausragenden Festes. Rituale weisen mich ein in den Rhythmus meines Lebens. Und nur wenn mein Leben dem inneren Rhythmus meiner Seele und meines Leibes, heute sagen wir dem Biorhythmus, entspricht, lebe ich gesund und angemessen. Rituale stiften Ordnung mitten im Chaos unserer Welt. Sie ordnen meinen Tag und schenken mir genügend Raum für die Arbeit und für das Gebet, für das Alleinsein und für die Gemeinschaft, für das Verzichten und für das Genießen. Die äußere Ordnung der Rituale bringt mich innerlich in Ordnung.

Verbindung

Rituale verbinden die Menschen miteinander. Das gilt besonders für die gemeinsamen Rituale einer Familie oder Gemeinschaft. Da wird die innere Verbindung erfahrbar. Das gilt vor allem auch für die Feste des Kirchenjahres, die zu einer gemeinsamen Erfahrung Gottes führen können und die den tiefsten Grund menschlicher Gemeinschaft offenbaren: Gott, der uns gemeinsam beschenkt, erlöst und befreit, Gott, den wir gemeinsam loben als unser aller Vater und Schöpfer.

Aber auch persönliche Rituale schaffen eine Verbindung zu andern Menschen. Rituale stiften Klarheit in den Beziehungen. Wenn der andere weiß, wie und wann ich meinen Tag beginne und beschließe, dann braucht er kein schlechtes Gewissen zu haben, wenn er mich um 21.00 Uhr noch anruft. Der andere weiß, wie er mit mir dran ist. Rituale verbinden aber auch noch auf andere Weise. Wenn Menschen, die sich lieben und sich nahestehen, zur gleichen Zeit die gleichen Rituale verrichten, dann entsteht eine tiefe innere Gemeinschaft und Gemeinsamkeit. Die verbindende Wirkung der Rituale wird vor allem in den Versöhnungsritualen der Paartherapie und in Trauerritualen deutlich.

Heilung

Rituale haben eine heilende Wirkung. Natürlich sind sie kein Zaubermittel, mit dem ich alle Krankheiten zu heilen vermag. Dennoch wirken sie heilend auf Leib und Seele. Lebendige und ohne Zwang gefeierte Rituale sind Garant eines gesunden Lebensstils. Sie sind Ausdruck der Kunst des gesunden Lebens. Sie bewirken eine positive Grundstimmung, das Gefühl von Freiheit, Freude und Lust am Leben. Diese Gefühle sind gesundheitsfördernd, während Unzufriedenheit, Unlust und das Eingezwängtsein in die Tretmühle des Alltags den Menschen krank machen. Rituale wirken vor allem auf depressive Menschen heilend. Sie strukturieren das innere Chaos und heben die Stimmung.

Heilend sind vor allem die Sakramente und die kirchlichen Riten. Die Sakramente sind Berührungssakramente. In ihnen berührt uns die Hand des geschichtlichen Jesus. Genauso wie Jesus die Kranken berührt hat, um sie von ihrem Aussatz, von ihrer Lähmung, ihrer Selbstentwertung, ihrer Selbstbestrafung zu befreien, so berührt er uns, um unsere Wunden zu heilen, um uns aufzurichten und uns unsere göttliche Würde zu vermitteln. Jesus begegnet uns in den Sakramenten und in den Festen der Kirche als der Heiland, als der heilende Arzt für Leib und Seele. Die heilende Wirkung spüren wir natürlich nicht nach jedem Sakramentenempfang oder nach jedem Fest. Aber wer sich Jahr für Jahr auf die Feste des Kirchenjahres und auf die sieben Sakramente einlässt, der darf darauf vertrauen, dass da in der Tiefe seiner Seele etwas heil und ganz wird, dass Gottes Heil zur Heilung für den ganzen Menschen wird.

Sinnstiftung

Rituale stiften Sinn. Das gilt sowohl von den persönlichen als auch von den gemeinsamen Ritualen. Die persönlichen Rituale zeigen mir, dass mein Leben wertvoll ist. Wenn das Leben einen unantastbaren und göttlichen Wert hat, dann ist es auch sinnvoll. Rituale sind Zustimmung zum Sein. Sie vermitteln mir das Gefühl, dass es gut ist, dass ich lebe, dass die Welt in ihrem Grunde gut ist. Das Gute ist immer auch sinnvoll. Die Feste des Kirchenjahres, in denen das Göttliche einbricht in unser Leben, decken uns den Sinn unseres Lebens auf. Unser Leben ist sinnvoll, weil es von Gott selbst getragen, bestätigt, beschenkt, befruchtet, befreit und bejaht ist. Ein Fest bedeutet immer Zustimmung zum Leben. Wer seinem Leben zustimmen kann, der erfährt es auch als sinnvoll. Die Sinnlosigkeit, unter der heute so viele leiden, rührt daher, dass man keine Feste mehr feiern kann, an denen der Sinn des Ganzen aufscheint, weil man von Gott berührt wird. Ohne Feste, ohne Rituale wird das Leben banal, »nichts als ...« (C. G. Jung), sinnlos. Im Ritual wird deutlich, dass der Sinn unseres Lebens darin besteht, auf je urpersönliche Weise das einzigartige Bild Gottes darzustellen, das er sich von jedem Einzelnen von uns gemacht hat.

Priestertum

Die Rituale sind priesterliches Tun. Ein Priester im archetypischen Sinn ist Mittler zwischen Mensch und Gott. Priester ist der, der Gott und Mensch miteinander verbindet, der Irdisches in Göttliches verwandelt, der das Irdische und Menschliche für Gott durchlässig werden lässt. Die Rituale öffnen unser Leben auf Gott hin. Sie sind Einbruchstor für Gottes heilenden und befreienden Geist. Sie machen unser Leben durchlässig für Gott. Gerade die Sakramente bestehen ja darin, dass etwas Irdisches Gott vermittelt. Das Wasser vermittelt Gottes befreienden und belebenden Geist. Das Brot vermittelt Christi sich für uns hingebende Liebe. Und der Wein schenkt unserem Leben einen göttlichen Geschmack.

Was von den Sakramenten gilt, das gilt in irgendeiner Weise auch für alle Rituale. Irdisches wird zum Zeichen und zur Vermittlung für das Göttliche. In den persönlichen Ritualen vollziehen wir das allgemeine Priestertum, das Christus allen Gläubigen geschenkt hat, wie es im 1. Petrusbrief heißt: »Ihr aber seid ein auserwähltes Geschlecht, eine königliche Priesterschaft, ein heiliger Stamm, ein Volk, das sein besonderes Eigentum wurde, damit ihr die großen Taten dessen verkündet, der euch aus der Finsternis in sein wunderbares Licht gerufen hat« (1. Petrus 2,9).

In den Ritualen drücken wir aus, dass unser ganzes Leben von Gott berührt ist, dass wir Gottes besonderes Eigentum sind und dass Gott die Dunkelheit unseres Lebens durch das Licht seiner Gnade verwandelt. Die Rituale zeigen, dass in allen Geschehnissen unseres Lebens das wunderbare Licht göttlicher Liebe aufleuchtet. Wie der Priester in den Sakramenten Christus selbst gegenwärtig setzt, so ist es auch Jesus Christus, der in unseren persönlichen und gemeinschaftlichen Ritualen alle Bereiche unseres Lebens berührt, verwandelt und heilt.

Anmerkungen

1 Vgl. Franz Schlederer, Die Gesellschafts-, Kultur und Religionskritik bei Freud, in: Die Psychologie des 20. Jhds. II, Zürich 1976, 1000.
2 Ebd. 1015.
3 Ebd. 1019.
4 Vgl. Sigmund Freud, Gesammelte Schriften VIII, Leipzig 1924, 654ff.
5 C. G. Jung. Gesammelte Werke XVIII/I, Olten 1981, 178.
6 C. G. Jung, Gesammelte Werke VIII, Zürich 1976, 49
7 Ebd. 49.
8 Ebd. 428.
9 Ebd. 53.
10 C. G. Jung Ges. Werke XVIII/I, 296.
11 Ebd. 296.
12 Ebd. 297 und 298.
13 Ebd. 298.
14 C. G. Jung, Gesammelte Werke XI, Zürich 1963, 16.
15 Ebd. 13.
16 Ebd. 47.
17 Ebd. 51.
18 Ebd. 52.
19 C. G. Jung, Briefe II. Olten 1972, 440.
20 Ebd. 440.
21 Erhart Kästner, Die Stundentrommel vom Heiligen Berg Athos, Wiesbaden 1956, 65.
22 Edward C. Adams, Das Werk von Erik H. Erikson, in: Die Psychologie des 20. Jhds. III, Zürich 1977, 341.
23 Ebd. 341.
24 Ebd. 342.
25 Ebd. 342.
26 Peter Schellenbaum, Nimm deine Couch und geh! Heilung mit Spontanritualen, München 1992, 15.
27 Ebd. 62
28 Ebd. 70.
29 Ebd. 80.
30 Ebd. 86.
31 Ebd. 87.
32 Horst Kämpfer, Mit Symbolen leben, Olten 1980, 94.
33 Gertrud Erni, Die Vaterunser-Chakren-Meditation. Ein heilender Weg mit Symboltänzen, Meditationen und Ritualen. München 1994, 163ff.

34 Matthew Fox, Schöpfungsspiritualität. Heilung und Befreiung für die Erste Welt, Stuttgart 1993, 54f.
35 Gertrud Erni, ebd. 167.
36 Erni, 171.
37 Vgl. Hans Jellouschek, »Warum hast du mir das angetan?« Untreue als Chance, München 1995, 160ff.
38 Hans Jellouschek, Heilsame Rituale in Paarbeziehungen, Münsterschwarzacher Vortragscassetten 1996.
39 Jellouschek, »Warum hast du mir das angetan?« 167.
40 Christian Schütz, Sakramentalien, in: LexSpir 1085.
41 Hugo Rahner, Der spielende Mensch, Einsiedeln 1952, 59.

Neu gestaltete Ausgabe der erstmals 1995, 1997 und 1998
im Kreuz Verlag erschienenen Titel:
Selbstwert entwickeln – Ohnmacht meistern (1995)
Geborgenheit finden – Rituale feiern (1997)
Die eigene Freude wiederfinden (1998)

Ein Unternehmen der Verlagsgruppe Dornier
Postfach 80 06 69, 70506 Stuttgart, Tel: 07 11/78 80 30
Sie erreichen uns rund um die Uhr unter www.kreuzverlag.de
Umschlagfoto: © Peter Neusser, München
Umschlaggestaltung: Bergmoser + Höller Agentur, Aachen
Satz: Rund ums Buch – Rudi Kern, Kirchheim/Teck
Druck und Bindung: Clausen & Bosse, Leck
ISBN 3-7831-2292-9